De magische datum

Zoey Dean

De magische datum

Vertaald door Mireille Vroege

ARENA

Oorspronkelijke titel: *How to Teach Filthy Rich Girls*
© Oorspronkelijke uitgave: Alloy Entertainment, 2007
© Nederlandse uitgave: Arena Amsterdam, 2007
© Vertaling uit het Engels: Mireille Vroege
Omslagontwerp: Femke de Harde, Amsterdam, www.femke.it
Illustratie omslag: www.dianaheemskerk.nl
Typografie en zetwerk: CeevanWee, Amsterdam
ISBN 978-90-6974-863-4

NUR 302

Rijke mensen zijn heel anders dan jij en ik.

F. Scott Fitzgerald, *The Great Gatsby*

Een

Kies wat het best past in de opengelaten ruimten van de volgende zin.

Familie-erfstukken en zo nu en dan een seksuele gunst verlenen in ruil voor .... financiële zekerheid is ....

- marginale; te rechtvaardigen.
- volledige; heel normaal in Beverly Hills.
- de belofte van; heel erg 1990, in de trant van *Pretty Woman.*
- redelijke; onvergeeflijk.
- kaartjes voor een concert en; volstrekt legitiem.

Toen ik het bonnetje uit de pinautomaat trok, wist ik het slechte nieuws al. Ik had net tweehonderd dollar opgenomen en mijn saldo zweefde vlak boven de nul. Dus stopte ik het geld en het bonnetje in mijn aftandse rugzak en stelde ik mezelf de vraag die iedereen die net aan Yale is afgestudeerd en een studieschuld van 75 000 dollar heeft zich zou stellen.

'Als ik geld zou vragen voor seks, hoeveel zou ik er dan voor kunnen krijgen?'

'Dat hangt ervan af,' antwoordde mijn beste vriendin Charma Abrams mat. Haar nasale monotone stem was ernstig beïnvloed door het feit dat ze als kind te veel naar Daria van

MTV had gekeken. 'Mag je je klanten zelf uitkiezen?'

'Laten we zeggen dat ik voor het grote geld ga.'

'Dat is moeilijk te zeggen. Kom, dan gaan we in Tompkins Square Park een pooier voor je zoeken.' Charma keek in de antiwinkeldiefstalspiegel boven de slap uitziende bladgroente hoe ze eruitzag. 'Of we kunnen het aan je zus vragen.'

Mijn zus. Lily. Lily speelde een rijk meisje annex hoertje annex hoerenmadam in *Streets*, het nieuwe toneelstuk van Doris Egan, en dat wist Charma best. Afgelopen week had ze op de cover van *Time Out* gestaan: dé nieuwe jonge actrice van dit seizoen die u niet mag missen.

Mijn zus was altijd al iemand geweest die je niet mocht missen. Lily is bloedmooi, kan heel goed zingen en dansen, is afgestudeerd aan Brown University, en echt geboren om nagekeken te worden. Ik keek zelf ook in de vertekenende spiegel van de groenteafdeling – normale lengte, normaal gewicht, als ik een goede dag heb van boven maat 36 en van onder maat 38, bruin haar tot op mijn schouders, dat heel erg de neiging heeft om te kroezen, een hartvormig gezicht met vrij mooie hazelnootbruine ogen, een smalle neus en lippen als op de 'voor'-foto van een botoxadvertentie, en ik vroeg me voor de zoveelste keer af hoe Lily en ik in godsnaam uit hetzelfde genenpakket konden bestaan.

De belangrijkste reden waarom ik naar Yale was gegaan, was dat ik dan eindelijk eens iets in mijn leven kon doen waarmee ik beter zou scoren dan zij.

Dat dit heel onvolwassen is, ontgaat me overigens niet.

'Kom,' zei ik tegen Charma. 'Ik wil hem niet missen.'

We liepen de winkel uit en staken East 7th over, waarbij we een paar joggers en een dakloze vrouw beladen met tassen, die een eenzijdig gesprek met de president voerde, ontweken: 'Noem je dat buitenlandpolitiek, klootzak?' Het was zo'n kristalheldere zonnige herfstdag waarop de natuur een wanhopige stripteaseshow doet – de laatste koppige herfstbladeren dansten aan hun takken, terwijl de laagstaande novemberzon ze in een okergeel licht liet baden. Ik had mijn bekende merkloze spijkerbroek aan, een gewoon wit t-shirt en een stokoud donkerblauw vest waar mijn lievelingshond – we hadden er thuis drie – Galbraith, als puppy altijd op sliep.

'Waar heb je met die jongen afgesproken?' vroeg Charma.

'In de zuidwestelijke hoek.' Ik tuurde de volle bankjes af langs het pad dat naar het midden van het park liep. Iedereen genoot van het zachte weer dat over een paar dagen echt afgelopen zou zijn.

'Heeft hij gezegd hoe hij eruitziet?'

'Lang, mager, kort donker haar, minuscuul sikje, strassteentje in rechteroor,' ratelde ik. 'Hij heeft een roodflanellen hemd aan en een Levi's, wijd model.'

'Een boxershort of een ballenknijper?' vroeg Charma.

Ik trok een wenkbrauw op.

'Het is maar een vraag. Aangezien je verder ook alles tot in detail weet.'

'Toen ik zei dat ik tweeëntwintig was, zei hij dat hij negenentwintig is, en dat betekent waarschijnlijk dat hij halverwege de dertig is en jonger wil overkomen. Dus ik denk een strakke boxer.' Ik liep recht op een vrij bankje rechts van ons af. Te laat. Drie oude Poolse dametjes hadden het al eerder gezien.

Charma schudde de blonde krullen uit haar ogen. 'Dat gedoe van seks voor geld, hè? Zonde van je intelligentie. Ik denk niet dat jouw klanten zo tot in detail herinnerd willen worden. Hou jij je nou maar bij dat tijdschrift.'

'O, alsof ik daar niet dagelijks hersencellen mee om zeep help.'

Ik was magna cum laude afgestudeerd in twee hoofdvakken,

Engels en Amerikaanse geschiedenis, en ik was redacteur bij de *Yale Daily News* geweest. Dus je kon niet beweren dat ik met de verkeerde papieren in Manhattan was aangekomen. Ik dacht dat ik zo een baan zou krijgen waarbij ik diepgravende artikelen zou schrijven voor een belangrijk, links georiënteerd tijdschrift zoals *The New Yorker* of *Rolling Stone*, of, kan mij het schelen, zelfs *Esquire*, en dat bewijst maar weer eens dat een meisje weliswaar tweeëntwintig en belachelijk hoogopgeleid, maar toch nog zo onnozel als een gans kan zijn.

Iedereen die ook aan een Ivy League-universiteit was afgestudeerd bleek namelijk de dag na de diploma-uitreiking naar New York te zijn gegaan, en we aasden allemaal op precies dezelfde baantjes. Velen van hen beschikten echter over iets wat ik niet had. Connecties.

Mijn vader is hoogleraar economie aan de University of New Hampshire, en mijn moeder is verpleegkundige bij het gezondheidscentrum op de campus. Lily en ik waren opgegroeid in een oude boerderij vol boeken, intelligente gesprekken en heel veel dierenhaar. Mijn ouders leidden een ecologisch leven. Hun composthoop was door *Earth Lovers*, het lokale krantje voor tuiniers, tot de beste uitgeroepen. Het is een vrij onbekend gegeven dat ouders die de verkiezing van beste composthoop winnen hun dochter niet kunnen helpen om een baan bij een hip New Yorks tijdschrift te krijgen.

Juni vloeide over in juli, en die vloeide weer over in de broeikas van augustus, en ik was nog steeds heel erg werkloos. Maar vlak na Labor Day kreeg ik mijn eerste en enige baan aangeboden. Aangezien ik Charma nog de huur van september moest betalen en ik het gevoel had dat het me goed zou doen als ik mijn lichaam met iets anders dan instantnoedels en tonijn uit blik in leven zou houden, was het óf redactieassistent bij *Scoop* worden, óf met een opgewekte glimlach op mijn gezicht 'Zal ik de dagkaart even voor u opnoemen?' leren scanderen. Elegant lopen met borden warm eten in mijn hand is niet mijn sterkste kant. Opgewektheid ook niet. De keus was snel gemaakt.

Je kent *Scoop* wel, ook al geef je misschien niet toe dat je het koopt. Het is één treetje hoger dan *Star* en twee treetjes lager dan *People*. Een paar van de hoogtepunten die ik tot nog toe op mijn naam heb staan zijn onder andere de ondertitels bij een fotoreportage met de titel 'Heeft Jessica implantaten?' en 'De wilde Mexicaanse vakantie van Lindsay!' Ja, ik heb het nodig gevonden om mijn journalistieke aspiraties een graadje naar beneden bij te stellen. Of tien.

Terwijl Charma en ik verder wandelden glimlachte een jongen met kort blond haar, een stoppelbaard van een dag oud en een sjofel T-shirt van Wolfmother naar ons. Nou ja, naar haar dan. Charma draaide zich om om hem na te kijken, waarbij ze zacht goedkeurend floot. Ze kan veel beter flirten dan ik.

Ik keek om me heen of ik mijn afspraak zag. Op tien uur stond een junkie die nodig moest scoren. Op twaalf uur zag ik twee scholieren met van alles te veel – make-up, haar, tieten, huid, naaldhakken – die blijkbaar de behoefte voelden om om het andere woord tegen elkaar te gillen. Toen zag ik op twee uur een jongen in spijkerbroek en flanellen hemd die tussen een paar bomen door liep. Bingo. Ik zwaaide.

'Megan?' Hij stak me een hand met enigszins vuile nagels toe, maar ik was niet in de positie om die te weigeren. Hij had iets wat ik heel erg graag wilde hebben.

'Ja. Hallo. Fijn dat je kon komen. Pete is het toch, hè?'

'Ja.'

Links van ons stond een stel met een kinderwagen van een bankje op. Ik ging zitten en gebaarde Pete dat ook te doen. Ondertussen zag ik dat Charma met Wolfmother praatte, die was omgekeerd om nu echt contact te leggen. Ach ja, je kon het hem niet kwalijk nemen. Charma had van die rondingen waar vrouwen een godsvermogen voor neertellen en dan ook nog genoegen moeten nemen met een zoutoplossing.

'Heb je het bij je?' vroeg Pete, terwijl hij ongeduldig met zijn vingers op zijn spijkerbroek trommelde.

'Ja, hier.' Met bonkend hart maakte ik mijn rugzak open en haalde er het witte T-shirt uit dat een uur geleden nog in een lijst aan de kale bakstenen muur van onze woonkamer had gehangen (waarvan de futon tevens als mijn bed dienstdeed). Op de voorkant van het T-shirt stond een vogel dic op de hals van een gitaar zit, en op de achterkant de tekst WOODSTOCK: THREE DAYS OF PEACE AND MUSIC. Het was niet alleen een echt T-shirt van het grootste popconcert dat er ooit gegeven is, maar het was ook nog eens door Jimi Hendrix gesigneerd. Twee studenten van Cornell, die later mijn ouders zouden worden, hadden het tot het optreden van Hendrix op maandagochtend uitgezongen. Mijn vader was erin geslaagd om het T-shirt door de gitaargod zelf te laten signeren, als teken van zijn liefde en toewijding.

Nu gaf ik het door, als een teken van míjn liefde en toewijding. Aan hoeheetieookalweer. O ja. Pete.

'Zoals ik al in de advertentie zei: het is in topconditie,' zei ik.

Hij stak een eeltige hand naar me uit. 'Laat eens kijken.'

Ik aarzelde. 'Ik wil graag eerst de kaartjes zien.'

Hij haalde zijn portefeuille tevoorschijn, en daar waren ze dan: twee plaatsen op de eerste rij voor The Strokes in Webster Hall, voor diezelfde avond nog. Het optreden was afgelopen maand binnen een paar minuten uitverkocht geweest. Ik had alles geprobeerd om kaartjes te krijgen, maar niks hoor. Tot nu dan.

Als ik nou heel eerlijk ben moet ik erbij vertellen dat The Strokes niet mijn favoriete band is. Maar mijn vriendje James is er weg van. James – van het verbluffende intellect en het schitterende proza, iemand die Doris Lessing lichte kost vindt – zette altijd 'Heart in a Cage' keihard op en danste dan naakt door zijn studentenkamer, waarbij hij als een twaalfjarige luchtgitaar speelde. Van zo'n jongen móét je toch wel houden?

We hadden elkaar leren kennen bij een werkgroep schrijven voor gevorderden, waar James zichzelf al snel als de meest uitgesproken student van de hele groep manifesteerde, die er geen been in zag om in discussie te gaan – en nog goed ook – met een hoogleraar die toevallig net het voorwoord voor de nieuwste druk van *The Elements of Style* had geschreven.

Hij viel me natuurlijk op. Vanaf mijn plaats achter in het lokaal was ik zowel zwaar onder de indruk van zijn intelligentie als van de zwier waarmee hij naar zijn rechtmatige plaats op de eerste rij liep. Het was verbazingwekkend zoveel als je zag als je niet bang hoefde te zijn dat andere mensen naar jou keken.

Neem nou bijvoorbeeld Cassie Crockett. Ze had een lichaam als uit de *Maxim* en beeldschoon blond haar. Maar op de eerste dag zag ik haar stiekem twee vingers onder haar haar steken, waarvan ik me meteen realiseerde dat het een prachtige pruik was. Toen haar vingers weer tevoorschijn kwamen, hielden ze een pluk poepbruin haar beet, die ze heimelijk op de grond liet vallen. En daarna deed ze het nog een keer. En nog een keer. Trichotillamanie – de obsessief dwangmatige neiging om je eigen haar uit te trekken. Ik heb me hele werkgroepen lang afgevraagd hoe het voor Cassie was om met een van de jongens die voortdurend om haar heen draaiden uit te gaan. Misschien ging ze wel nooit met iemand naar bed. Misschien hield ze er een 'niet boven de hals'-regel op na, in plaats van een 'niet onder de gordel'.

Dat soort dingen houdt mij nou bezig.

Maar goed, terug naar James. Toen het semester een paar weken bezig was, schreef ik een stuk van vijfduizend woorden voor de *Daily News* over een kruispunt in New Haven waar zakenmannen travestiehoeren oppikken. Ik had me een hele week onopvallend in een koffieshop in de buurt opgehouden, vanwaar ik de meisjes en hun klanten observeerde en alle details in me opsloeg. Onze docent las een stuk van mijn artikel hardop voor ter illustratie van het soort specificiteit dat hij van ons wilde zien. Toen knikte hij in mijn richting.

Alle hoofden draaiden zich om om naar mij te kijken. De reactie droop van hun gezichten af: zíj? Echt?

Na de les nam James me apart. Ik was te geschrokken om zenuwachtig te zijn, en daarna was ik te zeer op mijn gemak om me te kunnen herinneren waarom ik dat had moeten zijn. We gingen koffiedrinken en waren het over alles en iedereen eens, van Jonathan Safran Foer (*Alles is verlicht*, geweldig) tot Donna Tartt (*De verborgen geschiedenis*, verschrikkelijk). Lily, het orakel van alle wijsheid op het gebied van liefde, had me gewaarschuwd om nooit, maar dan ook nooit tijdens afspraakje een tot en met drie seks te hebben. Je kunt geloof ik wel zeggen dat ik haar advies ter harte genomen heb, in die zin dat de eerste keer met James niet echt een afspraakje was. Binnen vijf uur na 'Zullen we koffiedrinken?' lag ik met hem in zijn hoogslaper.

We waren samen na ons afstuderen naar New York gegaan, zij het niet in die zin samen dat we ook samenwoonden. Zijn ouders hadden een tergend chic, spierwit pied-à-terre in een complex van Donald Trump aan de Upper Westside, hoewel ze eigenlijk in hun landhuis van drie miljoen dollar in Tenafly, New Jersey, woonden. Doctor en mevrouw Ladeen – hij was een uitermate angstige, maar wel getalenteerde cardioloog, en zij was redacteur bij de *New York Review of Books* – boden James aan om zonder huur te hoeven betalen in het appartement te gaan wonen, terwijl hij aan zijn ongetwijfeld meteorietachtige opmars naar literaire roem begon. Hun verwachtingen waren niet alleen gebaseerd op het feit dat hij echt talent had, maar ook op het feit dat zijn moeder háár connecties had gebruikt om James een baantje als junior-redacteur bij *East Coast* te bezorgen. *East Coast* is net zo'n blad als *The New Yorker*, alleen dan nog meer op fictie gericht.

Helaas hadden de ouders van James mij nooit erg gemogen. Ik had echt mijn best gedaan, maar het stond als een paal boven water dat ze de hoop koesterden dat James weer terug zou gaan naar zijn ex-vriendin, Heather van der Meer, de jongste dochter van heel oude vrienden. Dus het aanbod inzake het appartement strekte zich niet ook tot mij uit.

Nou, mij best. We hadden alle tijd. James en ik waren gelukkig. En vanavond vierde hij zijn drieëntwintigste verjaardag. Ik wilde dat het een gedenkwaardige avond zou worden, en daarom had ik mijn banksaldo ook in tweeën gesplitst: eerst een etentje en een fantastische fles wijn in restaurant Prune. Tijdens het nagerecht zou ik nonchalant de kaartjes voor het concert tevoorschijn halen, waardoor hij het zou uitschreeuwen van blijdschap en mij zou overladen met het soort publieke liefdesbetuigingen waar hij normaal gesproken allergisch voor was. Na het concert zouden we dan naar zijn huis gaan voor het leukste deel van de avond. En van de ochtend.

Om mijn plan te kunnen verwezenlijken hoefde ik alleen maar het Woodstock-T-shirt van mijn vader voor de kaartjes te ruilen.

'Doen we het of niet?' zei Pete, en hij tikte met zijn koffiekleurige instapper op het trottoir.

Ik beet op mijn onderlip. Mijn ouders zouden het vast begrijpen. Tuurlijk begrepen ze het. Althans, dat hield ik mezelf voor. We ruilden. Jezus, wat zou James opkijken.

Ik stopte de kaartjes in mijn rugzak en stond op om Pete verder een leuk leven te wensen. Een jongen met een kaalgeschoren hoofd – hij kon niet ouder dan veertien geweest zijn – reed op ons af op zo'n fiets waar besteljongens op rijden. Hij zwenkte van links naar rechts, waarbij hij er genoegen in schepte de oude Poolse dametjes de stuipen op het lijf te jagen.

'Bedankt,' zei ik tegen Pete. 'Pas goed op mijn... hé!'

De jongen op de fiets scheurde langs me heen en griste mijn rugzak mee voordat ik die weer over mijn schouder kon gooien.

'Stop! Hou hem tegen!' brulde ik.

Ik ging erachteraan, Pete ging erachteraan, en een heleboel andere mensen ook. Maar de jongen reed van het pad af en fietste zo hard hij kon tussen de bomen door. Een paar seconden later reed hij over Avenue A, met mijn rugzak bungelend aan het stuur.

Het was net alsof de concertkaartjes en mijn tweehonderd dollar ten afscheid naar me zwaaiden.

Twee

Kies het item dat het best overeenkomt met het volgende woordpaar:

Appartement in East village: *Scoop*

- appartement aan de Upper West Side: *The New Yorker*
- koopflat in Panama-stad: USA *Today*
- bungalow in Hollywood Hills: *Daily Variety*
- flat in Camden, Londen: *Blender*
- loft in Soho: US *Weekly*

'... Een magere blanke jongen met een kaalgeschoren hoofd, kistjes aan, een wijde groene korte broek, een zwart sweatshirt en met een tattoo op de knokkels van zijn rechterhand,' zei ik, terwijl ik het grootste van twee biefstukjes die ik net op het oude fornuis in mijn flat had klaargemaakt op het bord van James schoof. 'Verder had hij twee kapotte spaken in zijn achterwiel. Dat heb ik allemaal tegen die agent gezegd.'

'Mmm, wat ruikt dat lekker,' zei James, en hij snoof goedkeurend. Hij streek zijn donkere haar achter zijn oren en knipperde met zijn prachtige grijze ogen naar me. 'En wat zei die agent?'

Ik liet de andere biefstuk op mijn bord glijden en liep terug naar het aanrecht, waar de bijgerechten nog op stonden. 'Hij zei dat het waarschijnlijk de meest gedetailleerde beschrijving van een misdrijf was die hij ooit had gehoord en dat ik een carrière bij de politie moest overwegen.'

'Of dat je te veel naar CSI hebt gekeken.'

James zat op een klapstoel aan de houten tafel in het armzalige keukentje van onze flat. Charma had hem van straat gehaald – gevonden meubels waren in New York een van de leukste meevallers voor mensen met een klein salaris. In de stoel waren allerlei verwensingen gekrast: EET STRONT EN STERF was mijn favoriet. Ik stelde me graag voor dat de vorige eigenaar Tourette had, alsmede een voorkeur voor scherpe voorwerpen.

De rest van de keuken was al net zo verjaard: scheefgetrokken zwart-wit linoleum, keukengerei van halverwege de vorige eeuw, een gootsteen die permanent onder de vlekken van tegen antibiotica resistente levensvormen zat. Dat was heel wat anders dan Prune.

Maar toen ik de aardappelpuree en gesmoorde asperges op tafel zette, kreeg ik toch een brede glimlach van James. Ik wist nog dat dit zijn lievelingseten was. Als verrassing stelde het nog steeds niks voor, maar ja, er zat niks anders op, toch? Toen de agent me met mijn observatievermogen had gecomplimenteerd, had hij er ook nog opgewekt aan toegevoegd dat de kans dat ze de jongen die me had beroofd zouden vinden niet erg groot was, en als ze hem al vonden, dan was mijn rugzak met inhoud en al allang verdwenen. Ondertussen hield Pete van de advertentie vol dat afspraak afspraak was. Hij weigerde mijn T-shirt terug te geven en vertrok nog voordat ik tegenover de agent mijn verklaring had afgelegd.

Ik besloot maar niet aan James te vertellen dat ik zowel het geld voor het etentje bij Prune als de kaartjes voor de eerste rij van het concert van The Strokes was kwijtgeraakt. Waarom zou ik hem een schuldgevoel aanpraten? Dus nam ik nog veertig dollar van mijn rampzalig lage bankrekening op en kocht ik de ingrediënten voor een fantastisch etentje. Als verjaardagsverrassing was het niet veel soeps, maar ik dacht dat ik bij het toetje de zaak wel wat kon opvrolijken.

'O, verrukkelijk.' James deed zijn ogen in vervoering dicht en kauwde op zijn medium gebakken biefstuk. 'Dus je hebt je creditcards en zo geblokkeerd?' vroeg hij.

'Creditcard, enkelvoud,' hielp ik hem herinneren. Niet dat die jongen die had kunnen gebruiken: de limiet van tweeduizend dollar op mijn Visa-kaart had ik al overschreden. Ik nam een hapje van mijn biefstuk. Zalig. Dat was een van de dingen die ik goed kon klaarmaken. 'Wat heb je van je ouders gekregen?'

De avond ervoor waren zijn ouders met hem naar Bouley gegaan. Mij hadden ze niet uitgenodigd, ondanks het feit dat Heather de Volmaakte vorig jaar nog met hen naar Five Hundred Blake Street was geweest, zonder meer het beste restaurant van New Haven.

Eerlijk is eerlijk, ik had Heather nog nooit ontmoet, maar ik had haar natuurlijk wel even op de website met foto's van de universiteit opgezocht. Ze was de jongste dochter van een rijke familie van Rhode Island, die terugging tot Roger Williams, en momenteel zat ze in haar eerste jaar rechten op Harvard. Heather was niet alleen slim, maar ze had ook nog steil blond haar, een zwanenhals, en van die pruillippen die ik ook dolgraag zou willen hebben. Een gewone sterveling die de kost verdient met fotobijschriften maken en die van onderen een maat groter is dan van boven – ikzelf namelijk – kan daar nooit tegenop.

'Mijn cadeau?' De stem van James haalde me uit mijn gemijmer. 'Mijn moeder heeft John Updike van alle Rabbit-romans een eerste druk laten signeren.'

Ik nam nog een hap van mijn biefstuk en probeerde te glimlachen. Het enige collector's item dat ik ooit had bezeten was het Woodstock-T-shirt.

James trakteerde me een paar minuten lang, terwijl ik at, op verhalen van *East Coast*. Hij had opdracht gekregen om de korte verhalen van een stuk of vijf bekende jonge zangers annex songwriters te redigeren. Volgens James was het allemaal niks en had hij ze woord voor woord moeten herschrijven, terwijl zij met de eer gingen strijken.

'Vreselijk vind ik dat altijd,' zei ik plagerig, en ik schonk onze glazen nog maar eens vol met de Australische Shiraz die ik bij de afgeprijsde artikelen had gevonden. 'Waarom krijg ík nooit eens de eer voor wat ik over de botoxinjecties van Jessica en Ashley heb herschreven?'

Hij pakte over tafel heen mijn hand vast. 'Je zit daar vast niet lang meer.'

Dat is gemakkelijk gezegd voor iemand die bij *East Coast* werkt. In wat er over was van mijn aardappelpuree maakte ik rondjes met mijn vork. 'Als ik nou maar één echt fantastisch idee kon aandragen dat Debra goed zou vinden...'

Debra Wurtzel was mijn chef-redacteur. Ze kende de populaire cultuur net zo goed als James Salinger kende. Op maandagochtend was er redactievergadering, en assistenten als ik mochten daar alleen op uitdrukkelijk verzoek van een directe chef bij aanwezig zijn. In mijn geval was dat Latoya Lincoln, die me precies twee keer had gevraagd. De eerste keer had Debra niet eens mijn kant op gekeken. Maar de tweede keer had ze me recht aangekeken en gevraagd: 'Megan? Heb jij nog suggesties?'

Toen Debra naar me keek, deden alle anderen dat ook. Ik geloof dat ik al duidelijk heb gemaakt dat het middelpunt van de aandacht niet mijn favoriete plek is. Om te beginnen bloos ik. En niet zo'n beetje ook. Toen mijn gezicht de kleur van een overrijpe tomaat aannam, viel de vergaderzaal stil. Op een gegeven moment kwam ik met een stuk over een nieuw onderzoek dat het gewicht van een beroemdheid vergeleek met de pieken en dalen in het gemiddelde gewicht van een vrouw in de leeftijd van zestien tot twintig jaar.

Debra's assistent, Jemma Lithgow, onlangs afgestudeerd aan Oxford, in een spijkerbroek maatje nul, hielp de aanwezigen er even aan herinneren dat we onlangs een coverstory hadden gedaan over 'Geheime Diëten van de Sterren', dus dat we niet plotseling als een blad aan een boom konden omslaan en konden neersabelen wat we net hadden toegejuicht. Ze voegde er nog net niet 'jij met je dikke reet' aan toe, want haar blik zei toch al genoeg.

Sinds die vergadering ben ik naar het voorgeborchte van *Scoop* verbannen. Tijdens de lunch in de kantine op de derde verdieping kwamen er geen ambitieuze leeftijdgenoten meer bij me zitten, uit angst dat ze door mijn status als loser bezoedeld zouden worden. In elk geval was het risico dat ik weer bij de redactievergadering op maandag werd gevraagd heel klein. Ik vond het prima om verdere vernedering in het openbaar voorlopig uit de weg te gaan – hartelijk bedankt.

Toen we klaar waren met eten, zette ik de borden in de gootsteen, deed de stop erin, liet er water in lopen en deed er afwasmiddel bij. Het vooroorlogse pand waarin ik woon – en dan bedoel ik van vóór de Eerste Wereldoorlog – was niet voorzien van de juiste aansluiting voor een vaatwasser. James kwam achter me staan en deed mijn haar omhoog om me in mijn nek te kussen.

'Hé,' mompelde hij terwijl hij zijn neus in mijn nek duwde. 'Ik zat net over de feestdagen te denken.'

Dit was een interessante ontwikkeling. Thanksgiving en Kerstmis stonden voor de deur en we hadden het er alleen terloops over gehad. 'Ja?'

Hij kuste me weer en liet zijn handen toen om mijn middel glijden. 'Mijn ouders hebben gevraagd of we meegaan naar Florida, naar ons huis aan de Golfstroom.'

We?

'Dus ik dacht... heb je zin om mee te gaan?' vroeg James. 'Voor Thanksgiving?'

Thanksgiving was al over tien dagen. Dat was nou niet wat je zegt ruim van tevoren. Toch had ik zin om mijn vuist pompend de lucht in te steken.

Ik hield mijn hoofd zo ver scheef dat ik hem kon aankijken. 'Hebben je ouders gevraagd of ik meeging?'

'Nou, nog niet,' zei hij, zich indekkend. 'Maar ik wilde het eerst aan jou vragen.'

Dat was niet zo best. Bij zo'n uitnodiging hoorde het toch andersom te gaan?

'Wat denk je ervan?' spoorde James me aan, terwijl hij zijn wijsvinger onder de rand van mijn T-shirt stak. Hij kuste me nog een keer en trok mijn T-shirt toen over mijn hoofd uit.

'Ik denk...' zei ik, terwijl ik me erop probeerde te concentreren hoe het zou zijn om Thanksgiving niet met mijn eigen familie te vieren. Maar toen liet James zijn hand in mijn spijkerbroek glijden en kon ik alleen nog maar 'O' zeggen, en toen 'Oké' en toen 'Ja'.

Met mijn ene hand knoopte ik James' broek open en met mijn andere hand trok ik hem tot op zijn knieën omlaag. Ik moet er even bij zeggen dat ik behalve schrijven nog een ander talent heb – althans, dat is mij verteld. Laten we zeggen dat ik, door in de schaduwzijde van de hemelse gloed van mijn zus op te groeien, gewoon beter mijn best heb gedaan.

Ik fluisterde tegen James dat hij maar alvast in bed op me moest gaan liggen wachten – ik had een verjaardagsverrassing voor hem. Dat deed hij maar al te graag.

Ik deed de koelkast open en haalde er de chocoladetaart met mokkaglazuur uit die ik bij patisserie Edelweiss aan Second Avenue had gekocht. Ik mocht dan geen kaartjes voor The Strokes op de eerste rij meer hebben, maar ik hoopte dat een beetje glazuur op zijn favoriete lichaamsdelen dat goed zou maken.

'Hé, waar is je Woodstock-T-shirt?' riep hij uit vanuit de woonkamer annex slaapkamer.

Godver. 'Ik vond dat ik dat beter bij mijn ouders thuis kon opbergen,' riep ik terug, terwijl ik mezelf inwreef met mokkaglazuur.

Je vraagt je misschien af of ik me op dit moment niet een heel klein beetje belachelijk voelde. Het antwoord is ja. Eerlijk gezegd had ik nog nooit eerder mijn tepels ingeglazuurd. Andere lichaamsdelen trouwens ook niet. Maar ik wilde per se dat James, ondanks alles, een onvergetelijke verjaardag zou hebben.

Ik legde net de laatste hand aan het onderste deel van mijn lichaam en hoopte maar dat zijn lievelingssmaak vanille of aardbei was, aangezien mokkabruin niet echt de meest flatteuze kleur voor een naakte en eetbare verleiding is, en toen rook ik brand.

Ik keek in de pan, maar daar had ik het vuur onder uitgezet. De geur werd steeds sterker. Ik trippelde voorzichtig naar de voordeur en keek door het gaatje. De gang was zwart. Een fractie van een seconde later begon het ouderwetse brandalarm boven mijn hoofd keihard te rinkelen.

'Brand!' Ik rende de slaapkamer in, waarbij ik het glazuur en het feit dat ik naakt was even helemaal vergat. 'Brand! Er is brand! Er is allemaal rook in de gang!'

James sprong uit bed, met inzakkend enthousiasme en grote ogen van angst. Hij pakte snel zijn boxershort.

'De brandtrap!' beval ik, omdat ik wist dat we niet door al die rook bij de binnentrap konden komen.

Ik pakte het eerste wat ik zag – een laken – en wikkelde dat om mezelf heen. Glazuur bleek een vrij goed plakmiddel te zijn. Wie had dat kunnen denken? Er gingen een paar kostbare seconden voorbij voordat James het raam open had dat toegang gaf tot de brandtrap. Toen hij het eindelijk omhooggeschoven had, duwde hij me erdoor en kwam toen achter me aan. In de verte hoorde ik de brandweer al.

Heb ik al gezegd dat ik nooit zo goed in lichamelijke opvoeding ben geweest? Nou, nu bleek dat ik, als ik echt heel erg gemotiveerd was, als een speer kon gaan. We vlogen de trappen af. Toen we eenmaal onder aan de brandtrap op de eerste verdieping waren aanbeland, stond er al een enorme menigte naar ons omhoog te staren.

Toen drong het tot me door: ik was gekleed in een wit laken dat met bruin glazuur aan me vastplakte, ik had er niks onder aan en ik moest de ladder tot aan de straat nog af. Ik keek vragend naar James.

'Ga nou maar, schat,' zei hij. 'Hup.'

Dus ging ik. Maar een ladder afdalen als je alleen maar een met glazuur geplamuurd laken aanhebt, terwijl je je benen damesachtig bij elkaar probeert te houden, bleek... onbegonnen werk.

Dus vandaar dat de hele East Village zo in mijn kruis kon kijken.

Drie

Om vooral niet .... over te komen probeerde de
junior-redactieassistent haar .... goed te
verbergen.

- onervaren; onwetendheid
- wanhopig; trillende handen
- verwaand; geniale ideeën
- dik; kont maat 36
- te hoogopgeleid; achtergrond

Op maandagochtend zat ik al vroeg aan een tafeltje in een cafetaria koffie te drinken en mijn tweede donut met jam te eten
met tegenover me mijn zus Lily, die bevallig een hapje magere
yoghurt in haar pruilmondje stak. Die had ik natuurlijk ook
moeten nemen. Maar ik vond dat ik na de gebeurtenissen van
het afgelopen weekend wel een flink suikershot had verdiend.

Mijn flat was onbewoonbaar. Volgens mijn nauwelijks ver-
staanbare Servische huisbaas zouden Charma en ik er voorlopig
niet in kunnen – op z'n minst drie weken. Na de brand mochten we één keer even naar binnen om een paar persoonlijke
spulletjes te pakken, maar we hadden een kapje voor onze
mond en neus moeten doen, waardoor we eruitzagen als aliens
uit een slechte horrorfilm. De kapjes waren inderdaad nodig,
want alles in onze woning was bedekt met een laag roet.

Tijdens die reddingsoperatie deed ik mijn laken af en trok

het eerste het beste aan wat ik in mijn kast tegenkwam: een spijkerbroek, een sweatshirt en lompe zwarte instappers die niet eens in de mode waren geweest toen ik ze in mijn eerste jaar had gekocht. Ik nam mijn iBook mee – en bad dat die het nog deed – een vuilniszak vol kleren, en nog de twintig dollar voor noodgevallen die ik in een exemplaar van *A Brief History of Time* had gestopt, omdat ik wist dat zelfs als een junkie zich onder het traliewerk van ons keukenraam heen zou weten te wurmen, hij dat boek nooit zou jatten.

Zaterdagavond sliep ik bij James, zonder ook maar een poging te doen om weer in de verleidingsstand van zijn verjaardag te raken. Neem van mij aan dat jij, als een heel leger aan onbekenden op straat je een visueel inwendig gynaecologisch onderzoek heeft gegeven, ook geen libido meer zou hebben. In het appartement van zijn ouders stonden een miniwasmachine en -droger, discreet achter een harmonicadeur, maar mijn pogingen om het roet en de rook uit de kleren die ik had weten te redden te wassen, bleken vergeefs.

Op zondagmiddag leende James me zijn kleinste spijkerbroek, een oud sweatshirt en honderd dollar. Ik ging linea recta naar de afdeling met kleren die voor vijfenzeventig procent waren afgeprijsd bij Century 21. Het was half november, dus er hingen alleen maar zomerkleren en een paar dingen die zo te zien nog over waren van afgelopen winter omdat ze zo lelijk waren dat iemand met ogen in zijn hoofd ze nooit zou kopen.

Van die honderd dollar kocht ik een gaasachtige lavendelblauw-met-paarse strokenrok, een witkatoenen blouse, een donkerblauwe stretchbroek met zakken aan weerskanten die je als het ware *dikke reet!* toeriep, een bruine trui, en twee zomer-T-shirts in de o zo aangename kleuren kotsgeel en braakselgroen. Heerlijk. Ik kon Lily niet eens vragen of ze meeging; ze had een middagvoorstelling en een fotoshoot voor de Gap – ze gingen een advertentiecampagne doen met als thema Sterren van de Toekomst, die komend voorjaar van start ging. De shoot duurde tot 's avonds laat, vandaar dat mijn zus met me had afgesproken om koffie te drinken in de cafetaria van mijn werk, voordat ze naar haar spinningles van maandagochtend ging. Zelfs zonder make-up en met haar sportkleren aan zag ze er nog ontmoedigend perfect uit.

'Wanneer kun je weer je huis in?' vroeg Lily.

Mijn huisbaas had wederom de stand van zaken op de voicemail van mijn mobieltje ingesproken. 'Met kerst. Misschien de week erna.'

Lily slikte nog een babyhapje yoghurt door. 'Je wilt natuurlijk liever bij James blijven, maar je kunt ook bij mij komen logeren, als je dat wilt.'

Ik had Lily nooit echt verteld dat samenwonen met James op de lange termijn geen optie was, vanwege het verbod van zijn ouders, aangezien ik dat eigenlijk gewoon te zielig voor woorden vond.

Kijk, met mijn zus zit het zo. Ik wist dat ze zou aanbieden dat ik bij haar kon komen wonen in haar luchtige brownstoneappartement aan West 75th vlak bij Amsterdam Avenue, en ik wist dat ze dat heel vriendelijk zou doen. Een van de ergste dingen aan Lily is dat ze niet alleen beeldschoon en weerzinwekkend getalenteerd is, maar dat ze ook echt aardig is. Als ze nou een egoïstisch kreng was geweest, had ik een hekel aan haar kunnen hebben. Maar ze was geen kreng, en toch had ik een hekel aan haar om al die dingen die zij wel was en ik niet, en daardoor kreeg ik als ik bij haar was alleen maar de pest aan mezelf.

'O, ik regel wel wat,' zei ik luchtig, en toen werkte ik de tweede jamdonut weg.

'Eh... je hebt een beetje...'

Lily gebaarde naar haar borst. Ik keek omlaag. Tussen knoopje drie en vier van mijn nieuwe witte blouse zat een veeg aardbeienjam. Ik veegde er met een servetje over, waardoor de roze vlek alleen maar groter werd. Geweldig.

We liepen naar de lift. *Scoop* zat op de zesde en zevende verdieping van een schitterend gerestaureerd pand van veertien verdiepingen aan East 23rd Street met uitzicht over Madison Square Park. In de rest van het gebouw, afgezien van de gestroomlijnde cafetaria waar wij ons nu bevonden en die een hele verdieping in beslag nam, zaten andere tijdschriften die in handen waren van hetzelfde Europese uitgeefconcern, onder andere *Rockit*, een nieuwe concurrent voor *Rolling Stone*, waar ik dolgraag voor wilde schrijven, maar waar ze me niet eens op gesprek lieten komen. Ik duwde zowel op de knop om naar beneden als om naar boven te gaan. Drie keer raden welke als eerste kwam.

'Als je van gedachten verandert, hoef je me maar te bellen.' Lily omhelsde me vlug en stapte toen in de lege lift die naar beneden ging.

Even later stapte ik uit een overvolle lift die omhoogging naar *Scoop*, en nog verder, en zwaaide naar Brianna, de receptioniste die vorige week pas begonnen was. Om naar mijn kamertje te lopen moest ik langs het kantoor van Latoya, waarvan de deur openstond.

'Megan!' riep ze. 'Over tien minuten redactievergadering.'

Ik hoopte dat het afgrijzen dat haar mededeling me inboezemde niet op mijn gezicht te zien was. Ik was een beetje te veel in beslag genomen geweest door dat gedoe van uitgerookt-geen-huis-beroofd-geen-geld om een plan te bedenken voor een vergadering waarvan ik honderd procent zeker had geweten dat ik er toch niet voor gevraagd zou worden.

Haha.

Debra Wurtzel, mijn chef, slaagde erin om tegelijkertijd zowel volslagen cool als verschrikkelijk intimiderend te zijn. Ze was begin veertig en had inktzwart bot afgeknipt haar tot vlak boven haar schouders. Haar strenge pony vestigde de aandacht op haar doordringende blauwe ogen, die zoals gewoonlijk zwart omrand waren. In haar rechteroor had ze vijf heel kleine platina ringetjes en in haar linkeroor maar eentje. Vandaag had ze een zwarte wollen broek aan, een getailleerd zwart jasje en twee verschillende zwarte τ-shirtjes over elkaar. Toen de laatste verdwaalde vogel eindelijk voor de redactievergadering gearriveerd was – godzijdank was ik het niet – zette ze haar vlinderleesbril af. Bij de eerste redactievergadering waarbij ik aanwezig was geweest had ik begrepen dat dit haar teken was dat we konden beginnen.

We zaten in de vergaderzaal op de zevende verdieping, vanwaar je uitzicht had op 23rd Street. Ik zat tussen Jemma, de assistente van Debra, en Latoya in. Jemma, altijd even stijlvol, had een ragfijne witte blouse aan met daaroverheen een zwart korsetachtig geval van Betsy Johnson, een rood-wit geruite minirok en schoenen met een hoge hak en ronde neus, die me aan Minnie Mouse deden denken. Het enige waaruit je kon afleiden dat ze niet zo volmaakt was als ze eruitzag, waren de onregelmatige nagelriemen langs haar balletschoentjesroze nagels. Blijkbaar had zij ook onder de druk te lijden.

Latoya had een dikke grijze kasjmieren trui aan, een recht zwart rokje en om haar hals een hele berg overdreven grote zwarte kralen. Ze zag eruit als een stijlprotegé van Debra, en dat was ze natuurlijk ook. In mijn eigen blouse met jamvlekken en bespottelijk gedateerde rok zag ik eruit als de protegé van een dakloze vrouw.

'Goed, we beginnen met Aan/Uit.' Debra keek Lisa Weinstock doordringend aan – de mollige en geniale redacteur wier afdeling de beroemde koppels behandelde. 'Wat kunnen we verwachten, Lisa?'

Lisa streek haar pony met magentakleurige highlights erin uit haar ogen. 'Ik heb een waanzinnige primeur, en verder bonje voor Jen en jeweetwel. We hebben ook een foto met een mobieltje gemaakt van Ashley die bij Bungalow 8 met Nick flirt – als je een schandaal wilt veroorzaken gaat er niks boven het aanleggen met de ex van je zus.'

'Uitstekend,' zei Debra, terwijl de hoofden rondom de tafel allemaal instemmend op en neer wipten. Als Debra had gezegd dat een fotoreportage over seks met ezels 'helemaal in' was, hadden de hoofden uiteraard ook op en neer gewipt.

'Latoya?' vroeg Debra. 'Het hoofdartikel?'

Dit was de afdeling waar ik onderknuppel was. *Scoop* deed elke week één 'artikel' van vier pagina's, dat in het midden van het nummer kwam.

'Ik ben bezig met een stuk over de dochter van Demi, Rumer,' meldde Latoya. 'Een kijkje achter de schermen over haar moeder, Bruce, Ashton, blablabla. Foto's van haar; ze maakt zelf de bijschriften.'

'Uitstekend, Latoya.' Debra draaide haar hoofd een beetje, totdat ze mij recht in het vizier had. 'Megan? Wat is jouw beste suggestie voor een nieuw stuk?'

Tien paar ogen draaiden mijn kant op. Ik dwong mijn gezicht om niet al te rood te worden, maar blijkbaar werkte de biofeedback niet.

'Eh... Ik zat te denken aan een stuk over...' Denk na, Megan. Denk na. 'Er is nieuw onderzoek gedaan dat laat zien dat afname van het aantal gevallen van borstkanker te maken kan hebben met het afgenomen gebruik van hormoontherapie door vrouwen in de overgang.'

Iemand gniffelde, maar aan Debra's gezicht viel niets af te lezen. Ze draaide rondjes met haar wijsvinger, ten teken dat ik moest doorpraten.

'En daardoor ben ik me gaan afvragen of er ook verband is met andere vormen van, eh... hormonen.' Ik voelde mijn gezicht oplaaien. 'Zoals de pil,' zei ik tot besluit.

Debra trok haar wenkbrauwen naar Latoya op. 'Heeft Megan dit met jou besproken?'

'Nee.' Latoya zei het wel heel nadrukkelijk.

Dit was foute boel.

'Wil iemand hier iets over zeggen?'

Jemma stak haar vinger op. 'Mensen lezen *Scoop* om de werkelijkheid te ontvluchten, niet om erover te lezen. Kanker? Hormonen? De overgang? Jakkes.'

Ik weet niet of het door het weekend kwam of doordat ik jaloers was omdat James iets mocht schrijven wat naar intelligentie zweemde of dat ik altijd de dochter van mijn ouders zal zijn, maar ik kon er niks aan doen. 'Vind je niet dat we verantwoordelijkheid ten aanzien van onze lezers hebben?' vroeg ik. 'We hebben een groter bereik dan de meeste kranten. Misschien moeten we daar... iets... mee doen.'

Jemma sloeg haar ogen ten hemel, duidelijk met het verzoek om van mij verlost te worden. 'We schrijven voortdurend over belangrijke dingen. Maar er gebeuren geen vervelende dingen die een heel dure kuur in een ontwenningskliniek of een heel dure cosmetische ingreep, of misschien een heel, heel dure vakantie op een privé-eiland niet kan verhelpen. En dáár gaat ons tijdschrift over.'

'Ik vind...' begon Latoya.

'Neem me niet kwalijk. Ruiken jullie ook rook?' Jemma trok haar irritant puntige neusje op, met als gevolg dat er nog een stuk of tien neuzen begonnen te trekken als die van konijntjes op de kinderboerderij. Shit. Mijn schoenen. Ik verschoof mijn benen héél nonchalant bij haar vandaan en trok mijn neus op, net als alle anderen.

Er werd wat gemompeld aan de vergadertafel, totdat Debra tegen Jemma zei dat ze de beveiliging van het gebouw moest bellen.

'Goed, hier laten we het bij, mensen,' zei Debra, terwijl Jemma als Minnie Mouse de vergaderzaal uit liep. De redactie schuifelde naar de deur. Ik wilde net samen met de anderen naar buiten glippen toen...

'Megan?'

Ik draaide me om. 'Ja?'

Debra zette haar bril weer op haar neus. 'Kom over vijf minuten even op mijn kamer.'

Dit was echt foute boel.

Vier

Kies het item dat het best overeenkomt met het volgende woordpaar:

Omlaaghalen: zelfvertrouwen

- loeistrakke broek: een grote maat
- artikel op de roddelpagina: bekendheid
- Britney Spears: Kevin Federline
- een Grammy-onderscheiding: de prijs van een kaartje
- dronken uit je dak gaan: bezoekersaantal in eerste week

Ik stond voor de deur van Debra's ruime kantoor en luisterde naar de wind die om ons gebouw huilde. Op het nieuws was gewaarschuwd dat het eerste echte koudefront van november eraan zat te komen. Dat vond ik wel een toepasselijke metafoor voor mijn leven.

De jongen van de postkamer reed met zijn karretje langs en deed zijn best om geen oogcontact te maken. Zelfs de jongen van de postkamer wist dat ik de lepralijder van *Scoop* was. Ik keek door de glazen wand van Debra's kantoor. Ze was aan het bellen, maar gebaarde dat ik binnen moest komen.

Ik liep voor het eerst sinds ik hier werkte haar kantoor binnen en het viel me weer op dat het zo spaarzaam ingericht en schoon was. Een glazen bureau, een laptop van Toshiba, en nog meer van die ramen die van de vloer tot aan het plafond reiken. Ze gebaarde dat ik in een van de drie zwarte regisseursstoeltjes tegenover haar bureau moest gaan zitten. De enige versiering in haar kamer was een foto van een veel jongere Debra op het strand, die naar een jongetje grijnsde, in een zilveren Tiffany-lijstje. Debra vertelde nooit iets over haar privéleven.

'Mm-mm. Oké. Prima. Ja, je hoort nog van me, Laurel. Tot gauw.' Eindelijk hing ze op.

'Megan.'

'Ja?' wist ik uit te brengen, terwijl ik mijn handen op mijn schoot vouwde.

'Ik schrik van je intuïtie.' Ze ging in haar Aeron-stoel zitten en draaide rond, zodat ze door de hoge ramen naar buiten kon kijken.

'Ik weet dat mijn voorstel niet goed was,' gaf ik toe. Ze keek me aan alsof ik een dode kakkerlak was die op haar bureau lag, maar ik zette toch door. 'Ik weet wel dat mensen graag over rijke beroemdheden lezen, maar als je er goed over nadenkt hebben we een unieke gelegenheid om heel veel verschillende soorten vrouwen te bereiken. Het lezersbestand van *Scoop* is...'

'Jemma had gelijk, Megan,' onderbrak Debra me. 'Ik had ge-hoopt dat ik je inmiddels van de bijschriften naar de artikelen had kunnen overplaatsen – dat is de reden waarom ik je op de afdeling van Latoya heb gezet. Maar dat is nu al twee maanden geleden en je begrijpt het nog steeds niet.'

Mijn gezicht liep opnieuw rood aan. 'Ik weet zeker dat ik met betere suggesties kan komen.' Ik aarzelde, voor het geval Debra op dit punt wilde ingaan en het met me eens was. Maar nee hoor.

'Ik moet je laten gaan, Megan.'

Ik keek naar mijn schoot. Me laten gaan? Bedoelde ze dat ik

werd ontslágen? Werkloos? Alwéér werkloos? Ik hapte naar adem. 'Ik begrijp het. Dan ga ik mijn bureau maar...'

'Ik ben nog niet klaar,' onderbrak Debra me.

'Neem me niet kwalijk?'

Ze sloeg haar armen over elkaar. 'Ik mag je wel, Megan. Je doet me denken aan hoe ik zelf was toen ik zo oud was als jij.'

Dan zou ze zichzelf toen ook ontslagen hebben. Ik knipperde met mijn ogen, die plotseling waterig waren.

'Je bent slim. Je suggesties zijn intelligent en pittig. En je kunt ontzettend goed schrijven – dat is me allemaal niet ontgaan. Maar *Scoop* is gewoon niet de juiste plek voor je. Je zou voor een tijdschrift met wat meer gewicht moeten schrijven. *East Coast. Rolling Stone.* Zelfs *Rockit.*'

Goh, denkt u echt?

'Ik heb goed nieuws voor je,' ging ze verder. 'Er is een baan in Florida. Lesgeven. Het is maar voor twee maanden, maar volgens mij ben jij er geknipt voor.'

Lesgeven? In Florida? Twee maanden? En dat vond zij goed nieuws?

Ik maakte weer aanstalten om op te staan. Ik voelde dat mijn keel zich samenkneep en hoopte te kunnen ontsnappen voordat de tranen weer opborrelden. 'Bedankt dat u aan me gedacht hebt. Maar lesgeven is niets voor mij.'

Ik draaide me om om weg te gaan, maar Debra stak haar vinger op. 'Wacht even. Ik ben nog niet klaar. Punt een: het is half november – van Thanksgiving tot 1 januari ligt het uitgeefbedrijf praktisch stil. Dan wordt er niemand aangenomen. Dan worden er niet eens sollicitatiegesprekken gehouden.'

Ik wist dat ze gelijk had, jammer genoeg. Dit was wel het slechtste moment in het jaar om de laan uit gestuurd te worden.

'Punt twee.' Ze stak nog een vinger op. 'Je hebt geen onkosten. Kost en inwoning is bij de baan inbegrepen. En punt drie: het betaalt beter dan *Scoop*. Veel beter.'

Oké, dit sloeg helemaal nergens op. Ik had nog nooit lesgegeven. En zelfs al had ik lesgegeven, dan nog kregen leraren normaal gesproken niet zo'n hoog salaris. En bij welke onderwijsbaan van twee maanden was in 's hemelsnaam kost en inwoning inbegrepen? Een invalbaan op een kostschool voor rijke kinderen? Dank je feestelijk.

Maar ja, als ik de burelen van *Scoop* verliet moest ik wel een paar dingen onder ogen zien: ik kon niet bij James wonen, en bij Lily wílde ik niet wonen. Ik kon geen baan zoeken en ik had geen spaargeld om op terug te vallen. Teruggaan naar New Hampshire en bij *Earth Lovers* gaan werken sprak me op de een of andere manier niet erg aan, en ik had ook geen zin om een baantje bij Bloomingdale aan te nemen, waar ik kerstcadeautjes zou moeten inpakken voor mensen die die eigenlijk niet konden betalen.

'Wanneer begint die baan precies?' vroeg ik behoedzaam.

'Nu meteen. Er staat beneden een zwarte auto voor je klaar.'

'Nú?'

'Ja. Om je naar het vliegveld te brengen, mocht je ermee instemmen.'

'Om naar Florida te gaan,' maakte ik haar zin af.

'Naar Palm Beach, om precies te zijn. Met een privévliegtuig.'

Een privévliegtuig. Om ergens les te geven?

'De details worden je allemaal wel uitgelegd als je daar aankomt.' Debra legde een stapel contactopnamen van een pas gemaakte fotoshoot recht. 'En je hebt niets te verliezen. Als je het niet leuk vindt, stap je zo weer in het vliegtuig en dan ben je voor het nieuws van tien uur weer thuis.'

'Maar ik...' Ik wist niet goed wat voor 'maar' dat precies was, maar... maar iets. Het was te vreemd voor woorden.

'Soms moet je gewoon een sprong in het duister doen, Megan,' zei Debra vriendelijk.

Een sprong in het duister. Ik was niet zo'n in het duister springend persoon. Aandachtig vanaf de zijlijn toekijken om de boel te peilen – ja. Springen – nee. Maar wat voor keus had ik? Zelfs al had Debra me net ontslagen, toch wilde ik haar om de een of andere reden niet teleurstellen. Vreemd genoeg mocht ik haar nog steeds graag. 'Oké, ik doe het.'

Ze glimlachte. 'Uitstekend. Ga maar meteen.'

Ik stond op en voelde me verdoofd. 'Ik zou u willen bedanken, maar ik weet niet goed waarvoor.'

'Heb je de nieuwe *Vanity Fair* gelezen?'

Ik schudde van nee. Ik vond de *Vanity Fair* een leuk blad – het stond in mijn top tien van Tijdschriften Waar Ik Graag Voor Wilde Schrijven. Maar ik had het te druk gehad met mijn in elkaar stortende leven om ook nog oog te hebben voor het laatste nummer.

'Misschien wil je het tijdens je vlucht even lezen.'

Ze pakte een exemplaar van haar bureau en gaf het aan mij. Ik nam niet de moeite om te vragen waarom. De reden waarom was duidelijk ook een stukje in deze vreemde puzzel. Ik schudde haar de hand en liep toen voor de laatste keer haar kantoor uit, waarbij ik me plotseling net Alice voelde, die naar dat vermaledijde konijnenhol liep.

Vijf

Als een privévliegtuig met achthonderd kilometer per uur van New York naar Palm Beach vliegt, een afstand van 1666 kilometer, hoeveel tijd is er dan verstreken wanneer het daar landt?

- 1 uur
- 2 uur
- 4 uur

Wat doet het ertoe? Je mag onbeperkt gratis champagne drinken!

'Dit kan niet waar zijn,' mompelde ik tegen James. 'Dit is niet echt.'

We zaten achter in de zwarte auto die me bij mijn werk had opgehaald. Nee, herstel: mijn voormalige werk. De Slowaakse chauffeur was net de George Washington-brug naar New Jersey over gereden. Het was midden op de dag en er was verder geen verkeer, aangezien de rest van de wereld... nou ja, aan het werk was.

James legde een arm om me heen. 'Nou, tenzij we allebei dezelfde zinsbegoocheling hebben, is dit wel echt. Vreemd, heel vreemd, maar het gebeurt wel echt.'

'Vreemd' was zacht uitgedrukt. Ik was alleen maar blij dat hij met me mee naar het vliegveld kon. Nog voor ik bij mijn voormalige werk vertrokken was, had ik hem gebeld en verteld wat er net allemaal gebeurd was. Dat ik onderweg was naar Florida, na een pitstop bij zijn appartement om mijn uitverkoopkleren van Century 21 en mijn tandenborstel op te halen.

'Fijn dat je kon komen,' zei ik nog een keer tegen hem. Hij had gedaan alsof hij kiespijn had en met spoed naar de tandarts moest, en toen was hij met me meegereden. 'Niet vergeten om een beetje te kwijlen als je weer op je werk bent. Verdoving.' Ik knikte ernstig.

'Dat zal ik doen.' Toen we een bord met TETERBORO AIR-PORT naderden, kneep hij in mijn hand. Teterboro airport? Ik had gedacht dat we naar Newark gingen, maar te oordelen naar de lage gebouwen en vliegtuigen met propeller die vlakbij geparkeerd stonden, ging ik niet in een 757 naar Florida. 'Meneer, mag ik even wat vragen?' riep ik naar voren. 'Zijn we wel goed hier?'

'Alles in orde.' Hij had een zwaar accent. Via de achteruit-kijkspiegel keek hij me aan. 'Ik weet waar u naartoe gaat. Uw baas, Debra Wurtzel,' – hij sprak het uit als Vets-el – 'heeft Boris alles precies verteld. Gaat u maar rustig zitten.'

Rustig zitten. Dat was een grapje. Hoe kon je nu rustig zitten als je niet wist waar je heen ging?

Boris sloeg af en reed een dienstweg op, liet bij een veilig-heidspost een identiteitskaart zien en reed toen tot mijn grote schrik zo een startbaan op. We hielden halt naast een vliegtuig met een stuk of tien raampjes en op de staart de letters LL, elegant met elkaar vervlochten.

'Uw vliegtuig,' kondigde Boris aan.

'Waar staat LL voor?' vroeg James.

'Geen idee.' Ik maakte geen aanstalten om uit te stappen.

James kneep weer in mijn hand. 'Het komt wel goed. Mis-schien heb je tijd om te schrijven. Ik zie je over tien dagen voor Thanksgiving.'

Wat me er uiteindelijk toch toe zette om uit te stappen was dat Debra had gezegd dat ik, als het me in Florida niet beviel, meteen weer in dit vliegtuig kon stappen en terug kon gaan. Oké dan maar.

Ik bedankte Boris. Toen liep ik hand in hand met James de startbaan over naar de Gulfstream. Onder aan het trapje stond een stewardess. Ze had een onberispelijk zwart zeer getailleerd mantelpakje aan, zoals filmsterren dat in de jaren veertig altijd droegen.

'Mevrouw Smith?' vroeg ze vriendelijk.

Mijn maag maakte radbraakslagen. 'Ja.'

'Ik ben Adrienne. Ik ben vandaag uw stewardess.' Ze had heel vaag een zuidelijk accent. 'U reist alleen, klopt dat?'

'Tenzij ik mijn vriendje ontvoer.' Ik keek hoopvol naar James.

'Hebt u bagage?' vroeg Adrienne.

'Alleen dit.' Ik hield mijn aftandse donkerblauwe rugzak van Jan Sport omhoog. 'Maar die draag ik wel...'

'Geeft u maar.' Adrienne pakte mijn rugzak aan. 'Ik zie u straks aan boord. Zodra u klaar bent vertrekken we. Kan ik een drankje voor u halen?'

Mijn mond ging open. Er kwam geen geluid uit.

'Dan hoor ik het wel als u aan boord zit.' Ze glimlachte en liep de trap op, het vliegtuig in.

James en ik waren nu alleen, in een omgeving die sterk op *Casablanca* leek, maar dan in New Jersey.

'Ik bel je als ik er ben. Waar dat "er" ook moge zijn. En voor het geval ik vanavond niet terugkom...' Ik drukte me tegen zijn borst aan en gaf hem een hopelijk gedenkwaardige kus en mijn beste Bogart-imitatie. 'Dan hebben we altijd Newark nog.'

Drie kwartier later, vierhonderdvijftig kilometer verder en tienduizend meter hoger bevond de Gulfstream zich ergens hoog boven Virginia. Er was flink wat turbulentie geweest, dus ik was niet uit mijn luxueuze witleren stoel geweest, waar ik een flesje Fuji-water zat te drinken. Eindelijk was de lucht weer kalm geworden.

Adrienne kwam naar me toe. 'Loop gerust wat rond. De gezagvoerder zegt dat het mag. Zal ik een lunch voor u klaarmaken?'

'O, nee hoor, dat hoeft niet,' zei ik. 'Maar toch bedankt.'

'Iets eenvoudigs dan,' zei ze met een knipoog.

Terwijl zij naar achteren, naar de pantry, liep, maakte ik mijn riem los en liep een rondje door het vliegtuig, omdat ik voor het opstijgen zo gespannen was geweest dat ik alleen maar in elkaar gedoken in de eerste stoel achter de cockpit kon zitten. Niet dat ik nog nooit gevlogen had. Ik had het zelfs een keer tot eerste klas geschopt. Maar een grondige inspectie aan de binnenkant van de Gulfstream was genoeg om te concluderen dat mensen die een privévliegtuig hebben niet vliegen zoals jij en ik dat doen.

Vlak achter me bevond zich een halve cirkel met witleren stoelen met daartegenover een high-definition plasmascherm van 62 inch en een hypermoderne geluidsinstallatie. Elke stoel had een eigen tv-tafeltje van roze marmer met uitsparingen voor kopjes en borden. Daarachter bevond zich een kleine kamer met een queensize bed met een hemeltje van roze stof. En dan had je de wc nog.

Ik weet niet hoe het met jou zit, maar ik heb wc's in een vliegtuig altijd een nachtmerrie gevonden. Aan het begin van de vlucht stinken ze naar een desinfecterend middel dat alle bacteriën die de mensheid kent doodt. Later stinken ze weer anders. Zo niet deze wc. De wanden waren betegeld met wit marmer, bosgroen dooraderd. Er bevond zich een glazen douchecabine in met diverse goudkleurige douchekoppen. Voor een witmarmeren kaptafel met daarop mandjes met haar- en huidverzorgingsproducten stond een groenfluwelen draaistoel. Op een plank lag een hele stapel donzige witte handdoeken. Ik ging met mijn vinger over de bekende geborduurde initialen: LL.

Toen ik weer terugliep naar mijn stoel, stond de gezagvoerder in de deuropening van de cockpit.

'Mevrouw Smith, hallo. Welkom aan boord. Maakt u zich geen zorgen, hij staat op de automatische piloot.'

'Aangenaam,' zei ik, hoewel dat van die automatische piloot me niet bepaald vertrouwen inboezemde. Als ik duizenden kilometers hoog, hoog, hoog ben, heb ik graag dat er een mens aan de knoppen, knoppen, knoppen zit.

Ik durfde het niet te zeggen, maar ik kon wel genoeg moed verzamelen om een vraag te stellen. 'Zou u mij willen vertellen van wie dit vliegtuig is?'

'Van Laurel Limoges, natuurlijk.'

O. Natuurlijk. Nou, dat verklaarde alles. En met alles bedoel ik niets. Wie was in godsnaam Laurel Limoges?

'Ik wilde me even verontschuldigen voor het gehots,' ging de gezagvoerder verder. 'De rest van de vlucht naar Palm Beach zou soepeltjes moeten verlopen.' Hij keek op zijn horloge. 'We zouden om vier uur aan de grond moeten zijn. Als we iets voor u kunnen betekenen, roept u Adrienne maar.'

Hij ging de cockpit weer in – *pffft* – en ik ging terug naar mijn stoel, waar ik zag dat Adrienne een zitplaats in de televisiehoek voor me had ingericht. Er lagen een linnen placemat en servet, allebei met dat stomme LL-logo erop, zwaar zilveren bestek, en er stonden een kristallen wijnglas en een waterglas.

'De lunch, mevrouw Smith. Bent u er klaar voor?' Dat 'iets eenvoudigs' bestond uit een salade met peren, witlof en gorgonzola, een warm stokbroodje, rode wijn en mineraalwater met prik.

Ik had sinds mijn jamdonuts met Lily niks meer gegeten en dit zag er heerlijk uit. 'Dank u wel. Echt.' Ik ging zitten.

'Als er iets is, moet u het vooral zeggen, hoor.'

'Nou, eh... mijn rugzak?'

'Die ga ik meteen halen,' zei Adrienne, wier hulpvaardigheid naar die van de Stepford Wives zweemde.

Ik brak een stuk stokbrood af, smeerde er flink wat boter op en stak het in mijn mond. Alsof er een engeltje op je tong pieste.

'Alstublieft, mevrouw Smith.' Adrienne zette mijn rugzak op de stoel links van me. 'Verder nog iets?'

Ik nam een slokje mineraalwater. 'Nee, dank u. Dit is heerlijk allemaal.'

'Als u klaar bent met eten kan ik uw blouse wel voor u reinigen. Daar hebben we in de pantry de faciliteiten voor. Er zit een...'

Ze wees naar de donutvlek, die ik helemaal was vergeten.

'Dat duurt maar drie kwartier. Aan de binnenkant van de badkamerdeur hangt een badjas, mocht u zich willen omkleden.'

Oké, ik was onder de indruk.

Ik at de salade voor de helft op en diepte toen de *Vanity Fair* uit mijn rugzak op. Er stond een stuk in van Dominick Dunne over een moord in Nashville, waarvoor de echtgenoot tien jaar later veroordeeld was. Een artikel over de voormalige leden van Talking Heads. Allebei interessant, maar niet relevant voor mij, voor Florida of voor de reden waarom ik naar Florida ging.

Toen sloeg ik nog een bladzijde om en keek ik recht naar een paginagrote foto van twee oogverblindend mooie pubermeisjes die geheel gekleed tot voor de helft in een zwembad stonden.

Het bijschrift luidde enkel en alleen dat dit Sage en Rose Baker waren, uit Palm Beach, Florida.

De legendarische Baker-tweeling
Door Jesse Kornbluth

Paris wíé?

Als je nog steeds over haar sekscapades gniffelt, of als je je roddels baseert op foto's van de nu-weer-eens-niet-en-dan-weer-wel-beste vriendin die anorexia als een mode-accessoire draagt, dan loop je al behoorlijk achter. Welkom in het nieuwe millennium van de waanzinnig populaire debutantenhype: Sage en Rose Baker, de legendarische Baker-tweeling uit Palm Beach, Florida.

Sage en Rose Baker zien er objectief beter uit dan de kitteldingen die hun voorlopers waren, en als het aan hun vermogen van vierentachtig miljoen dollar ligt, dat binnenkort van hen is, zullen ze ook véél succesvoller worden. Bovendien zijn ze pas zeventien.

Het is een bijna identieke tweeling met rood haar. Sage is zes minuten ouder. Rose ligt in de zon en Sage houdt haar huid zo bleek dat ze bijna doorschijnend is. Ze zijn allebei bloedmooi, met jukbeenderen als geslepen glas, een heel klein kuiltje in hun kin, heel grote smaragdgroene ogen en volle pruillippen. Ze doen denken aan de schoonheid van Jean Shrimpton, hoewel ze me, als ik dat zeg, uitdrukkingsloos aankijken. Hun schoonheidsiconen gaan niet verder terug dan Christina Aguilera.

De legendarische Baker-meisjes zijn de kleindochters van Laurel Limoges, oprichtster en directeur van Angel Cosmetics.

Laurel Limoges. Dat is degene van wie de gezagvoerder zei...

Dus dit was háár vliegtuig?

Bingo. Dus dit moest ik van Debra lezen. Ik beloonde mijn hersensynapsen met een grote slok van de beste bourgogne die ik ooit had geproefd en las door.

Negen jaar geleden, toen ze in groep 5 zaten, zijn hun ouders bij een crash met een privévliegtuig om het leven gekomen. Schoonheid plus jeugd plus geld plus afkomst plus tragedie plus ongebreidelde honger, en niet alleen naar roem, staat gelijk aan? Er is wel met minder goud behaald in de hedendaagse populaire cultuur.

Sinds de dood van hun ouders woont de tweeling bij hun oma op haar uitgestrekte landgoed in Palm Beach, Florida, Les Anges genaamd. Ze hebben hun eigen roze gestuukte landhuis van 2500 vierkante meter. Palm Beach, dat net ten zuiden van Jupiter en ten noorden van Boynton Beach ligt, is een stuk subtropische landtong van achttien kilometer lang dat door Lake Worth van het vasteland wordt gescheiden. De tienduizend inwoners hebben een gezamenlijk vermogen dat hoger is dan de inwoners van Beverly Hills, Bel Air, Santa Barbara en de Verenigde Arabische Emiraten bij elkaar. De huizen die er staan behoren tot de mooiste ter wereld.

J. Paul Getty heeft ooit deze kernachtige uitspraak gedaan: 'Als je je geld daadwerkelijk kunt tellen, ben je niet echt rijk.' Naar deze norm gemeten zal de tweeling, als hun trustfund op hun achttiende verjaardag vrijkomt, en dat is nog geen twee maanden nadat dit nummer van *Vanity Fair* het daglicht ziet, echt rijk zijn.

Net als de rest van de koninklijke jeugd van Palm Beach gaan ze naar St. Andrews School in West Palm. Ze geven allebei eerlijk toe dat ze een hekel hebben aan alles wat met leren te maken heeft, en dat ze dat saai vinden. Als je wat verder aandringt mompelt Rose dat ze 'wel van muziek houdt' en Sage slaat haar roetzwarte wimpers neer en zegt: 'School is weerzinwekkend.' Ik corrigeer haar niet.

Wat vindt de tweeling dan wel leuk, als de taal van Shake-speare hun niet ter harte gaat? Rose haalt haar schouders op en kijkt naar haar zus – dat doet ze vaak. Sage schudt haar roodblonde leeuwinnenkrullen uit haar perfect opge-maakte gezicht. 'Shoppen, parasailen, hard rijden, surfen en seks, niet per se in die volgorde en soms allemaal tege-lijk.' Ze buigt zich naar voren om te kijken wat ik in mijn opschrijfboekje neerkrabbel. 'Ik hou erg van seks. Dat moet er zeker in.'

De kapper maakt een waterval van vlammende krullen van Sage' haar. De lokken van Rose liggen glad uit haar ge-zicht. De visagist komt naar hen toe met losse poeder op een make-upkwast, en Sage stuurt haar weg. Ze klaagt dat ze het warm heeft en dat ze zo lang moet wachten. 'Waar-om kan die shoot niet beginnen?' Een werkmier legt uit dat er iets met het licht niet in orde is en geeft haar een besla-gen champagneglas met Cristal en honingdauwsap – mo-menteel haar favoriete drankje.

Maar Sage laat zich niet vermurwen; ze heeft er blijkbaar genoeg van. Ze staat op, steekt allebei haar handen in het lijfje van haar peperdure jurk en rukt het tot aan haar navel kapot. De tijd lijkt stil te staan. Zelfs haar zus kijkt met open mond toe.

Sage glimlacht en is duidelijk blij dat alle ogen op haar ge-richt zijn. Ze zet vijf stappen in de richting van het och-tendzwembad met zout water en springt erin. De krullen en de make-up zijn meteen verpest. Ze drijft op haar rug,

waarbij haar gepiercte tepels onder de gescheurde, drijfnatte jurk te zien zijn. Met een gebogen vinger wenkt ze
haar tweelingzus.

Rose aarzelt, maar dat duurt maar heel even. Dan springt
zij er ook in.

'Fotografeer dit maar!' zegt Sage lachend, en ze steekt haar
middelvinger naar de fotograaf op.

Want voor de Legendarische Baker-tweeling betekent le-
gendarisch dat je nooit zegt dat je ergens spijt van hebt.

Misschien hadden zij er geen spijt van, maar ik wel. O god. Wat
stond me in 's hemelsnaam allemaal te wachten?

Zes

Rijke en beroemde mensen, die het als kind slecht hebben gehad, verdienen alle voorrechten en al het aanzien dat de samenleving hun kan geven. Ze moeten kunnen doen wat ze willen, wanneer ze dat willen, zonder wat voor consequenties ook. Ze zijn het immers waard.

Zet uiteen of je deze stelling goed beredeneerd vindt. Schrijf je antwoord in het boek met de titel 'Analytisch schrijven: argumentatie'.

'U bent Megan Smith, neem ik aan?'

Dit werd tegen mij gezegd terwijl ik naar het schitterende uitzicht op de Atlantische Oceaan stond te kijken, door het raam van Laurel Limoges' kantoor in Les Anges, een landgoed waar *Vanity Fair* geen woord te veel over had gezegd. Buiten in het zwembad, dat zich eindeloos leek uit te strekken, vielen dikke regendruppels. Ik kon niet goed zien waar het zwembad eindigde en de zee begon.

Ik draaide me snel om en stond oog in oog met een vrouw op leeftijd. 'Laurel Limoges.'

'Wat leuk om kennis met u te maken.' Standaardbeleefdheid. Ik wist helemaal niet of het leuk was om kennis met haar te maken of dat ik haar chauffeur over een kwartier al zou vragen om me terug te brengen naar het vliegveld van Palm Beach.

We schudden elkaar de hand. Ik stond ervan te kijken hoe mooi ze was. Dat had vast iedereen. Haar albasten huid was strak en gaaf, en stond strak over haar hoge jukbeenderen gespannen. Ze had een grijs mantelpakje aan met een getailleerd jasje en een rechte rok tot net over haar knieën. Haar parelgrijze pumps met open neus hadden precies dezelfde kleur als de knopen van het jasje. Aan haar linkerpols droeg ze een zilveren armband, maar ze had geen ringen om.

'Ga zitten.' Ze knikte in de richting van een bank met een bewerkt mahoniehouten frame en nam plaats op een bank met paisleymotief tegenover me. 'Was uw vlucht naar wens? Bent u niet te – hoe zeg je dat? – te doorweekt geraakt?' Ze had een licht Frans accent.

'Uw chauffeur had een *parapluie très bon et très grand*.' Vertaling: een heel goede en grote paraplu. Met dank aan vier jaar Frans op Yale.

Zodra de Gulfstream op Palm Beach was geland, waren de wolken opengebarsten. Tijdens de rit per limousine van het vliegveld naar Les Anges kon ik geen hand voor ogen zien. Ik had de minitelevisie van de limo aangezet en gekeken naar een weerman uit Miami die de mensen in Palm Beach County waarschuwde voor hagel, terwijl op hetzelfde moment voornoemde hagelstenen van het dak van de limo ketsten.

Tegen de tijd dat we de rondlopende oprit met grind voor een reusachtig landhuis met de kleur van een suikerspin op reden, was de hagelstorm voorbij. Het portier zwaaide open en een heel kale, lijkbleke man in een zwart pak hield een paraplu voor me op, terwijl ik de zware, stinkende buitenlucht in stapte. 'Mevrouw Smith? Deze kant op, alstublieft.'

Hij ging me voor naar een reusachtige mahoniehouten voordeur en daarna een hal in die groter was dan mijn hele flat in East Village. De hal had een tegelvloer, ingewikkeld bewerkt houtwerk en in het midden een ronde marmeren piëdestal. Op die piëdestal stond een vaas van wit onyx van een meter hoog met tientallen gigantische oranje-en-paarse paradijsvogelbloemen erin.

'Welkom in Les Anges, mevrouw Smith. Ik ben meneer Anderson, de butler van madame,' zei hij monotoon, waarbij hij het geheimedienstachtige oortje dat hij links droeg even aanraakte. 'Mag ik uw rugzak, mevrouw Smith?'

De butler – ik gaf hem meteen de bijnaam de Schedel – pakte mijn rugzak aan en drukte op een verzonken metalen knop. Een knap aan het zicht onttrokken liftdeur ging open.

'Hiermee gaat u naar de eerste verdieping,' instrueerde de Schedel. 'Naar het kantoor van madame Limoges. Ze komt zo bij u.'

'Goed, bedankt.' Ik liep de lift in.

'En, eh... mevrouw Smith? Madame heeft niet graag dat men aan haar spullen komt.'

De lift ging automatisch dicht. Het laatste wat ik zag was dat de Schedel mijn rugzak met twee vingers vasthield, alsof het een doodgereden dier van een week oud was.

En nu zat ik hier dus tegenover de vrouw aan wie al deze rijkdom en macht toebehoorden. Ik hoefde niet aan Yale afgestudeerd te zijn om te bedenken dat zij me zestienhonderd kilometer had laten vliegen om me een of andere betrekking aan te bieden die te maken had met haar kleindochters, de Legendarische Baker-tweeling. Maar het wat, waar, waarom en vooral het hoevéél waren nog steeds een raadsel voor me.

'De vlucht was fantastisch,' zei ik. 'Ik bedoel, het is prima verlopen. U hebt een heel prettig vliegtuig.'

U hebt een heel prettig vliegtuig? Ik leek wel niet goed wijs.

'Dank u wel. Wilt u een kopje thee, of iets anders te drinken?' Laurel gebaarde naar een hoek, waar een zilveren theeblad stond. Ik had gedacht dat dat er alleen ter decoratie was neergezet.

'Nee, hoor. Maar ik wil wel graag horen om wat voor betrekking het gaat. Als u het niet erg vindt.'

'Aha. Normaal gesproken stelt de werkgever tijdens een sollicitatiegesprek de vragen, toch?'

'Ja, normaal gesproken wel,' beaamde ik, en ik voelde me een beetje overmoedig door de karaf rode wijn in het vliegtuig. 'Maar vandaag is helemaal niks normaal verlopen.'

Ze moest lachen, en dat vond ik wel leuk van haar. 'Eigenlijk heb ik maar heel weinig te vragen, mevrouw Smith.'

'Zegt u toch Megan.' Ik leunde een beetje achterover op de bank en probeerde te kijken alsof ik me op mijn gemak voelde.

'Megan dan. Debra Wurtzel is een goede vriendin van me. We kennen elkaar al heel lang. We hebben het uitvoerig over je gehad. Ze heeft me je ten zeerste aanbevolen. Heb je het artikel over mijn kleindochters in *Vanity Fair* gelezen?'

'Ja. In het vliegtuig. Prachtige meisjes.' Ik keek achter haar naar de tientallen foto's in lijstjes die op de planken stonden. Er stonden foto's van Laurel met staatshoofden en de elite van Hollywood, maar geen een foto van haar met haar kleindochters.

Ze haalde heel Frans haar schouders op en streek een niet-bestaande plooi in haar rok recht. 'Een fortuinlijk genenpakket. Wat weet jij eigenlijk over mij, Megan?'

'Moet ik eerlijk zijn? Alleen wat ik vanmiddag gelezen heb,' antwoordde ik, en ik verzette me tegen de neiging om mijn nagels in mijn mond te stoppen.

'Nou, zo'n beetje iedereen heeft wel over me geschreven. Jan, Piet en Klaas. En niemand heeft het bij het rechte eind.'

Ik beet op mijn lip om maar vooral niet over dat Jan-Piet-gedoe te lachen.

'Ik ben met niets begonnen, Megan. Ik hield ervan om hard

te werken, en die eigenschap zie ik ook graag bij anderen. Alles wat ik bezit heb ik zelf verdiend.' Ze vlocht haar vingers in elkaar. 'Veel dingen zijn me goed afgegaan. Alles wat de moeite waard is om te doen, verdient het om heel goed gedaan te worden, vind je niet?'

Ik knikte weer. Ik was het met haar eens. Maar al was ik het niet met haar eens, wat moest ik zeggen?

'Maar één ding – een heel belangrijk ding – is me niet goed afgegaan. En dat is de opvoeding van mijn kleindochters.'

Heel even meende ik een flits van oprecht verdriet in haar ogen te zien. Toen was die weer weg.

'Misschien heb ik in de loop der jaren mijn ogen voor de waarheid gesloten,' ging ze verder. 'Maar nu is de hele wereld ervan op de hoogte dat mijn kleindochters hun hersens alleen maar gebruiken voor iets eenvoudigs als een kleur nagellak kiezen. Dat neem ik mezelf kwalijk.'

Toen ze wederom in de richting van de oceaan keek, meende ik weer een flits van verdriet in haar heldergrijze ogen te zien. 'Daar wil ik graag verandering in brengen. Ik zal de motivatie leveren – daar komen we zo op. Jammer genoeg kan ik hen niet helpen om hun verstand beter te gebruiken. Om te beginnen ben ik veel te vaak op zakenreis. Je zult me zelden hier in Les Anges zien. Vandaar dat jij hen daarbij gaat helpen, lieve kind.'

Dus ik moest haar kleindochters lesgeven. Maar waarom? De tweeling kon elk moment een achtcijferig trustfund uitgekeerd krijgen. Ze mochten dan misschien niet slim zijn, maar ze waren wel stinkend rijk. Ik had op Yale genoeg erfgenamen leren kennen om te weten dat je met stinkend rijk in deze wereld ook een heel eind kwam, zelfs als je IQ erg laag was.

Ze wachtte tot ik haar recht aankeek. 'Je vraagt je af waarom dit zo belangrijk voor me is, hè?'

'Ja,' gaf ik toe, en ik legde mijn handen naast me neer.

'Megan, wijlen de ouders van de tweeling hebben op Duke University in North Carolina gezeten,' legde Laurel uit. 'Wijlen mijn echtgenoot ook. Ik heb altijd gedacht dat de meisjes daar ook heen zouden gaan. Naar Duke.'

Ik kende Duke. Het was geen Yale, maar het was wel een heel goede universiteit en het was heel moeilijk om erop te komen. Maar de tweeling was erfgenamen; erfgenamen wier oma vast een stuk of tien gebouwen aan de universiteit kon doneren. Voor zulke erfgenamen golden de regels voor gewone stervelingen – gemiddeld eindcijfer, supergoed werkstuk ter begeleiding van je aanmelding – gewoonweg niet.

Dat zei ik dan ook tegen Laurel, zij het ietwat diplomatieker.

'In normale gevallen heb je waarschijnlijk gelijk,' beaamde Laurel. 'Maar ik heb gisteren een telefoontje van Aaron Reynolds gekregen. Hij is de bestuursvoorzitter van Duke. Ik ken hem al jaren – wijlen mijn echtgenoot en ik hebben het centrum voor podiumkunsten gedoneerd.'

Zie je wel? Daar had je dat gebouw al.

Laurel ging verder: 'Maar hij liet me weten dat hij, na *Vanity Fair*, de meisjes niet kon toelaten. Dan zou er een "oproer van alumni" komen – ik geloof dat hij het zo noemde.'

Laurel draaide haar handpalmen omhoog, om aan te geven hoe volstrekt onmogelijk de hele situatie was. 'Sage en Rose zullen hun plekje in het komende eerste jaar gewoon moeten verdienen. Of in elk geval moeten kunnen aantonen dat ze de kwaliteiten in huis hebben. Ik geloof dat hij wel bereid is een paar indiscrete opmerkingen van hun kant door de vingers te zien, mits ze wel aan bepaalde specifieke normen voldoen.'

Te oordelen naar wat ik erover gelezen had was de kans dat deze twee een legitieme plek op Duke zouden krijgen ongeveer net zo groot als de kans dat de Gap mij zou vragen voor de advertentiecampagne van het volgende seizoen in plaats van mijn zus.

'Hoe zijn hun cijfers op school?' wist ik nog met een uitgestreken gezicht te vragen.

'Rampzalig.' Laurel trok haar verfijnde wenkbrauwboogjes samen. 'Kijk, het zit zo, Megan. Ik weet iets over mijn kleindochters wat zij niet weten. Ze zijn níét dom. En jij ook niet, zoveel is duidelijk.'

Daar had ik niets op te zeggen.

'Yale is een uitstekende universiteit, toch? Maar afschuwelijk duur. Debra zegt dat jij je een behoorlijke schuld op de hals hebt gehaald om daar te kunnen studeren. Hoeveel bedraagt je studieschuld momenteel?'

'Vijfenzeventigduizend dollar,' meldde ik, ondanks het feit dat het duidelijk was dat ze dat al wist. Ik herinnerde me dat ik precies dat bedrag ook tijdens mijn eerste sollicitatiegesprek met mijn voormalige baas had genoemd.

'Vijfenzeventigduizend dollar.' Ze zuchtte. 'Het is in dit land verschrikkelijk duur om aan een goede universiteit te studeren. In Frankrijk is dat heel anders.'

Duur voor iemand als ik, ja, wilde ik tegen haar zeggen. Maar niet voor iemand als u. Maar ze had al op een knopje op een discreet kastje op de salontafel gedrukt.

'Laat de meisjes maar boven komen.'

'Goed, madame.' De stem door de intercom antwoordde meteen. Hoe kon dat? Toen herinnerde ik me het oortje.

'De details van deze overeenkomst wil ik graag met de tweeling erbij bespreken,' legde Laurel uit.

Voor ik kon tegenwerpen dat ik nog helemaal met geen overeenkomst akkoord was gegaan, ging de liftdeur weer open en kwamen de twee pubers die ik in *Vanity Fair* had gezien de kamer in. Ze hadden allebei een spijkerbroek en heel hoge hakken aan. De een droeg een hemdje van witte zijde. Haar huid was benijdenswaardig doorzichtig. Haar vlammende rode haar hing in losse krullen bijna tot op haar middel – dat was Sage, nam ik aan. De andere, Rose, was prachtig bruin, met sproeten op haar neus en armen. Haar streperige rode haar viel heel steil op haar rug.

Ik denk dat ik al wel duidelijk gemaakt heb dat mijn zus Lily zo moeiteloos mooi is, hè? Nou, naast deze meisjes zag zij er maar gewoontjes uit. Als de theorie van de klokvormige curve ook voor uiterlijk gold, dan liepen er ergens op aarde twee oerlelijke meisjes rond die ervoor boetten dat deze tweelingzusjes zo beeldschoon waren. Ik zal volstaan met te zeggen dat deze oogverblindende schoonheid een heel oppervlakkige reactie bij mij losmaakte: ik had meteen een hekel aan ze.

Laurel stond op, dus dat deed ik ook maar. De meisjes torenden boven ons allebei uit. Sage – de bleke – schudde met een zo te zien goed geoefend gebaar haar krullen uit haar ogen. 'We moesten komen?' vroeg ze aan Laurel, waarbij ze ontzettend verveeld klonk.

'Inderdaad. Ik wilde jullie aan iemand voorstellen. Dit is Megan Smith. Megan, dit zijn mijn kleindochters Sage en Rose.'

Sage nam me nauwelijks een fractie van een seconde op. 'Ja?'

'Zij wordt de komende twee maanden jullie privélerares ter voorbereiding op de universiteit.'

De tweeling keek elkaar even aan, en toen zette Sage één hand op een vooruitstekende heup. 'Nee, bedankt.' Ze draaide zich om om weg te lopen en pakte de hand van haar zus.

'Toch bedankt,' riep Rose nog achterom.

Dat kon ik ook zeggen. Nee, jíj bedankt.

Laurel voelde mijn aarzeling. 'Megan, laat me uitpraten. Meisjes, ga zitten. Ik ga jullie allebei een aanbod doen dat jullie niet kunnen weigeren.'

Zeven

Elk offer – zelfs het offer van iemands normen en persoonlijke overtuigingen – is gerechtvaardigd als het resultaat van dat offer is dat je financieel onafhankelijk bent.

Schrijf op hoe je over deze uitspraak denkt en onderbouw je standpunt met relevante voorbeelden.

Toen de tweeling eenmaal op de andere met paisleystof beklede bank zat, vertelde Laurel over de problemen met Duke.

Sage schudde het haar uit haar ogen. Alweer. 'Oké. Dus hoe-heet-ze komt ons helpen om aangenomen te worden? Is dat de bedoeling?'

'Megan. Ze heet Megan,' herhaalde Laurel. 'Als ze ja zegt, gaat ze jullie op twee belangrijke terreinen begeleiden: bij jullie gewone lessen op Palm Beach Country Day en voor het toelatingsexamen dat jullie op 15 januari moeten afleggen.'

Sage sloeg haar ogen ten hemel. 'Dat méén je niet.'

En weer zag ik een flits van verdriet in Laurels ogen, maar de meisjes bleven volstrekt uitdrukkingsloos voor zich uit kijken. Óf ze merkten het niet, óf het interesseerde ze niet.

'Ik meen het wel. Ik zou zelfs denken dat jullie na dat tijdschriftartikel aan de wereld – en misschien zelfs aan jezelf – zouden willen bewijzen dat jullie niet oliedom zijn.'

Ik zag dat de rechtervoet van Rose zenuwachtig in een sandaal van roze suède met hoge hak heen en weer wipte.

'Wat kan ons dat nou schelen?' vroeg Sage, hoewel het duidelijk was dat ze niet op een antwoord zat te wachten. 'We zijn toch al rijk, en we zijn bijna beroemd. Kom op, Rose.' Ze kwam overeind. 'We gaan.'

Laurel haalde weer haar schouders op. 'Ga maar, als jullie willen. Maar je moet één ding goed begrijpen, Sage: jullie zijn niet rijk.'

Sage zuchtte vermoeid. 'Ja, we zijn nóg niet rijk. Maar volgende maand wel, op onze achttiende verjaardag. Dan hebben we vierentachtig miljoen dollar. Dat staat in de trust.'

'Nee, dat stónd in de trust,' corrigeerde Laurel haar. 'Die is vanochtend herzien.'

Uit het bleke gezicht van Sage trok alle kleur weg die er nog in zat. Ik keek naar haar weerspiegeling in de zilveren theepot aan de andere kant van de kamer. 'Waar héb je het over?'

Laurel schraapte haar keel. 'Als je zus en jij allebei een plaats verwerven voor het eerste jaar aan Duke – en ik heb van de directeur van de universiteit zelf gehoord wat voor gemiddelde je moet hebben en wat je voor het schoolexamen moet halen – dan worden jullie zodra het bureau Toelating mij heeft laten weten dat jullie aangenomen zijn, allebei begunstigde van de trust. Als een van jullie daar niet in slaagt, gaat het feest voor allebei niet door. Jullie moeten het zelf zien te redden.'

'Dat doe je nooit,' daagde Sage haar uit.

'Dat heb ik al gedaan,' antwoordde Laurel, en ik meende een tevreden glans in haar ogen te zien. Ze voelde aan een van haar reusachtige diamanten oorbellen.

'Maar dat is... o, dat is gemeen!' Rose zag eruit als een kind wier zandkasteel net door een pestkop in elkaar is geschopt.

'Het is voor je eigen bestwil, Rose.' Laurels stem klonk al vriendelijker. 'En ik geef jullie de middelen in handen om het tot een succes te maken. Ik stel voor dat jij en je zus daar gebruik van maken.'

Ik wachtte tot Sage tegen haar in zou gaan. Dat deed ze niet. Haar blik sprak echter boekdelen – die allemaal vol krachttermen stonden.

Laurel draaide zich om naar mij. 'Megan, dank je wel voor je geduld. Ik zal je even uitleggen op welke voorwaarden ik je in dienst neem. Je blijft bij ons tot het schoolexamen in januari. Dat is over acht weken. Ik betaal je vijftienhonderd dollar per week. Dat stort ik op een rekening die ik speciaal voor jou heb geopend. Je krijgt een eigen kamer in het huis van de tweeling, alle maaltijden, en je mag rijden in welke auto je maar wilt. In de garage staan er een stuk of tien.'

Ik maakte snel even wat berekeningen. Vijftienhonderd keer acht weken was twaalfduizend dollar. Zonder onkosten. Dan kon ik in januari terug naar New York met een fijne financiële buffer, terwijl het daar dan hét moment was om bij een tijdschrift te solliciteren. En daar hoefde ik alleen maar voor in gerieflijke luxe te leven, de tweeling twee maanden lang te verdragen en proberen hun te leren om hun eigen naam te spellen?

'Dit is toch godverdegodver niet te geloven,' mompelde Sage, die me daarmee even in herinnering bracht hoe het zou zijn om deze meisjes te verdragen, al was het maar voor twee maanden. Dat zou nog niet meevallen.

'Megan, toen we het hier net over hadden, zei je dat je een forse studieschuld had opgebouwd.'

'Ja, dat klopt,' erkende ik.

Laurel knikte. 'Ik ben voorstander van beloning naar prestatie, zoals je waarschijnlijk al hebt geconcludeerd.'

'Ja, en uw aanbod is uitermate genereus...'

'Rot toch op,' onderbrak Sage me. 'En wat heb je in godsnaam áán?' vroeg ze opeens. Rose giechelde.

Ik draaide me weer om naar Laurel en glimlachte gespannen. 'Maar ik geloof niet dat uw kleindochters erg openstaan voor het plan, dus ik ben bang...'

'Als mijn kleindochters op Duke worden aangenomen,' onderbrak Laurel me, 'krijg je een bonus waarmee je die schuld kunt wegwerken. Volledig.'

God.

Gloeiende.

Tering.

'Goed. Wat zei je ook alweer?' Laurel legde haar handen wederom op haar schoot.

'Ik... Ik... Ik...' stamelde ik. Toen keek ik naar de tweeling, die al net zo geschrokken keek bij dit voorstel als ik.

'Dus je koopt iemand om om ons les te geven?' vroeg Rose.

'Nee, ik betáál haar,' wees Laurel haar terecht. 'Nou, Megan?'

Mijn eerste ingeving was om een vreugdedans door haar kantoor te maken – ik had dat schoolexamen bijna foutloos gemaakt en was magna cum laude afgestudeerd – maar even later drong de werkelijkheid tot me door. Het ging hier niet om míjn academische kwaliteiten, maar om die van de tweeling. Studeren is niet iets wat je van de ene dag op de andere kunt leren. Kon ik twee verwende meiden, die tot nog toe alleen verveling en feestvieren als hoofdvak hadden gehad, in studiebollen veranderen? Dat was net alsof je een neanderthaler, die bij verleiding dacht aan een knuppel en een grot, vroeg om open te staan voor de geneugten van een etentje, een film en aromatherapie met massage. Maar dan nog. Er hing wel een knoeperd van een wortel voor mijn neus, samen met de stok waarmee Laurel zonet tegen de in Cosabella-string gehulde billen van haar kleindochters had geslagen. Geen wonder dat Angel Cosmetics zo succesvol was.

'Ik neem aan dat je daar wel mee kunt instemmen?' Laurel keek me aan.

Ik nam snel een besluit, zwaar beïnvloed door dollartekens, zowel zwart op wit als in gedachten. 'Oké. Ik bedoel: ja. Ik doe het.'

Ze glimlachte. Ze keek zelfs opgelucht.

'Uitstekend. Ik vertrek morgenochtend voor een zakenreis naar Parijs, maar ik zorg dat ik hier regelmatig ben.' Ze kwam elegant overeind. 'Megan, een boekwinkel in Miami heeft me alles toegestuurd wat je nodig hebt: voorbereidend materiaal van Kaplan, Barron's en Peterson's, en Sparknotes en Cliff's Notes. Als je verder nog iets nodig hebt, vraag je het maar aan meneer Anderson. Maken jullie maar even nader kennis met elkaar, dan kunnen jullie daarna aan de slag. Als jullie me dan nu willen excuseren?'

Ze liep naar de andere kant van haar kantoor en liet de lift komen. Even later was ik alleen met de Baker-tweeling. Sage keek me koeltjes aan.

'Moet je horen, Molly, Mandy, of hoe je ook mag heten...'

'Megan.'

'Kan mij het schelen.' Sage zwaaide haar haar opzij. Alweer, alweer. 'Je begrijpt wel dat wij niks voor school doen, hè?'

'Nou, ik weet vrijwel zeker dat ik net een baan heb aangenomen,' zei ik, en ik probeerde te lachen.

'Oké, er is een probleempje, Kroes. Ik mag je toch wel Kroes noemen, hè? Dat is zo toepasselijk voor je haar.'

'Ik heb liever dat je Megan zegt,' antwoordde ik, en ik had plotseling erge dorst en voelde me paniekerig, en niet zomaar een beetje.

'Mm-mm. Nou luister, Kroes.' En weer dat haarschudden van Sage. 'Ik kots nog leuker dan jij je weet te kleden.'

Rose giechelde snuivend. Sage draaide zich naar haar zus om. 'Rosie, weet je op wie Kroes lijkt?'

'Op wie dan, Sagie?'

Ik had het gevoel dat ik in de val was gelokt voor een wel heel wreed spelletje.

Sage draaide zich weer naar mij toe. 'Nou, het is niet echt een wie, maar meer een wat: de reet van een baviaan. Knalrood met overal vet.'

Ik had gelijk. Behalve dan dat dit geen spelletje was en dat het nergens op sloeg. Toch merkte ik dat mijn wangen nog roder dan bavianenreetrood werden. Vijftienhonderd per week, hield ik mezelf voor. Vijftienhonderd per week.

'Even uit nieuwsgierigheid, Sage,' zei ik. 'Vind je het leuk om iemand die je net kent te beledigen?'

Sage legde een slanke vinger tegen haar lippen, alsof ze hier even over moest nadenken, en stond toen op. 'Nou, om je de waarheid te zeggen: ja. Als diegene er tenminste uitziet zoals jij.' Ze wenkte haar zus. 'We hebben onze oma niet nodig en jou hebben we al helemaal niet nodig, Kroes. Dus ik stel voor dat je teruggaat naar dat ellendige oord waar je vandaan komt.'

Ze beende naar de lift, met Rose in haar roodharige kielzog. En daar zat ik, met mijn wenkbrauwen van schrik roerloos in één stand, totdat de liftdeur dicht was.

Ik ging op de bank liggen en keek naar het koepelplafond boven me. Toen slaakte ik één theatrale zucht en hees ik mezelf overeind.

Buiten was het aan het opklaren. De latemiddagzon glinsterde op het water. Ik keek ernaar en dacht na over mijn gesprekje met de tweeling. Ze waren verschrikkelijk. Gruwelijk. Gemeen en beklagenswaardig.

Maar misschien had hun oma gelijk. Misschien, heel misschien, waren ze toch niet dom.

Acht

Kies de juiste definitie van het volgende woord:

Erfgename

- vrouw die miljoenen zal erven zonder ook maar een dag gewerkt te hebben
- 50 procent lichamelijke perfectie, 50 procent emotionele wreedheid
- leeghoofdig, zonder beschikking over rede of, naar het zich laat aanzien, een ziel
- nuffig kreng dat denkt dat ze overal recht op heeft
- al het bovenstaande.

'Waar zit je ook alweer? In Palm Springs?' vroeg Charma. 'In Californië?'

'Nee, Palm Beach. In Florida.'

'Nooit geweest.'

'Ik ook niet, maar hier komen blijkbaar alle mooie mensen samen en die vertellen elkaar hoe mooi ze zijn.' Ik leunde achterover op de zachte vuurrode bank met witte stippen in de studeerkamer van mijn suite in het landhuis van de tweeling. Die was een paar lichtjaren mooier dan de langs de straat gevonden futon die in mijn flatje voor bank moest doorgaan.

Een half uur geleden was de van alle charme ontdane meneer Anderson me stilzwijgend door de zwoele avond voorgegaan over een lang wit grindpad dat van het grote landhuis naar het minilandhuis van de tweeling liep. Aan weerskanten van het pad stonden hoge hagen in Franse stijl, en dat betekende dat ik de rest van het terrein niet kon zien. Toen we bij het huis van de tweeling aankwamen, kon ik er echter niet omheen. Het huis was een tint lichter roze geschilderd dan het huis van Laurel en het was sprekend het huis van Tara uit *Gejaagd door de wind*, tot aan de zuilen toe, maar dan in een andere kleurstelling.

'Addison Mizner,' zei de Schedel monotoon.

'Pardon?'

'De architect,' zei hij erbij, wat mij verder niets zei. Hij deed de deur open en ging me, door een hal die maar een fractie minder oogverblindend was dan die van Laurel, voor naar een gigantische gewelfde trap. Boven waren twee gangen, tegenover elkaar. 'De tweeling,' zei hij monotoon, terwijl hij zijn ogen naar links draaide. 'U' – ogen naar rechts.

We liepen de gang door, totdat hij voor een grote witte deur bleef staan. 'Uw appartement. Welterusten.'

Hij liep terug zoals we gekomen waren en ik deed de deur open en betrad mijn onderkomen voor de nacht – en misschien voor langer, als ik het ooit zou aankunnen om de tweeling nog een keer onder ogen te komen. Het behang was zachtroze met wit en onder een erkerraam met uitzicht op de Atlantische Oceaan was een fluwelen bank gezet. Het was te donker om het water te kunnen zien, maar in de verte twinkelden een paar lichtjes. Er stond een wit antiek bureau waar ik mijn iBook kon installeren, met een roze leren stoel met hoge rug ervoor, en er stonden voetenbankjes. Aan de muur hing, als ik het goed had, een flatscreen met een doorsnede van 60 inch. Een boogvormige opening kwam uit in een gigantische slaapkamer met een kingsize hemelbed en een inloopkast die ongeveer net zo groot was als mijn hele flat in East Village.

Ik ging de studeerkamer weer in en belde James, maar kreeg zijn voicemail. Daarna belde ik Charma, die het nieuws van mijn razendsnelle verplaatsing naar Zuid-Florida met haar gebruikelijke onverstoorbare aplomb opvatte. Ik probeerde Sage en Rose voor haar te beschrijven; ik zei dat ze zich het allerergste kreng van haar middelbareschooltijd moest voorstellen, dat met tig moest vermenigvuldigen en dan door tweeën moest delen. Dan had je de Baker-tweeling.

Ik vertelde haar dat ik ze weerzinwekkend vond. Ik vertelde ook hoeveel ik per week ging verdienen.

'Huur een Cubaanse SM-meesteres uit Miami in om ze desnoods aan een bed vast te binden, Megan,' zei Charma, terwijl ik de minikoelkast opendeed. Die was leeg, maar er lag een briefje in met: LAAT MARCO KOMEN VOOR BOODSCHAPPEN. Wie was Marco in godsnaam? 'Blijf daar en neem wat leuks voor mama mee,' zei ze streng.

'Nee, ik meen het, Charma. Ik zie niet in hoe ik...'

Ik zweeg midden in een zin. Klopte er iemand op mijn deur? Ik luisterde. Ja, daar hoorde ik het weer.

'Er is iemand,' zei ik tegen Charma. 'Ik bel je straks nog wel.'

'Wacht, wacht. Laurel Limoges heeft toch een wijnkelder, hè?'

Mijn vinger hing boven de knop EINDE GESPREK. 'Ik heb nog geen officiële rondleiding gehad, maar ik denk van wel.'

'Mocht je de benen nemen, neem dan een paar flessen voor me mee. Die mist ze toch niet.'

Ik hing op en trippelde de gang door, naar de deur. Daar stonden Sage en Rose.

'Kunnen we... even met je praten?' vroeg Sage aarzelend.

Waar was de spot? Waar was de arrogantie? Waarom noemde ze me niet Kroes?

'Ja hoor,' zei ik behoedzaam. 'Kom binnen.'

Ze liepen achter me aan naar de roze gestippelde zithoek. 'Wat is er aan de hand?' vroeg ik, terwijl zij op twee van de voetenbankjes gingen zitten.

Ze keken elkaar even aarzelend aan. 'We komen onze verontschuldigingen aanbieden. We waren daarnet... niet zo aardig.' Sage draaide de zoom van haar hemdje zenuwachtig tussen haar vingers rond. 'We zijn gewoon ontzettend geschrokken. Van wat onze oma heeft gedaan.'

Rose knikte. 'Vierentachtig miljoen dollar is veel geld. Dat wordt je niet elke dag afgenomen.'

'En dat gedoe over die universiteit,' ging Sage verder, terwijl haar groene ogen waterig en ernstig stonden, 'dat was nieuw voor ons. Ze heeft nog nooit met een woord over Duke gesproken. Hoe konden wij dat dan weten?'

'Maak je er niet te druk over,' zei ik, tot mijn eigen verbazing. Het was vast even schrikken als je net te horen had gekregen dat je niet kon doorgaan met het verwende prinsesje uithangen dat je altijd was geweest. Misschien was die ene hersencel die ze met elkaar gemeen hadden daardoor wel kapotgegaan. 'We beginnen gewoon opnieuw. Ik ben Megan,' zei ik tam, en ik stak hun mijn hand toe.

'Sage.' Ze giechelde en stak ook haar hand uit.

'Rose. Hoe maakt u het?' Ze maakte een kniksje. Oké, dat was zelfs een beetje schattig.

Het enige wat ik van de Baker-tweeling wist, had ik in *Vanity Fair* gelezen en in het kantoor van Laurel gezien. Misschien was dat niet alles wat er over hen te weten viel.

'Nou, als we dan toch opnieuw beginnen...' Ik ging op het tapijt zitten en gebaarde hun dat ook te doen, en dat deden ze. 'Zullen we dan maar proberen elkaar een beetje te leren kennen? Wat vinden jullie zoal leuk om te doen?' Ik rolde bijna zelf al met mijn ogen om hun de moeite te besparen.

Maar in plaats daarvan sloeg Sage haar armen om haar lange benen. 'Nou, om je de waarheid te zeggen zijn we nogal wild.'

Het hoofd van Rose ging op en neer. 'Héél wild.'

'Ik kan ook wel wild zijn,' zei ik vertrouwelijk, terwijl ik aan mijn zeer recente kruisshot in East Village dacht.

Sage ging op haar knieën zitten en bracht haar hoofd dicht naar me toe. 'Vertel eens het allerwildste wat je ooit gedaan hebt.'

Hmm. Afgezien van het genoemde onopzettelijke kruisshot, vertoonde mijn wildometer een volstrekt rechte lijn.

Sage grijnsde. 'Seks in het openbaar?'

Of ik dat nu had gedaan of niet – oké, niet dus – het leek me niet zo professioneel om mijn seksleven te gebruiken om een band te kweken met mijn twee leerlingen in spe. Maar ik wilde bewijzen dat ik niet bang was om hun tegemoet te komen.

'Dat bewaren we voor een andere keer,' zei ik ontwijkend.

'Oké,' beaamde Sage, hoewel ik zag dat ze haar schouders van teleurstelling liet hangen. Ik was bang dat ik hun aandacht kwijt was, maar die angst werd weersproken door wat Sage hierna zei.

'Weet je, je bent heel anders dan we gedacht hadden,' zei Sage. Ze hield haar hoofd schuin, alsof ze me met nieuwe ogen bekeek. 'Je bent bijna... cool.'

Rose knikte instemmend. 'Ja.'

'Dus...' Sage deed haar hoofd weer recht. 'Misschien wordt het toch wel wat. Laten we morgen proberen hoe studeren gaat.'

'Prima,' zei ik. 'Dat doen we.' Laurel had gelijk gehad. Deze meisjes waren misschien wel dom, maar niet zo dom dat ze het familiefortuin de rug toekeerden. 'Negen uur dan maar?'

'Tien uur,' zei Sage.

'Goed, tien uur dan.'

Sage grijnsde de grootste, witste grijns uit de geschiedenis der grote witte grijnzen. 'Afgesproken... maar dan moet je wel eerst iets voor ons doen.'

'Ja,' beaamde Rose.

Prima. Met 'voor wat hoort wat' wilden ze bewijzen dat ze macht hadden. Ik begreep het. Dat was Sociologie 101, alleen konden zij sociologie nog niet spellen. En ik wilde wel meespelen.

'We gaan je een kans geven om te bewijzen dat je wild bent,' verkondigde Sage.

'Prima. Als het maar niet verboden is. En niet iets met seks,' voegde ik er haastig aan toe.

Sage knabbelde nadenkend op een gemanicuurde wijsvinger. Toen trok ze haar wenkbrauwen naar haar zus op. 'Wat denk je van... naakt zwemmen? In ons zoutwaterbad? Bij het huis van oma is een zoetwaterbad, maar ik weet gewoon dat je niet wild genoeg bent om daar naakt te zwemmen.'

Naakt zwemmen? Konden ze niks beters bedenken? Eerlijk gezegd was ik lichtelijk teleurgesteld in de legendarische Baker-tweeling. Ik was in New Hampshire op hippiekamp geweest. Naakt zwemmen was een eitje – althans, toen ik twaalf jaar was en nog prachtige prepuberheupen en parmantige bijna-borstjes had gehad. Die opmerking van Sage over mijn dikke reet deed nog een beetje pijn.

'En wat doen jullie ondertussen?'

'Wij gaan echt niet staan toekijken, als je dat soms denkt.' Sage was zo te horen beledigd dat dat zelfs maar in me opgekomen was. 'Wij halen de champagne voor als je eruit komt. Om ons nieuwe begin samen te vieren en onze eventuele toetreding tot de gewijlde zalen van Duke University.'

Gewijlde? Ai. Het was wel duidelijk wat me te doen stond.

Negen

Geef aan welk deel van de volgende zin niet juist is:
Naakt zwemmen in (a) <u>aanwezig</u> van je leerlingen (b) <u>is
een opmerkelijke manier</u> (c) om met een <u>nieuwe baan</u>
(c) <u>van start</u> te gaan (d).
(f) <u>geen fout</u>

In het halve uur tussen mijn 'oké, ik doe het' en de daadwerkelijke uitvoering daarvan, kreeg ik alle tijd om bedenkingen te formuleren

Je hoefde niet aan Yale afgestudeerd te zijn om de optelsom te maken. Volwassenheid was niet de sterkste eigenschap van de tweeling. Bovendien had Sage pas nadat ik hun vraag naar mijn wildste seksuele escapade had ontweken besloten dat ik naakt in het zoute water moest duiken. Ik voegde de elementen samen en kwam met het voor de hand liggende antwoord: foto's. Sage en Rose zouden met hun camera in de hand klaarstaan als ik uit het zwembad kwam. Waarschijnlijk zouden ze de foto's op www.ratemytits.com zetten en dan duizend keer 'I' voor mij stemmen.

Nou, het kon niet al te moeilijk zijn om twee niet al te slimme meisjes te slim af te zijn.

Ik ging naar de veranda aan de oostkant van het landhuis van de tweeling. Die was rondom verlicht met felle gaslampen. Overal op de veranda stonden hemelsblauwe chaises longues en er was een cabana met een goed gevulde bar. Een stenen muurtje scheidde de veranda van het strand, en daarachter lag de oceaan. De tweeling stonden op me te wachten, precies zoals ik al had verwacht. Ik zag geen camera's, maar die konden best achter de bar opgeborgen liggen.

'Precies op tijd,' riep Sage opgewekt. Te opgewekt. Prima, ik speelde het spelletje wel mee.

'Hé. Ik ben nu op tijd, dan zijn jullie morgen op tijd.' Ik trok een ligstoel naar de rand van het zwembad en ging met mijn rug naar hen toe staan om mijn witte blouse open te knopen. De zilte oceaanlucht voelde zwaar en warm aan op mijn blote huid. Ik kon bijna niet geloven dat ik die ochtend nog in New York was geweest, waar het toen bijna vroor.

'Ben je preuts?' vroeg Sage.

'Soms,' zei ik zo nonchalant mogelijk over mijn schouder. Ik hing mijn blouse over de stoel, en wel zo dat ik vanuit het water een van de mouwen kon vastpakken. Als er namelijk naaktfoto's aan zaten te komen, kon ik de blouse in het water trekken en aandoen. Hij zou wel drijfnat worden, maar hij was lang genoeg om te verhullen wat er verhuld diende te worden.

Rose gaf haar zus een duwtje. 'Schattig eigenlijk, hè?'

'Ja, schattig.'

Ik stapte uit mijn rok en hing die ook over de stoel. De meisjes deinsden vol afgrijzen achteruit.

'Heb je dan helemaal geen trots?' Sage was perplex.

Ik dacht dat ze mijn lichaam weer beledigde, dus de woorden 'rot op, hersenloos wicht' kwamen in me op. Maar dat zou niet bevorderlijk geweest zijn voor de totstandkoming van een productieve docent-leerlingrelatie. Voor ik kon bepalen of instantgenoegdoening belangrijker was dan gematigde volwassenheid, verklaarde Sage zichzelf nader. 'Je ondergoed. Hoe kún je?'

Bedenk wel dat ik gisteren op Century 21 nog onder zware druk had gestaan – zowel financieel als psychisch. Ik had de gele oma-onderbroek in een bak met twee voor zes dollar gevonden, en dat betekende dat ik er – je raadt het al – twee kon kopen. Wat de beha betreft moest ik genoegen nemen met een flodderig geval van Hello Kitty, want dat was het enige wat ik in de andere uitverkoopbak kon vinden.

'Dit is ironisch bedoeld,' legde ik uit, want ik was niet in de stemming om mijn hart te luchten over de brand in mijn flat of over de jammerlijke staat van mijn bankrekening. Ze keken me uitdrukkingsloos aan en ik realiseerde me dat ze geen flauw idee hadden wat ironisch betekende. Oké dan. Ik wilde mijn Hello Kitty loshaken, maar bedacht me toen. 'Gaan jullie aantekeningen maken of zo?'

'We hebben toch gezegd dat we niet zouden kijken?' hielp Rose haar zus herinneren, en toen gaf ze me een zwembrilletje. 'Dat heb je nodig. Het is zout water.'

Dat was aardig van haar. 'Dank je wel.'

'Oké. Twintig baantjes?' opperde Sage.

'Prima.' Om te bewijzen dat ik echt nergens mee zat, trok ik mijn Hello Kitty uit en draaide de beha aan een bandje rond mijn wijsvinger rond.

'Woehoe!' juichte Sage. 'Zo mag ik het zien. Veel plezier. Wij zijn zo terug met champagne en chocola. Of misschien met alleen champagne. En geen nat ondergoed!'

'Nat betekent dat je vals gespeeld hebt,' legde Rose uit.

'Niet vals spelen,' beloofde ik.

Toen ze terug naar het landhuis liepen, stapte ik uit mijn slip van drie dollar en sprong in het water. Het was verwarmd, het zout gaf me extra drijfkracht en ik had mijn blouse binnen handbereik. Terwijl ik op mijn rug dreef voelde ik de spanning uit mijn spieren sijpelen. Ik luisterde of ik de tweeling hoorde terugkomen. Maar nee. Vergiste ik me soms? Dat was niet erg waarschijnlijk, maar toch was dit heerlijk.

Vroeger zwom ik altijd in een meer vlak bij ons huis in New Hampshire. Dan dook ik naar beneden en ging ik met mijn handen over de modderige bodem, terwijl ik me afvroeg hoe het voor de kikkers was die daar volgens mijn zus de hele winter lagen te slapen. Nu dook ik in het zwembad naar omlaag en zwom helemaal naar beneden totdat ik de ruwe bodem van het bad kon aanraken. Vandaar zwom ik onder water verder, trekkend met mijn armen, schoppend met mijn benen en echt volop genietend van de lichaamsbeweging. Misschien ging ik hier wel elke dag zwemmen, als er toch een zwembad was...

Plop. Plotseling werd ik verblind door fel licht. Ik raakte mijn zwembril aan en mijn ogen stelden zich in op het licht.

O god. Er stonden mensen. Een heleboel. Achter een raam van plexiglas, in een soort ondergrondse feestruimte. Sage, Rose en nog een stuk of vijf anderen stonden te wijzen en te lachen. Op de voorste rij zag ik een jongen met een verschoten spijkerbroek en een babyblauw linnen hemd aan, en die staarde me gewoonweg met grote ogen aan. Op dat moment zag ik mijn eigen spiegelbeeld: uitpuilende ogen, vergroot door de breking van het water, blote, ouwe, uitvergrote ik.

Even een momentje, graag. Toen ik twaalf jaar was en net een beetje figuur begon te krijgen, had ik dezelfde nachtmerrie als veel meisjes hebben: naar school rennen omdat je te laat bent, het lokaal van groep 8 binnen vliegen en je dan realiseren dat je je kleren vergeten bent. Ik kon mijn voeten niet bewegen; ik kon alleen maar staan, terwijl iedereen grinnikte en wees.

Wie had ooit kunnen denken dat ik tien jaar later een andere versie van die angst zou meemaken?

Ik schoot als een speer naar boven en zwom keihard naar de ondiepe kant met maar één doel voor ogen: bij mijn kleren komen voordat de tweeling en hun vrienden bij mij waren. Want net zo zeker als ik wist dat Sage en Rose Baker niet wisten wat ironie betekende, wist ik dat ze wel wisten wat wreedheid betekende.

Ik was niet snel genoeg.

'Daar hebben we de kleine zeemeermin!' zei Sage spottend. Ze had een fles champagne in haar rechterhand.

Een mollige jongen die een slok uit een flesje Stella-bier nam, liet per ongeluk een paar centimeter buik tussen zijn rode polo en zijn broekriem zien. 'Schitterende borstslag.' Hij glimlachte.

Jakkes.

Als de tweeling me wilde vernederen, waren ze daarin geslaagd. Ik wilde wég – weg uit het zwembad, uit Palm Beach, uit Florida in zijn algemeen – en wel zo snel als menselijkerwijs mogelijk was, met behoud van zoveel mogelijk waardigheid. Ik hees me in mijn blootje het trapje op. De koele avondlucht zette anatomische spotjes op mijn natte huid, zogezegd.

'Olala!' gilde Sage. 'Kroes bloost niet alleen maar op haar gezicht!'

'En het haar op haar hoofd is niet het enige wat krult,' voegde Rose eraan toe.

Ik keek omlaag en zag een rode schaamteblos die zich snel naar boven verspreidde.

Rotwijven.

Ik wilde niets liever dan mijn kleren pakken en de benen nemen – helemaal terug naar New York desnoods. Maar dat gunde ik die rotzakken niet. Charma had me een keer verteld over een acteeroefening waarbij je iemand moet spelen die je kent en die een rol speelt. Ze had haar ex gespeeld, die de rol van een uitermate flaboyante, maar nog helemaal niet uit de kast gekomen homo speelde (vraag maar niet waarom). En nu wist ik wie ik moest zijn. Je ziet er niet uit als jezelf. Je ziet eruit als Lily. Ik zette een nonchalante glimlach op en liep naar de jongen toe die zijn bierbuik uitliet.

'Ik geloof niet dat wij elkaar al kennen. Ik ben de lerares van de tweeling: Megan.' Ik stak mijn hand uit. 'En hoe heet jij?'

'Pembroke Hutchison.' Zijn blik dwaalde af naar mijn borsten, maar hij slaagde er toch in mij een zweterig handje te geven.

'Hier.' De jongen van de eerste rij met het babyblauwe hemd stak me een handdoek toe. Hij wendde zijn blik af, waarschijnlijk om zijn eigen lachen te smoren.

'Dank je wel,' zei ik, en ik sloeg hem als een sarong om me heen. 'Ik ben Megan.'

'Will,' zei hij, en nu keek hij me aan. 'Phillips.'

'Aangenaam.' Rotzak, voegde ik er in stilte aan toe. Een ongelooflijk lekkere rotzak – zijn bijna marineblauwe ogen waren omlijst met dikke honingblonde wimpers – maar toch een rotzak.

Ik stelde mezelf aan de overige aanwezigen voor: de spichtige blondine was Precious Baldridge. Het atletische meisje met het steile ravenzwarte haar in een paardenstaart was Dionne-niet-Dianne Cresswell. De brunette met de implantaten was Suzanne de Grouchy. Afgezien van Pembroke en Will was er nog een kleine jongen met een heel klein sikje op zijn onderlip: Ari Goldstein.

'Nou, leuk met jullie kennis te maken,' verkondigde ik. 'Ik hoop dat jullie het entertainmentgedeelte van de avond een beetje leuk gevonden hebben.'

'Je hebt wel kloten, dat moet ik je nageven.' Pembroke dronk zijn blikje bier leeg en gooide het naar een roze metalen vuilnisbak, maar het ging ernaast. Het blikje rolde in het zwembad. Hij nam niet de moeite het eruit te halen.

Ik trok een wenkbrauw op. 'Als je kloten gezien hebt, zou ik maar eens ophouden met dat bier.'

Will liet vanachter een ligstoel een luidkeels ha horen. 'Da's een goeie,' mompelde hij.

Eh... bedankt.

'Ja, om te gillen,' zei Sage vinnig, en ze kneep haar ogen toe.

'Moet je horen, Sage,' zei ik. 'Ik begrijp het. Het was een practical joke. Maar ik ben er nog steeds klaar voor.'

Sage gaf haar bekende hoofdzwaai ten beste. 'In de verste verte niet, Kroes.'

'O, nou wordt het leuk,' kraaide Pembroke, terwijl hij zijn vuisten in een overdreven boksershouding in de lucht stak. 'Meidengevecht!'

'Hou je bek,' zei Rose tegen hem.

'Heerlijk als je dat tegen me zegt,' zei hij met een zogenaamde kreun. Hij stak zijn armen uit en liep achterwaarts naar het zwembad toe. 'Kom maar bij papa.'

Iedereen moest weer lachen. Plotseling gaf Rose hem met beide handen een duw. Hij viel onhandig met een enorme plons in het zwembad.

'Die weet van wanten!' bulderde Ari toen hij sputterend weer bovenkwam.

Ik had er schoon genoeg van en pakte mijn kleren. 'Veel plezier verder. Sage, Rose, ik zie jullie morgenochtend.'

Ik draaide me op mijn hakken om om weg te gaan, maar de stem van Sage weerhield me daarvan. 'Wacht eens even, Kroes.'

De gladde steentjes van het pad voelden koud onder mijn voeten aan. 'Geef het toe, Sage. Je wilde me vernederen. Dat is je niet gelukt. Welterusten.'

De vrienden van de tweeling riepen oeoe als bij een sitcom.

'Je begrijpt het nog steeds niet, hè?' zei Sage spottend. 'We hebben een heel grote agent, Zenith Himmelfarb. Ooit van gehoord?'

'En waarom zou mij dat iets interesseren?'

'Omdat wij sterren worden,' legde Rose uit.

Sage glimlachte zelfingenomen. 'Iedereen in het vak heeft

Vanity Fair gezien en het regent aanbiedingen voor ons bij Zenith. Film, televisie, modellenwerk...'

'Voor heel veel geld,' viel Rose haar bij.

Sage sloeg haar armen over elkaar. 'We gaan helemaal niet studeren, we hebben het geld van Laurel niet nodig en we hebben jou al helemaal niet nodig. Dus waarom waggel je niet terug naar New York met je lelijke kleren en je dikke dijen?'

Het enige geluid was het gezomp van Pembrokes kleren, terwijl hij klotsend naar de bar liep om nog een biertje te pakken. Alle anderen wachtten op wat ik zou zeggen.

Nou, ze konden wachten tot ze een ons wogen. Ik had niets te zeggen, tegen niemand niet. Ze hadden geprobeerd om onbeschoft te zijn. Toen ze daar niet in waren geslaagd, waren ze naar mijn kamer gegaan en hadden ze me zover gekregen dat ik iets vernederends zou doen. Daar waren ze in geslaagd. Ze hadden geen moment serieus in overweging genomen om met mij huiswerk te maken. Ik controleerde of mijn handdoek stevig genoeg zat, zette de ene voet voor de andere op het pad van witte steentjes en vroeg me af of het vliegtuig van Laurel nog op het vliegveld zou staan.

Krijg de klere.

Krijg de klere met je geld.

En krijg al helemaal de klere met die Baker-tweeling.

Tien

Kies de definitie die het volgende woord het best
omschrijft:

Leugen

* een opzettelijk onjuiste mededeling
* een bescheiden verbuiging van de waarheid
* een volstrekt te rechtvaardige handeling, in tijden
  van nood
* een zonde, in sommige kringen
* een standaardprocedure in tal van roddelbladen

'Haat is nog zwak uitgedrukt,' tierde ik tegen James, met mijn
mobiele telefoon stevig tegen mijn oor gedrukt. Ik had gezien
dat mijn studeerkamer een balkonnetje had dat uitzag op de veranda aan de kant van het zwembad en op de oceaan, en ik was
naar buiten gegaan om hem te bellen. De veranda was nu leeg –
alleen lege champagneflessen en geplette bierblikjes getuigden
nog van mijn vernedering. 'Afkeer. Gruwel. Walging. Ja. Walging komt erbij in de buurt.'

Zelfs na een gloeiend hete douche van een kwartier om zowel
het zoute water van het zwembad als de fall-out van de Helse
Tweeling van me af te spoelen, was ik nog steeds ziedend. Ik had
de Schedel al gebeld om te zeggen dat ik ogenblikkelijk met
Laurel moest praten, maar hij zei dat ze in haar vliegtuig zat,

en route naar Frankrijk, en dat ik haar de volgende ochtend kon spreken. Nou, goed dan. Bij zonsopgang nam ik mijn ontslag.

Meteen daarna had ik James gebeld en gezegd dat ik de volgende dag terug zou zijn in New York. 'Dus kun jij een sleutel bij je conciërge achterlaten? Jij bent waarschijnlijk naar je werk als ik thuiskom,' ging ik verder.

'Ja... best...'

Alsof de aarzeling in zijn stem niet al genoeg zei. Dit was een noodsituatie, godnogantoe. 'James? Ik kan nu echt wel wat hulp gebruiken, hoor.' Ik vond het vreselijk dat ik zo veeleisend én behoeftig tegelijk klonk, maar wat moest ik anders?

'Hé, het is geen punt,' verzekerde hij me. Dat was al een stuk beter. 'Voor een paar dagen,' voegde hij eraan toe.

Een paar dagen. En dan? Moest ik dan bij Lily intrekken? Naar New Hampshire gaan? Maar goed, daar bedacht ik wel iets op als ik eenmaal terug was op aarde, met echte mensen in plaats van verstandelijk gehandicapte beroemde robots uit Palm Beach.

Een briesje bracht de zwoele avondlucht in beroering en voerde de verrukkelijke geuren van oranjebloesem en de oceaan met zich mee. Op zee dobberden allemaal bootjes met flakkerende lichtjes. Ik dwong mezelf diepe yoga-vuurademteugen te nemen. Ik wist helemaal niks over yoga, maar wat maakte het uit. Het goede in, het slechte uit. Het goede in...

'Prachtig is het hier,' mompelde ik, eindelijk kalm genoeg om in een van de twee rieten stoelen te gaan zitten. 'En dan die kinderen met de sleutels tot het koninkrijk... Prachtig aan de buitenkant, oerlelijk vanbinnen...'

'Dat klinkt als *The O.C.* onder invloed van steroïden,' grapte James.

'Alleen is het hier echt.' Ik stond op en leunde tegen de balkonmuur. Naar links en naar rechts strekte het terrein van Les

Anges zich uit. In de verte zag ik de daken van net zulke extravagante landgoederen langs het strand. 'Je zou het hier eens moeten zien, James. Het lijkt in niks op de werkelijkheid. Die meisjes en hun vrienden. Ik bedoel, wat er in dat artikel in *Vanity Fair* stond was nog niks. Als iemand ook maar enig idee had hoe het hier in werkelijkheid...' Halverwege mijn zin hield ik op. 'Wacht eens even. Holy shit.'

'Pardon?' zei James.

In de stripversie van mijn toekomstige autobiografie is dit het plaatje waarop lichtbundels rond mijn hoofd verschijnen. Waar schreef ik altijd graag over? Niet over wat mensen zagen, maar over wat zich daaronder bevond. En ik zat hier opgescheept met meisjes die beeldschoon aan de buitenkant waren, maar heel gemeen vanbinnen. Dat gold vermoedelijk ook voor Palm Beach zelf. En dat alles lag zomaar voor het grijpen.

'James? Ik ben van gedachten veranderd,' zei ik. 'Ik kom niet terug.'

'Ho eens even. Wat nou weer?'

Terwijl ik over het balkon ijsbeerde, legde ik uit dat ik het licht had gezien. Ondertussen schoten alle mogelijkheden over een Palm Beach- annex Baker-tweeling-artikel door mijn hoofd. 'Dit is hét verhaal over outsiders en insiders. Dat publiceert toch iedereen?'

De tweeling kon me toch niet van het landgoed verbannen; dat kon alleen Laurel, en zij was momenteel en route naar Frankrijk, zoals de Schedel het zo hooghartig had geformuleerd. Daar bleef ze nog twee weken, en dat betekende dus in feite dat ik veertien zonnige dagen lang betaald werd voor een undercoveropdracht. Zodra zij terug was en het duidelijk werd dat de tweeling nog steeds van die hersendode rotmeiden waren, moest ik natuurlijk weg, maar tot het zover was... God, wat geniaal van me.

'Fantastisch,' zei James enthousiast. 'Ik meen het.'

Oké, dus het werden geen acht weken voor vijftienhonderd dollar per week. En die bonus van vijfenzeventigduizend dollar die ik zou krijgen als de tweeling op Duke werd aangenomen zat er al helemaal niet in. Maar als ik van binnenuit een supergoed, messcherp stuk schreef over alles wat jong, Palm Beach en eigenlijk schijnheilig en corrupt was... dan kon mijn carrière als schrijfster niet meer stuk.

Ik zat boven op een journalistieke goudmijn. De opgravingen konden beginnen.

Elf

Kies de definitie die het volgende woord het best omschrijft.

Homo

- iemand die zich seksueel aangetrokken voelt tot mensen van hetzelfde geslacht
- je beste vriend ten tijde van een modecrisis
- momenteel onontbeerlijk 'accessoire' voor talkshowpresentatrices en B-filmactrices
- veilig aantrekkelijk maatje voor feesten met een rode loper
- alles wat hiervoor genoemd is

De volgende ochtend werd ik ondanks het gebrek aan koffie én eten (aangezien ik nog steeds geen idee had hoe ik 'Marco' moest 'laten komen') vroeg wakker en trok ik het tweede setje van mijn intens afzichtelijke garderobe van Century 21 aan voor het geval de tweeling met potlood en rekenmachine in de hand bij me op de deur zou kloppen.

Het werd tien uur, maar de meisjes vielen nergens te beken-nen, dus ging ik ze maar zoeken. Ik liep de gang door, passeerde de gewelfde trap en kwam toen in de witte gang naar de vleugel van de tweeling. Het was niet moeilijk om erachter te komen welke deur van wie was. In knalroze neon stond hun naam erop.

Eerst Rose, aangezien die een fractie minder weerzinwekkend was. Toen er op mijn kloppen niet werd opengedaan, ging ik naar binnen, waarbij ik in gedachten noteerde wat ik allemaal zag. Haar appartement was gigantisch; de kamers waren wel twee keer zo groot als die van mij. Ze had een slaapkamer met balkon, een keuken, een studeerkamer, een kleedkamer en een badkamer met op de kaptafel zo ongeveer elk cosmeticaproduct dat de mensheid kent en dat niet gemaakt is door Angel Cosmetics. Alles was modern spierwit. Op het nachtkastje stond een witte vaas met verse witte rozen en in de badkamer stonden witte gardenia's. In haar studeerkamer vielen me twee vreemde – oké, griezelige – dingen op. Er stond een poppenhuis dat een exacte replica was van haar appartement, tot aan de minuscule nepboeketten toe. In dat poppenhuis zaten twee precies dezelfde roodharige meisjes op de vloer van de studeerkamer samen te kaarten.

Het appartement van Sage, waar ik daarna kwam, was ook leeg, en precies zo ingedeeld, maar wel volkomen anders ingericht. Haar kingsize bed was bedolven onder panterprints. Het safarithema zette zich voort in haar studeerkamer, waar zich een echt werkende waterval bevond en ik een opgezette papegaai op een stokje zag. Haar badkamer en kleedruimte waren net zo ingericht als die van Rose. Ik keek even in haar klerenkast. Jezus. Er hing genoeg couture om de hele staat New Hampshire mee aan te kleden.

Hoe moest het in 's hemelsnaam zijn als dit de norm was? Als dit de werkelijkheid was? Hoe keek je naar de rest van de wereld als je alleen maar dit soort overdaad kende?

Vervolgens ging ik naar hun veranda aan het zwembad. Ook daar geen meisjes. Ik besloot naar het hoofdgebouw te lopen. De witte steentjes van het pad knerpten onder mijn zwarte instappers – de geur van eau de rook was nu in elk geval wel verdwenen. Het was een stralende ochtend: de lucht was strak-blauw en het was fris, zonder de drukkende warmte van de dag en avond ervoor.

Tot mijn verbazing stond de deur van het landhuis open, maar toen herinnerde ik me dat het voor een indringer uitgesloten was om langs de beveiliging te komen. In de hal riep ik ze. Niets. Er rook wel iets heel lekker – knoflook en kaas – en mijn maag knorde.

Mijn neus ging op en neer als die van een hond die een bekende geur ruikt, en ik volgde het aroma door de gang naar een landelijke Franse keuken. In het midden van het vertrek bevond zich een zwevend eiland met een achtpitsfornuis. Aan haken aan het plafond hingen koperen potten en pannen. Er stond een robuuste stenen tafel met twintig stoelen met rechte rug eromheen, en in een hoek zag ik nog een kleinere, ronde tafel waar maar zes mensen aan konden zitten. De oceaan vormde de achtergrond en glinsterde me door een glazen wand van zes meter tegemoet.

'Ha, net op tijd voor het ontbijt!' Een knappe man met grijs haar en een witte koksbuis met daaronder een witkatoenen hemd en een gebroken witte broek met messcherpe vouw, stond in een koperen kom eieren los te kloppen.

'Ik ben op zoek naar de tweeling,' legde ik uit. 'Ik ben Megan Smith, hun nieuwe lerares.'

'Geweldig!' Hij glimlachte naar me en goot de eieren toen in een koekenpan die op het fornuis stond. In een andere pan lagen teentjes knoflook te sissen. 'Ik ben Marco Devine, de kok van madame Limoges.'

Marco. Laat Marco maar komen. Dit was Marco dus.

Hij strooide de knoflook over de eieren. 'Je zult wel honger hebben. Ik wilde dit door een van de dienstmeisjes naar je kamer laten brengen, maar nu kun je het hier opeten. Ik hoop dat je van knoflook houdt. Ik ben vrees ik niet in staat om zonder knoflook te koken.'

'Ik ben dol op knoflook. En ik heb ontzettende trek,' bekende ik, tegen het kookeiland leunend. 'Heb je misschien ook koffie?'

Hij lachte en gebaarde naar de kleine ronde tafel. 'In de zwarte kan zitten Franse bonen en in de bruine kan Ethiopische, in de rode Venezolaanse en in de witte zit cafeïnevrije, die niemand die bij zijn verstand is zou moeten drinken.' Hij haalde een aardewerken beker uit de kast en gaf me die. 'Schenk zelf maar in.'

Toen ik de Franse had ingeschonken, boog Marco zich naar me toe en stak een vers kaneelstokje in mijn beker. 'Franse bonen moet je nooit zonder kaneel drinken,' legde hij uit. 'Die twee zijn voor elkaar gemaakt.'

'Dank je wel,' zei ik, en hij kon geen idee hebben hoezeer ik het meende. Het was de lekkerste koffie die ik ooit gedronken had.

'Hebben de meisjes al ontbeten?'

Hij grinnikte weer en schudde aan de pan op het fornuis. 'Die zijn allergisch voor ontbijten, schat. Trouwens, ze zijn allergisch voor alles wat met de ochtend te maken heeft.'

'Maar ze liggen niet in bed – dat heb ik gecontroleerd.'

'Je bedoelt dat ze niet in hun eigen bed liggen.' Marco draaide de eieren om. 'Rond de middag krijg je ze te zien. Hopelijk.'

Interessant. Deze man scheen nogal wat over de tweeling te weten. Een goed begin voor mijn onderzoek.

'Werk je hier al lang?' vroeg ik onschuldig.

'Sinds de tweeling *terrible twelve* was.' Zijn ogen glinsterden opgewekt. 'Dat is zes keer *terrible two*.'

'Dan zul je ze wel goed kennen.'

'Beter dan ze zichzelf kennen, denk ik,' zei Marco, en hij liet de omelet op een witporseleinen bord glijden, scheurde toen allerlei verse kruiden uit potjes op een plank en strooide die over de omelet. Daarna legde hij felgroene schijfjes avocado in een waaier langs de rand van het bord en deed hij er nog een dot zure room bij. 'De tweeling leidt wat Socrates "een niet-onderzocht leven" zou noemen. Ga zitten.'

Hij wees naar de kleine tafel en zette de omelet voor me neer. Ik nam een hap. Verrukkelijk. 'Wauw.'

'Dat zal ik maar als compliment opvatten.' Marco schonk een glas sinaasappelsap voor me in, en kwam toen aanzetten met een zilveren étagère met croissants, brioches en zilveren potjes met jam. Ik pakte een brioche, nog warm van de oven, trok er een krokant stuk af en stopte het in mijn mond. 'Ik wil niet opscheppen, maar mijn omeletten zijn zo lekker dat er wel getrouwde mannen zijn geweest die me gunsten hebben aangeboden die ze normaal gesproken alleen aan hun vrouw verlenen.'

'O mijn god, ik zou zo met je naar bed gaan als ik dit elke dag te eten zou kunnen krijgen.'

'Ik vrees dat ik van de verkeerde kant ben, schat. Bovendien is mijn wederhelft daar zeer op tegen. Jammer.'

Ik grinnikte en kauwde door. Terwijl ik van elke hap genoot, dacht ik aan die opmerking van Marco over het niet-onderzochte leven. 'Marco? Ik vroeg me af...' Ik veegde mijn mond met het servet af. 'Ik heb de tweeling gisteravond ontmoet...'

'Laat me raden.' Marco nam een slok koffie. 'Het klikte niet?'

'Dat kun je wel zeggen, ja,' gaf ik toe. 'We zijn nogal... anders. Ik denk dat het weerbarstige pupillen worden.'

Marco grinnikte. 'De woorden Sage, Rose en "pupillen" zijn nog bijna nooit eerder in één zin gebruikt, tenzij iemand het over hun ogen had, 's avonds laat en sterk verwijd.'

'Misschien zou het goed zijn als ik wat meer over hen wist.

Wat vinden ze bijvoorbeeld leuk om te doen?'

'Nou, in het geval van Sage wordt dat: met wie vindt ze het leuk om het te doen?'

'Je bedoelt dat ze van feesten houdt?'

'Nee, ik bedoel dat ze van jongens houdt. En van feesten.'

Ik slikte nog een stuk omelet door. Marco bleek meer te zijn dan alleen maar een kok; hij was in rap tempo bron nummer één aan het worden. 'Je hebt hier waarschijnlijk heel wat vreemde dingen zien gebeuren.'

'Dat kun je wel zeggen, ja,' antwoordde Marco, maar hij hapte niet toe. 'Zal ik je, als je klaar bent, een rondleiding geven? Misschien komen we de tweeling onderweg wel tegen.'

De rondleiding begon in het hoofdgebouw. Ik was al voorbereid op drie verschillende woonkamers vol kostbaar achttiende-eeuws Frans antiek, op een stuk of tien slaapkamers, allemaal volgens een ander thema ingericht, en een echte dansstudio met een barre, waarvan Laurel volgens Marco als ze thuis was elke dag gebruikmaakte. Maar ik stond pas echt te kijken van alle extra dingen: een bioscoop voor vijftig personen met stoelen van roze fluweel, een schoonheidssalon, een bowlingbaan met vier banen, een fitnessruimte met alle mogelijke hightech apparaten, en een sauna, een stoomkamer, een whirlpool en een *hot tub*. Marco ging me voor een stenen trapje af naar een wijnkelder met plaats voor twintigduizend flessen en een humidor, en zei dat Laurel alle wijnen zelf proefde en uitkoos.

'Zelfs ik heb inmiddels geleerd dat ik haar niet moet adviseren,' bekende hij. 'En ik ben gediplomeerd sommelier.'

Daarna maakten we een wandeling over het landgoed. Hij vertelde van alles, en met kennelijke trots. Ik probeerde alles te onthouden, in de wetenschap dat elk detail voor mijn artikel van belang kon zijn. 'De buitenmuren van het huis zijn gemaakt van coquina. Dat is een heel zeldzame roze steensoort die van de bodem van de oceaan wordt geschraapt. Het gerucht gaat dat het Mizner tien jaar en vijf miljoen dollar heeft gekost voor hij genoeg had om met de bouw te kunnen beginnen.'

'Hoeveel is dit huis dan wel waard?' probeerde ik.

Er speelde een glimlachje om Marco's lippen. 'Hier geldt het gezegde: als je moet vragen hoeveel, kun je het niet betalen.'

Nou, lekker dan.

Daarna bekeken we de kas, Laurels zwembad, de twee tennisbanen (één gras, één met rode Roland-Garros-klei), de golfbaan, en een tuinhuisje dat boven op een roze boogbrug over een vijver met tilapia's stond.

'Dus dit kun je met een cosmetica-imperium allemaal kopen,' zei ik vol verwondering toen we even in het tuinhuisje pauzeerden.

'Laurel komt uit een arm gezin. Ze woonde in een armoedig appartementje met alleen koud water in Parijs. Daar heb je vast wel over gelezen.'

'Nou, eigenlijk niet, nee.'

'Nou, haar eerste shampoo mengde ze op de wc op de gang en daarmee is ze van schoonheidssalon naar schoonheidssalon gegaan. Ze heeft Angel vanuit het niets opgebouwd.' Marco gebaarde naar het landgoed dat voor ons lag. 'Daar heb ik grote bewondering voor.'

'Denk je dat de tweeling dezelfde drive heeft?' vroeg ik. Alsof ik het antwoord niet al wist: je maakt een grapje.

'Ze zijn beschadigd.' Hij keek me even onderzoekend aan. 'Je bent wel heel nieuwsgierig naar ze.'

'Ik wil ze alleen beter leren kennen.' Ik voelde even iets van schuldgevoel. Maar dat duurde niet lang. Ik hoefde alleen maar aan het smalende gezicht van Sage van de avond ervoor te denken.

'Dat zal je niet lukken, schat,' zei hij, niet onvriendelijk. 'Het gaat bij hen alleen maar om de buitenkant. In hun ogen zie jij eruit als een foto van "voor de behandeling" uit een van hun tijdschriften.'

Ik voelde dat ik moest blozen en sloeg mijn blik neer. 'Ik ben al mijn kleren kwijtgeraakt... Er is brand geweest in mijn flat,' mompelde ik.

Hij legde een hand op zijn borst. 'Dat zei ik niet om je te kwetsen, echt niet. Palm Beach kan heel oppervlakkig zijn. Om het er te redden moet je je aanpassen. Als jij het vertrouwen van de tweeling wilt winnen moeten ze geloven dat jij deel uitmaakt van hun wereld. Je moet er in elk geval uitzien alsof je er deel van uitmaakt. Je moet jezelf als een levend accessoire beschouwen.'

Dat ik vergeleken werd met een handtas gaf me niet bepaald een oppepper. 'Bespottelijk!' zei ik lachend.

'Natuurlijk is het bespottelijk,' beaamde Marco. 'Maar je moet het begrijpen. De rest van Amerika wordt gedreven door geld. Sage en Rose? Geld speelt geen rol. Dus worden ze gedreven door uiterlijkheden.'

'Ik ben wie ik ben,' klaagde ik, terwijl ik me realiseerde dat ik hiermee een toespeling op de Bijbel maakte, zonder dat dat me iets interesseerde. 'En ik zie eruit zoals ik eruitzie.'

'Misschien niet. Mijn wederhelft, Keith, staat erom bekend dat hij de rijke taarten van Palm Beach in prinsesjes kan veranderen. Ze zijn bereid daar verrukkelijk grote sommen geld voor neer te tellen, waardoor ik, totdat ik tandeloos in een tehuis mijn eten naar binnen zit te werken, me facelifts kan permitteren. Voor de insiders is hij Mr. Keith.'

'En wat doet hij – Keith – precies?' vroeg ik aan Marco, terwijl hij zijn hand over de witte balustrade van het tuinhuis liet bungelen.

'Haar, make-up, kleding, alles, maar dan ook alles,' somde

Marco op. 'Buiten het seizoen zit hij al een jaar van tevoren vol, en in het seizoen twee jaar van tevoren.'

'En wanneer is het seizoen?'

'Lieve hemel. Weet je dan helemaal níéts?'

Ik moet eruitgezien hebben als de vreemdeling in den vreemde die ik ook was, want Marco kreeg medelijden met me.

'Het Seizoen – hoofdletter H, hoofdletter s – loopt van eind november tot het begin van het voorjaar. Dan worden alle bals gegeven, grotendeels liefdadigheidsbals. Vanavond is de eerste avond van Het Seizoen: het Rood-witte Galabal, liefje. Iedereen die ook maar iets in Palm Beach heeft te betekenen doet mee aan Het Seizoen. En je kunt niet aan Het Seizoen meedoen als je er niet Seizoenswaardig uitziet.'

Ik maakte snel even een beoordeling van mezelf. Niet-Seizoenswaardige kleren. Niet-Seizoenswaardig haar. Make-up? Dat was nog wel het meest On-Seizoenswaardige van alles, aangezien die in het geheel niet aanwezig was. Geweldig. Palm Beach maakte zich op voor Het Seizoen en niemand was daar slechter op voorbereid dan ik. Bovendien beschikte ik niet over 'de verrukkelijke som geld' die nodig was om de diensten van Mr. Keith te kunnen betalen, zelfs als de goede man al beschikbaar mocht zijn. Ik was gedoemd om voor de tweeling iemand 'van vóór de behandeling' te blijven – ik zou buiten hun kring blijven en dus ook mijn verhaal niet kunnen schrijven. Daar ging mijn inside-artikel.

'Vijftien jaar geleden bereidde ik een diner in Point Pleasant, in New Jersey, en toen had ik een afgeprijsd golfshirt van de Walmart aan.' Marco raakte vriendelijk mijn arm aan. 'Het verhaal over hoe ik hier beland ben zal ik voor mijn vernietigende autobiografie bewaren. Laat ik volstaan met te zeggen dat Keith me geholpen heeft. Me gered heeft, eigenlijk.' Hij tikte met zijn wijsvinger tegen zijn kin. 'En nu... moet hij jou redden.'

'Maar... hoe dan? Daar heb ik echt geen geld voor, en...'

Marco glimlachte. 'Keith vindt niks leuker dan een echt Assepoester-verhaal. Vanavond ga jij naar het bal! Beschouw mij maar als je petemoei!'

Twaalf

Kies het item dat het best overeenkomt met het volgende:

Natuurlijke schoonheid: galabal

- intelligent: Paris Hilton
- onaantrekkelijk: Brad Pitt
- aards: Jennifer Lopez
- subtiel: Anna Nicole Smith
- getalenteerd: Nicole Richie

'Ik geloof dat ik moet overgeven.'

'Wacht even,' zei Keith, en hij gaf een broederlijk klopje op mijn knie. 'Je ziet er geweldig uit. De heteromannen willen jou, de homo's willen schoonheidstips en de vrouwen willen je de ogen uitkrabben. Als dat niet iets uit een sprookje is, weet ik het ook niet meer.'

We zaten vast op Ocean Boulevard, in een lange rij auto's en limo's die naar de roze muren en smalle stenen doorgang van het landgoed Mar-a-Lago van Donald Trump reden. Hoe had ik ooit kunnen denken dat ik naar het eerste galafeest van Het Seizoen kon gaan en dan voor een van hen kon doorgaan? Ik deed een paar diepe ademhalingsoefeningen die ik me nog vaag herinnerde van de enige les hatha-yoga waar Charma me mee naartoe had gesleept. Zodra de leraar zei dat we iets gingen doen wat de Naar Boven Kijkende Hond heette, had ik 'm gesmeerd.

'Ontspan je, Megan,' droeg Keith me op. 'Marco en ik staan achter je.'

Ik maakte me zelf eigenlijk meer zorgen over mijn voorkant. Ik wist zeker dat een of andere chique dame uit Palm Beach één blik op me zou werpen, met een beschuldigende vinger naar me zou wijzen en 'bedrieger!' zou roepen. Maar ik hielp mezelf eraan herinneren dat als Keith niet wist hoe hij een vrouw voor echt moest laten doorgaan, niemand het dan wist. Keith Genteel – dat was zijn echte naam, hoewel hij hier op het eiland bekendstond als Mr. Keith of als dé Mr. Keith, afhankelijk van hoe belangrijk hij voor je fashionrehabilitatie was geweeest – was opgegroeid in een rijke buitenwijk van Charlotte. Maar zijn moeder had heel onvoordelige huwelijksvoorwaarden getekend, waardoor er na de scheiding niet veel voor haar overschoot, hoewel ze wel het landhuis mocht houden. Terwijl de andere jongens aan sport deden of achter de meisjes aan zaten, haalde Keith voor elke nieuwe gelegenheid haar avondjaponnen uit elkaar en maakte er een nieuwe creatie van, zodat het net was alsof ze iets nieuws en heel duurs had gekocht.

Na vier jaar aan de FIT in New York was hij naar LA verhuisd, waar hij de meest gezochte kostuum-, haar- en make-upman van Hollywood werd – een bonafide drievoudige bedreiging waar geen enkele belangrijke filmstudio en regisseur omheen kon. Toen een bekende Franse actrice hem een weerzinwekkende hoeveelheid geld bood en uitnodigde om naar Palm Beach te komen om haar gereed te maken voor het jaarlijkse Rode Kruisgala, waarna ze in de *Palm Beach Daily News* een volle pagina met foto's kreeg (de *Shiny Sheet* voor ingewijden) – was de legende Mr. Keith een feit. In een stad waar alles om uiterlijk draaide, was stijl een kwaliteit die meer waard was dan het vermogen om een openhartoperatie uit te voeren. De meeste informatie had ik van Marco, die toen hij me naar het huis van zijn partner had gebracht, aan zee aan de zuidkant van het eiland, in een spraakzame bui was geweest. We dronken gedrieën snel een kopje Franse espresso op een veranda met uitzicht over het strand en toen ging Marco terug naar Les Anges. Keith, die nonchalant gekleed was in een kaki korte broek, een wit golf-shirt en leren slippers, bekeek me eens goed, van top tot teen. Hij zag zo al wat mijn schoenmaat, kledingmaat en tot mijn verdriet ook mijn cupmaat was, en sprak toen vier angstaanja-gende woorden uit: dat haar moet eraf.

'Kaal staat me niet echt,' grapte ik nog nerveus, maar hij ging me al voor naar een kapperstoel, die in een kamer stond die ver-moedelijk ooit zijn werkkamer was geweest. Ik moest gaan zit-ten en hij draaide de stoel weg van de spiegel.

'Als je schrikt is het nog leuker,' legde hij uit.

Twee uur later draaide hij me weer om. Hij had gelijk. Het was inderdaad leuk. Hij had er een centimeter of acht afgehaald en het rondom mijn gezicht in laagjes geknipt, butterscotch-kleurige highlights aangebracht en het bol geföhnd.

'Je ziet eruit of je net geneukt hebt,' vond hij, duidelijk tevre-den met het resultaat. 'Beter kan niet.'

Als 'net geneukt' betekende dat ik eruitzag alsof God me met het mooiste haar van de hele wereld had gezegend, dan was ik het met hem eens.

Na een lunchpauze – stokbrood, verschillende soorten kaas, kastomaten in plakjes en eendenpaté – begon Keith met mijn make-up. Hij somde de merken op alsof hij ze zelf uitgevonden had. Vochtinbrengende Crème de la Mer werd gevolgd door een scala aan verfsoorten, poeders en crèmes van Angel (uiter-aard), Laura Mercier, Chantecaille, Paula Dorf en Nars. Ik pro-beerde het allemaal te onthouden.

Het duurde al met al meer dan een uur. Ook nu weer mocht

ik van Keith pas kijken toen hij klaar was. Ik, een make-uploos meisje, verwachtte het ergste. Jack Sparrow, als vrouw verkleed. Ik had het helemaal bij het verkeerde eind. Ik zag eruit... als mezelf, maar dan mooier. Lekker. Maak er maar héél lekker van. Mijn huid gloeide, mijn ogen leken enorm, ik had Bambi-wimpers.

Ergens tussen de transformatie boven de schouders door pleegde Keith een paar telefoontjes, want tijdens de laatste fase van mijn make-uptransformatie kwamen er allemaal mensen met kledingzakken aanzetten. Keith stuurde iedereen naar de logeerkamer. Toen hij mij daar naar binnen liet gaan, zag ik wat de bezoekers er hadden achtergelaten: een lichtroze strapless decolletébevorderende beha met bijpassend zijden slipje. Vijf paar schoenen, lekker knus in de doos van hun merk: Jimmy Choo's, Manolo, Gucci en Stuart Weitzman. En één enkele signaalrode jurk, die Keith voor me ophield. 'Zac Posen. Niemand maakt zulke mooie coupes als hij.'

Ik fronste mijn wenkbrauwen. 'Daar pas ik nooit in.'

Hij antwoordde uitsluitend met de grijns van een Cheshire-kat, waardoor ik zijn oogverblindend witte jackets te zien kreeg. 'Vertrouw me nou maar.'

Hij had gelijk. En dat is dan ook de reden waarom ik op dit moment in zijn Rolls zat met beeldschone lingerie aan, de zwarte pumps van Gucci en zo'n mooie jurk dat ik het gevoel had dat hij beter in een museum kon hangen dan dat ik hem kon dragen. Hij was strapless, van laagjes chiffon die in de taille bij elkaar kwamen. De lage rug liet een roodzijden lijfje met baleinen zien dat zo strak zat dat er spierkracht aan te pas had moeten komen om het dicht te ritsen. De stof viel in sierlijke plooien tot net over mijn knieën. Lange jurken waren volgens Keith dit jaar veel te saai. En bovendien had ik, volgens dé Keith, prachtige benen. Wie was ik om daar iets tegen in te brengen?

'Niet vergeten, Megan,' begon Keith. 'Je mag maar één glas wijn of bubbels drinken. Daaruit blijkt dat je van goede komaf bent. Maar je mag onder geen beding iets eten.'

Ik knikte. Ik hoefde niet te vragen waarom. Als mijn middenrif ook maar een centimeter uitzette, zou het strakke korsetje van de jurk beslist niet mee uitzetten. Dan zou de kop van de *Shiny Sheet* van de volgende dag luiden: DOCENTE BAKER AAN BALEIN GESPIEST.

'Oké, schat, we zijn er. Heb je mijn mobiele nummer?' vroeg hij. 'En dat van Marco? Voor noodgevallen?'

Ik knikte, bang voor elke beweging onder mijn sleutelbeenderen.

'Lipgloss checken,' beval Keith toen een bediende het portier opendeed. 'Glimlachen.' Dat deed ik. 'Je bent er klaar voor, prinses.'

Een in witte handschoen gestoken hand pakte de mijne. Ik zwaaide mijn benen naar buiten, waarbij ik goed oplette dat ik ze bij elkaar hield, en slaagde erin elegant uit de Rolls te komen. 'Welkom op Mar-a-Lago.' De bediende schonk me een filmsterwaardige glimlach.

Keith liep om de Rolls heen – hij had een smoking aan en manchetknopen met robijn in zijn overhemd, aangezien iedereen van het Rood-witte Galabal een of beide kleuren moest dragen – en hij bood me zijn arm aan. 'Zullen we dan maar, lieveling?'

'We zullen,' stemde ik in. We liepen een pad op dat bezaaid was met rode en witte rozenblaadjes.

Vlak voordat we bij de imposante deuren waren, schoten mijn ogen even naar Keith. Hij kneep in mijn hand. 'We zullen ze eens even een poepie laten ruiken.'

Jaren daarvoor hadden Lily en ik *Pretty Woman* gehuurd, die zij een geweldige film vond en ik een draak. Ook jij kunt, al ben je een hoertje, nog lang en gelukkig leven. Lily zei dat ik het allemaal veel te letterlijk opvatte – het was niet bedoeld om voor het echte leven door te gaan en dat wist iedereen. Nee, natúúrlijk was het niet het echte leven. In het echte leven wordt Assepoester niet omgetoverd en dan – *poef* – naar een bal gestuurd.

Reken maar dat ik schrok toen mij dat wel echt gebeurde.

Daar stond ik, boven aan de majestueuze trap die uitkwam in een gigantische balzaal, een en al verguldsel en ivoor, verlicht door zo te zien wel honderden ingewikkelde kristallen kroonluchters. De zaal was afgeladen met sommigen van de mooiste en rijkste mensen op aarde. Die varieerden in leeftijd van jong tot beverig. Helemaal aan de andere kant van de balzaal stond op een verhoogd podium het Starlight Orchestra van Valerie Romanoff 'Bad, Bad, Leroy Brown' te spelen – nee echt, ik méén het – en een stuk of twintig, dertig mensen waren aan het dansen. Er waren vier bars en vier verschillende buffetten, én er liepen allemaal in witte smoking gestoken obers rond met eten en drinken.

'Rechtdoor, tussen alle mensen door naar het midden, dan linksaf naar de bar,' instrueerde Keith me. Toen we de trap af liepen, voelde ik dat de ogen onze kant op draaiden.

Niet struikelen, niet struikelen, hield ik mezelf voor.

We bereikten de hardhouten vloer, en Keith begeleidde me door de menigte gekroonde hoofden van Palm Beach. Overal om ons heen fluisterden de mensen.

'Wie is dat?'

'Wat een schoonheid.'

'Die jurk.'

'Dat haar.'

'Ik heb haar vorig voorjaar in Torremolinos gezien!'

En toen stond Pembroke voor me, met zo'n mooi gesneden smoking aan dat zijn zevenmaandsbuikje erdoor gecamoufleerd werd. 'Megan?' Zijn ogen zakten naar mijn opgekrikte decolleté alsof hij hoopte dat de jurk op de een of andere manier door de kracht van zijn verzengende blik zou smelten. 'Jezus.'

'Dank je,' zei ik. 'Pembroke Hutchison, Keith Genteel. Keith, Pembroke.'

Pembroke lachte. 'Ik ken Keith. Hij doet mijn moeder. Niet mét mijn moeder, natuurlijk. Hoe ken jij Keith, Megan?'

'Ze is een vriendin van een vriend van me.' Keith grijnsde duivels en gaf me toen een kus op mijn wang. 'Ik ga Marco even zoeken. Alles goed?'

'Meer dan,' verzekerde ik hem. Het was natuurlijk belachelijk, maar dat 'jezus' van Pembroke had voor een golf zelfvertrouwen gezorgd.

Keith liep weg en Pembroke stond erop een appelmartini voor me te halen. We liepen naar de bar en hij pakte mijn arm. Na nog geen drie meter hoorde ik mijn naam weer.

'Megan?'

Het was Sage, in een lange, vuurrode jurk met een decolleté dat zo diep was dat het in haar navel met diamanten piercing uitkwam.

'O, hallo, Sage.' Het hoefde me niet te verbazen dat haar zus vlak achter haar stond, in een beeldschone witte halterjurk tot op de grond. Naast haar ontwarde ik de petieterige Precious Baldridge – die herinnerde ik me nog van mijn zwembadvernedering – met nepbruin op en een lipstickrode zijden jurk met lage rug. Sage stond me aan te gapen. Precious ook.

'Wat doe jíj hier?' Sage kreeg het bijna haar mond niet uit.

'Hetzelfde wat jij hier ook doet: fondsen werven voor NSOSD,' antwoordde ik.

Ik had me goed voorbereid. De meeste galafeesten tijdens

Het Seizoen werden nadrukkelijk voor een goed doel gegeven, hoewel ze in werkelijkheid meer een excuus waren voor de bespottelijk rijke, oppervlakkige en zelfingenomen mensen om zich uit te dossen en elkaar af te troeven. Dit galabal werd gegeven voor de Nationale Stichting voor Onderzoek naar Schizofrenie en Depressie.

Ze streek een paar krullen achter haar oren die uit haar kapsel waren gefloept. 'Ik bedoel: hoe ben je hier binnen gekomen?'

'Eh...'

'Wat maakt het uit?' riep Precious uit. 'Ze is er, dus ze hoort hier blijkbaar. O mijn god, prachtig die jurk. Waarom heeft mijn stylist míj die niet laten zien?'

Pembroke grijnsde naar me. 'Ik herkende haar bijna niet met kleren aan.' Hij gniffelde om zijn eigen geestigheid.

'Ik kan wel even strippen om je geheugen op te frissen, maar ik weet zeker dat je fantasie levendig genoeg is.' Ik hoopte van harte dat dit als een speels plagerijtje zou overkomen, aangezien ik zin had om hem een opdoffer te verkopen.

Hij moest lachen. 'Wil je nou nog een appelmartini?'

'Iets anders,' antwoordde ik, en toen keek ik naar Rose. 'Wat drinken jullie?'

'Flirtini's.'

Ik had geen flauw idee wat dat waren.

'Nou, goed dan,' zei ik tegen Pembroke. 'Een flirtini.'

'Een flirtini dus.'

Hij draafde weg, en zijn plaats werd ingenomen door een andere vriendin van de tweeling, ook van de avond ervoor, die met de schrikbarende implantaten. Hoe heette ze ook alweer? Het had iets met *Sesamstraat* te maken. Pino? Koekiemonster? Oscar the Grouch? Dat was het: Grouch. Suzanne de Grouchy. Ze keek me met onverholen bewondering aan. 'Zac Posen, hè?'

Ze deed niet eens een poging om zich voor de avond ervoor

te verontschuldigen. Ik deed maar net alsof ik zo cool was dat ik dat niet eens wílde.

'Natuurlijk,' loog ik. Ik kon me in het geheel niet meer herinneren wie mijn jurk gemaakt had.

Sage kneep haar ogen samen en ik moest mezelf dwingen om kalm te blijven. 'Wat is er met dat kroeshaar en die verschrikkelijke kleren gebeurd?'

Híér was ik op voorbereid, dankzij mijn niet al te briljante vorige baan.

'Alsjeblieft, Sage. Als ik reis draag ik alleen maar spray van Evian, lipgloss en mijn gemakkelijkste kleren.' Ik deed mijn beste imitatie van haar bekende haarzwaai. Een maand geleden had ik voor *Scoop* de fotobijschriften voor een interview met drie topmodellen geschreven. Kate Moss had uitgelegd dat ze als ze reisde nooit make-up op deed. 'Ik hoef echt niet zo nodig indruk op mensen te maken, hoor.'

Dit moment zal voor altijd in mijn geheugen gegrift staan. Sage knipperde met haar ogen. De superieure grijns verdween van haar gezicht.

'Nou, dat had je dan wel eens kunnen zeggen,' zei ze sniffend.

Ik glimlachte lief. 'Zoals ik al zei: ik hoef echt niet zo nodig indruk op mensen te maken, hoor.'

Maar toch maakte ik indruk. Op Sage en Rose. Precies degenen op wie ik indruk móést maken. Misschien mochten ze me niet, maar er stond geen spoortje minachting in hun ogen te lezen. En dat was, hoe je het ook wendde of keerde, vooruitgang te noemen.

'Alsjeblieft!' Pembroke was terug en gaf me een roze drankje in een martiniglas. 'Eén flirtini.'

'Je bent een engel.' Een engel? Wie was ik? Ik had de neiging om het geval in één keer achterover te slaan, als brandstof voor mijn bedrog, maar ik herinnerde me bijtijds dat Keith had gezegd dat ik alleen mocht nippen, dus dat deed ik maar, terwijl ik grote belangstelling veinsde voor de stelletjes die op iets van de Bee Gees dansten waar niemand ooit op zou mogen dansen.

'Zullen we dansen?' klonk een stem achter me.

Ik draaide me om en keek in de onwaarschijnlijk blauwe ogen van de jongen die me de avond ervoor de handdoek had aangereikt. Will Phillips. In plaats van een algehele lichaamsblos had ik nu een rode jurk aan. Dat leek toepasselijk.

'Hoe kun je nu in godsnaam op deze bagger dansen, Will?' vroeg Sage. Het orkest had net 'Strangers in the Night' ingezet. Ik aarzelde, aangezien nu stelletjes de dansvloer betraden die oud genoeg waren om op Sinatra – nee, Edith Piaf – hun maagdelijkheid kwijt te zijn geraakt.

'Beschouw het maar als superretro,' zei Will tegen Sage, en toen keek hij weer naar mij. 'Nou?' Hij stak me zijn hand toe.

'Prima.' Ik had er even moeite mee om mijn blik van zijn ogen los te rukken, maar toen wist ik weer met wie deze jongen bevriend was en wat die ogen inmiddels al hadden gezien. Ik ben aan het werk, hield ik mezelf voor. Ik had twee weken de tijd voordat Laurel terug was en zou zien dat de meisjes nog net zover van toelating tot Duke verwijderd waren, en dan vloog ik de laan uit. Ik had dus twee weken de tijd om zoveel mogelijk over de rijke, ongelukkige en weerzinwekkende mensen van Palm Beach te weten te komen. Ik liet mijn hand in de zijne glijden. Ik had geen seconde te verliezen.

'Het spijt me van gisteravond,' zei Will toen hij zijn armen om me heen sloeg. 'Het was voor mij ook een verrassing.'

Geloven of niet geloven, dat was de vraag. Nou, daar zou ik later nog wel eens over nadenken.

'Geen punt,' zei ik gladjes. 'Het was een stomme grap, meer niet. Waar ken jij de tweeling van?'

'Ik woon naast ze, op Barbados.' We begonnen op de zogenaamde muziek te bewegen.

De buurman die hen al hun hele leven kende. Uitstekend.

'Barbados is een eiland in de Caribische Zee,' zei ik plagerig.

'Het is ook de naam van ons landgoed. De mensen in Palm Beach kunnen het niet laten om hun huis een naam te geven. Ik denk dat dat in het water zit.'

'Dus je bent min of meer met Sage en Rose opgegroeid?' vroeg ik.

'Niet echt nee. Ik ben drieëntwintig. Ik ben afgelopen juni aan Northwestern afgestudeerd.'

Dus hij was van mijn leeftijd. Dat riep de vraag op: waarom ging hij dan om met een groep middelbare scholieren? Ik kon er maar één conclusie uit trekken: hij deed het met een van hen. Waar ik vandaan kom zouden we dat een misdrijf noemen. En waar je ook vandaan komt, het is gewoon... Gatver.

'En jij?' Hij ging iets achteruit, zodat hij me kon aankijken.

'Yale,' antwoordde ik bedeesd.

Hij floot zachtjes. 'En je bent lerares? Uit vrije wil? Wat heb je gestudeerd?'

'Letterkunde.' De waarheid leek me hier geen kwaad kunnen. 'En jij?'

'Kunstgeschiedenis. Mijn vader is kunsthandelaar. Ik probeer erachter te komen of ik nu bij hem in de zaak wil of niet. Zijn belangrijkste galerie zit aan Worth Avenue. Je kent hem vast wel: de Phillips Gallery.'

Ik probeerde weerstand te bieden aan de neiging om mijn ogen ten hemel te slaan; deze jongen was zo'n ongelooflijk zelfingenomen ouwehoer. Dachten al deze mensen dat hun wereldje het middelpunt van de wereld was? 'Nee, dit is de eerste keer dat ik in Palm Beach ben,' zei ik, terwijl ik aan mijn onderzoek probeerde te blijven denken. 'Ik heb het eiland nog helemaal niet gezien.'

Ik hoopte dat hij in het aas dat ik net had uitgegooid zou happen. Ik kon me toch geen betere gids wensen dan Barbados Boy?

'Mijn vader heeft momenteel een paar Corots in de galerie hangen. Misschien vind je het leuk om die te zien. Ik maak je morgen met alle plezier wegwijs...'

Heerlijk. Meteen toehappen.

'Lijkt me enig.'

Ik glimlachte over zijn schouder en dacht aan alle inside-informatie die ik de volgende dag van hem zou krijgen. En toen een ouwe kerel in een rood smokingjasje me nog dichter tegen Will aan duwde, nou ja... toen vond ik dat niet eens erg.

Het begon echt leuk te worden.

Dertien

Het is (a) een <u>uitstekend</u> idee, in theorie, om (b) je <u>voor</u>
<u>te doen</u> als iemand die je niet bent, als je (c) probeert
<u>indruk te maken</u> op iemand van (d) <u>de andere sekse</u>.
(e) geen fouten.

Ondanks de kleine vooruitgang die ik met de tweeling op het
feest had geboekt – ik was nu in elk geval Megan, in plaats van
Kroes – had ik besloten om hen niet meteen de volgende ochtend achter hun broek te zitten. Nee, ik besloot te gaan ontbijten in het hoofdgebouw en te horen wat mijn middag met de
vermoedelijke-aanrander-annex-buurman-van-de-Baker-twee-
ling Will Phillips in petto zou hebben.

Dat bleek niet nodig. De tweeling stond op het bijna redelijke tijdstip van tien uur al op mijn deur te bonken. Ze hadden
zich gekleed voor vertier in de zon. Sage had een goudkleurige
bikini ter grootte van drie Post-it-geeltjes aan, en Rose een zwart
badpak dat aan de zijkant tot haar middel opliep, waardoor het
leek alsof haar benen anderhalve meter lang waren.

Sage nam als eerste het woord. Ze sloeg haar armen over elkaar en kneep haar ogen samen. 'We weten wie je bent.'

Door de mand gevallen. Daar ging de poging van Marco en
Keith om me voor een van hen te laten doorgaan. Het was leuk
geweest zolang het duurde. Zestien uur lang.

'Oké,' begon ik. 'Ik ben dus niet...'

'We hebben je gegoogeld,' onderbrak Rose me. Sage knikte.

'Je bent Megan Smith uit Main Line, Philadelphia – Gladwyne, Pennsylvania, om precies te zijn. Je familie heeft vorig voorjaar een galafeest gesponsord voor het transplantatiecentrum van het ziekenhuis van de University of Pennsylvania. Je moeder had iets van Chanel aan en jij van Versace. We hebben het allemaal gelezen.'

Een liefdadigheidsbal sponsoren had zo totaal niets met mijn leven te maken dat het gewoonweg lachwekkend was, maar de puzzelstukjes schoven in mijn hoofd opnieuw op hun plaats. Smith was niet bepaald een weinig voorkomende naam, en Megan ook niet. Dat er nog een meisje was dat zo heette, uit een stinkend rijke familie, hoefde me niet te verbazen. Ik had mezelf ook al een of twee keer gegoogeld. Oké, tien of twaalf keer. Op een paar hits op aan Yale verwante websites na kwam ik niet op internet voor. Maar er werden nog ongeveer 93 700 andere Megan Smiths genoemd. En blijkbaar was een van hen rijk.

'We weten nu in elk geval hoe je voor dat galabal bent uitgenodigd,' mompelde Rose.

'En waar die jurk vandaan kwam,' voegde Sage eraan toe. 'Dat had je moeten zeggen, Megan.'

Ze liepen driftig weg. Ik waagde het om hen na te roepen: 'Zijn jullie klaar om met me aan de studie te gaan?'

Ongelooflijk zo snel als twee tweelingzusjes het woord 'nee!' kunnen roepen.

Uiteindelijk liet ik dus maar mijn ontbijt uit het hoofdgebouw komen – twee vers gebakken croissants, een bord met schijfjes vers tropisch fruit en een kan Ethiopische koffie – en bracht de ochtend door op mijn eigen veranda, waar ik wat onderzoek deed naar Gladwyne, Pennsylvania, de thuisbasis van die andere Megan Smith. Gladwyne was ook zo'n plaats waarbij vergeleken Concord, New Hampshire, de stad waar ik was opgegroeid, net een derdewereldland leek.

Terwijl ik onderzoek naar Gladwyne deed, bedacht ik iets griezeligs. Als ik straks naar mijn afspraak met Will ging, dacht hij natuurlijk dat hij het meisje zou zien met wie hij de avond ervoor had gedanst. Alleen bestond dat meisje niet. Ik was heel onhandig met mijn haar en ik had geen kleren. Tenzij dé Mr. Keith in mijn kamer zou opduiken, was ik de sigaar.

In paniek ging ik douchen, waste mijn haar en trok een combinatie aan van de afschuwelijke setjes één en twee van Century 21. Toen ging ik als een speer naar het hoofdgebouw, waarbij ik de veranda bij het zwembad bewust meed, want daar kon de tweeling wel eens zitten, om mijn petemoei te zoeken.

Ik legde zonder veel omhaal uit in wat voor benarde positie ik verkeerde. Natuurlijk niet het hele verhaal – Marco hoefde niet te weten dat ik eigenlijk journalist en undercover was – maar ik vertelde er wel bij dat de tweeling me voor een andere, veel rijkere Megan Smith had aangezien. Hij vond het om te gillen en leek prima te begrijpen dat het van groot belang was dat ik niets deed om ze op andere gedachten te brengen. Om, eh... zuiver academische redenen.

'Maak je geen zorgen, lieverd,' kirde Marco, terwijl hij kaneelbroodjes op een afkoelrooster legde. 'Dat komt alleen maar goed uit. Ik denk dat ik je wel kan helpen. Neem een broodje.'

Ik schrokte er een naar binnen, opgelucht dat hij dacht dat hij me wel kon helpen én wederom schuldbewust. Marco was van meet af aan alleen maar aardig voor me geweest, en ik was bepaald niet eerlijk geweest over wat ik hier eigenlijk in Palm Beach kwam doen. Maar zo werken journalisten nu eenmaal, hielp ik mezelf herinneren.

Terwijl Marco met me naar zijn roze bungalow aan de noordkant van het terrein liep, zakte mijn wroeging al een beetje. Ik bleek niet de enige met een geheim te zijn. Als Marco niet chefkok Marco was, was hij Zsa Zsa Lahore, de meest elegante travestiet van de zuidelijke staten. En laat hij nou precies dezelfde maat hebben als ik.

We liepen door zijn rood-met-zwarte woonkamer met de bank met reptielenprint – hij verkeerde net in een koloniale fase – en gingen zijn slaapkamer in. In tegenstelling tot zijn algehele gedrag was de kamer agressief masculien, een en al zilver en chroom, met boven zijn bed een schilderij van twee cowboys die elkaar geil aankijken. Helemaal *Brokeback*.

'Beschouw mijn kasten maar als de jouwe,' zei hij, en hij deed een dubbele deur open, waardoor ik in een inloopkast kwam die bijna net zo groot was als zijn slaapkamer.

Hoe gul kon een homopetemoei in 's hemelsnaam zijn? De rekken in de inloopkast hingen vol met beeldschone designerkleren. Hij haalde er een paar kanshebbers uit. 'Als je met Will naar de galerie gaat zouden deze broek van zwarte crêpe met hoge taille van Bottega Veneta en deze ivoorkleurige blouse van chiffon van Fendi kunnen. Even verder kijken.'

Ik probeerde tegen te sputteren, maar toen hij klaar was, had hij een grote koffer en een kingsize kledingzak volgestopt. Hij zei dat ik die kleren voor de toekomst nodig had.

'En mag ik je een advies geven over wat je nu aanhebt, lieverd?' vroeg hij. 'Verbranden.'

Daarna waren haar en make-up aan de beurt. Marco had niet het geniale kapperstalent van Keith, maar hij leerde me wel hoe ik een stylingtang moest gebruiken. Daarna de make-up. Die perfectioneerde hij en daarna trok ik de kleren aan die hij voorstelde. Ze pasten. Ik keek omlaag naar mijn zwarte instappers en beet bezorgd op mijn lip. Zelfs ik wist dat die absoluut niet konden.

'O hemel.' Marco beet op een volmaakt gemanicuurde nagel.

Ik had maatje 38. Hij maat 42. Toen knipte hij met zijn vingers. 'Stretchballerina's van Chanel, schat. Helemaal goed.'

Ik probeerde ze aan – nog steeds te groot, maar door het elastiek bleven ze zitten. Hij beloofde Keith te bellen en hem nog een paar paren te laten brengen. Ik sputterde nog een keer tegen, maar Marco wilde er niets van horen.

'Lieverd,' kirde hij met bijna precies het accent van Zsa Zsa Gabor, terwijl hij een laag mascara op mijn wimpers aanbracht, 'je ziet er beeldschoon uit. Welke auto neem je?'

Ik had er geen moment over nagedacht, en dat zei ik dus ook tegen Marco. Ik moest over precies vijftig minuten in het centrum zijn, op Worth Avenue, waar Will me een uitgebreide rondleiding zou geven door de galerie van zijn vader en daarna met me naar Breakers zou gaan om thee te drinken.

'Neem de Ferrari,' adviseerde hij. 'De rode Ferrari. Die is het leukst om in te rijden. Kun je met een pook omgaan?' vroeg hij, en hij glimlachte om de seksuele ondertoon.

'Tuurlijk.' Ik lachte. De truck van mijn vader was ook handgeschakeld.

Marco glimlachte. 'Mag ik je een advies geven? Als je de kans krijgt om een pook te hanteren – geen moment twijfelen. Meteen doen.'

De Phillips Gallery lag aan de noordkant van Worth Avenue en in de etalage stond maar één schilderij: een stenen bruggetje op het Franse platteland. Op een zo mogelijk nog discreter bordje stond PHILLIPS GALLERY: PALM BEACH. JEAN BAPTISTE-CAMILLE COROT, SCHILDERIJEN. 13 NOVEMBER TOT 23 DECEMBER.

Ik droeg mijn auto over aan de parkeerbediende die recht voor de galerie stond en ging naar binnen. Dit was het dus. De galerie die Will van zijn vader moest gaan leiden. Het voorste vertrek was spierwit met een glanzende houten vloer. De airconditioning bood verlichting van de zon en de vochtigheid.

'Hallo.' Ik werd begroet door een jonge vrouw in een heel strak zwart mantelpak, onvermijdelijk Palm Beach-bruin en met recht tot op de schouder afgeknipt blond haar. 'Welkom in de Phillips Gallery. Ik ben Giselle Keenan.' Toen draaide ze haar hoofd om en keek me weer aan. 'Ik hoop niet dat u het erg vindt dat ik het vraag, maar... wie heeft u gekleurd? Die highlights zijn práchtig.'

'Eh... Keith,' zei ik, want ik kon even niet op zijn achternaam komen.'

'Dé Keith?' Giselle sprak de naam met gefluisterde eerbied uit. 'Ik heb al zo vaak geprobeerd een afspraak met hem te maken. Hoe is u dat gelukt?'

'Nou, eh... Ik logeer op Les Anges...'

'Bij de Baker-tweeling? We zaten afgelopen seizoen allemaal in het comité van het Hart en Hoop-gala. Doe ze de groeten van Giselle. Enig, dat artikel over ze in *Vanity Fair*.'

'Dat zal ik doen,' zei ik, en ik nam me voor het te onthouden. 'Ik kom eigenlijk voor Will Phillips. Ik heb een afspraak met hem. Ik heet Megan.'

'Prima.' Ze drukte op een paar knoppen van de telefoon. Terwijl ze dat deed kwam er een goedgeklede jongen met warrig haar en de rossige huid van iemand die heel veel op een boot zit, of op de golfbaan, of allebei, de galerie binnen. Hij glimlachte naar me op de manier zoals ik al heel veel jongens naar mijn zus had zien glimlachen.

Mijn eerste impuls was om me om te draaien om te kijken of hij naar een of ander ontzettend lekker meisje lachte dat achter me stond. Blijkbaar duurde het Assepoester-effect ook nog tot na het galabal voort.

Net toen de golfende matroos een paar stappen mijn kant op deed, verscheen Will. 'Megan? Welkom in de galerie.'

Hij had een blauw jasje aan, een lichtblauw hemd met open

boord, een kaki broek en bruine instappers zonder sokken. Ik kwam er al snel achter dat deze outfit met al zijn variaties dé onofficiële dracht voor mannen in Palm Beach is. Mijn matroos gaf me een knikje van herkenning en keek me met een blik van opgewekte spijt aan. Toen draaide hij zich om en liep weg.

'Heb je al even rond kunnen kijken?' vroeg Will.

'Nog niet. Maar deze zaal is prachtig.'

'Ik ben ermee opgegroeid; ik zie het niet eens meer,' bekende Will.

Ik wilde dat Will zich zo op zijn gemak zou voelen dat hij zichzelf kon zijn – ik kon me geen beter prototype voor een artikel over Palm Beach wensen – maar ik moest moeite doen om hem geen schop tegen zijn schenen te geven, zo verwend vond ik hem.

'Wil je de uitgebreide rondleiding, met daarna een wandeling over de boulevard?'

'Prima,' zei ik.

Terwijl hij me de twee gigantische witte zalen van de galerie liet zien, praatte Will voornamelijk en ik luisterde. Hij beschikte over een encyclopedische kennis van Corots leven en werk, en hij liet me kennismaken met drie verschillende perioden. Daarna draaide hij zich naar me om en zei: 'Kom, we gaan.'

We liepen naar buiten, de oogverblindende middagzon in, en gingen naar rechts. We kwamen langs de ene designerwinkel na de andere. Ferragamo. Gucci. Hermès. Tiffany. Er viel geen enkele Gap of Starbuck's te bekennen. Er waren weinig voetgangers en het was warm. De enige actie speelde zich af voor een restaurant, Ta-boo geheten, waar een team parkeerbediendes heel efficiënt een flinke rij Bentleys, Mercedessen en Rolls-Royces parkeerde.

Ik zag een kilometerbord waarop zowel de toegestane minimum- als de maximumsnelheid stond. Waarom zou je in 's hemelsnaam een minimumsnelheid moeten bepalen?

'Wat zijn dat voor borden?' vroeg ik.

'Hebben ze die niet in Philadelphia?' Hij keek niet-begrijpend. 'Dat is om te voorkomen dat toeristen heel langzaam gaan rijden om mensen aan te gapen. We zijn hier op onze privacy gesteld.'

'Wie zegt dat ik uit Philadelphia kom?'

'Sage.'

Nou, prima. Dit kon in mijn voordeel uitpakken. Voor mijn onderzoek kon het geen kwaad als Will ook dacht dat ik die andere Megan was.

'Ik ben nog nooit in Philadelphia geweest,' zei Will. 'Vertel eens hoe het is om daar op te groeien.'

Dankzij mijn onderzoekje op internet van die ochtend was dat niet al te moeilijk. Ik vertelde hem waar ik graag at (Tre Scalini), waar ik graag ging shoppen (de Smak Parlour) en waar ik graag met vakantie naartoe ging (Gstaad om te skiën, Brussel om te shoppen). Ik vond het zo leuk om een nieuw leven voor mezelf te verzinnen dat ik nauwelijks merkte dat we Worth Avenue helemaal hadden gedaan en dat we weer voor de galerie stonden.

Will keek op zijn horloge. 'Nou, ik moet weer aan de slag.'

Ho eens even, en Breakers dan? 'Bedankt voor de rondleiding.' Ik raakte zijn arm even aan. 'Misschien kunnen we nog een keer iets afspreken.'

Dat was mijn schaamteloze manier om te zeggen: vraag of ik mee een borrel ga drinken, lekker stuk. Wie weet wat ik na twee of drie drankjes uit hem zou weten te krijgen.

'Ja, misschien wel. Tot kijk, Megan.' Ik vond dat hij een beetje verward keek toen hij de galerie weer in liep.

Veertien

Kies het beste antoniem (groep woorden met een tegenovergestelde betekenis) voor de volgende woorden:

Verdeel en heers

- Nodig uit en ga feesten!
- Scheid en vernietig
- Highlight en föhn
- Verenig en wees onderdanig
- Mani en pedi

Ik liep op het inmiddels bekende pad met de witte steentjes tussen het hoofdgebouw en het landhuis van de tweeling en dacht aan het vreemde einde van de wandeling met Will. Toen hoorde ik geschreeuw van de kant van het zwembad komen. De tweeling – ik kon hun stemmen niet uit elkaar houden – en nog iemand.

Heel intrigerend.

De krachttermen vlogen in het rond. Ik ging van het pad af en verstopte me achter een palmboom even ten westen van de veranda. Vandaar kon ik over de veranda naar de cabana kijken, waar de koninklijke ruzie plaatsvond. De meisjes waren nog in badpak en de andere vrouw had een beige broekpak aan.

'Ik geloof er geen zak van, Zenith!' krijste Sage. 'Noem jij jezelf een manager? Je bakt er godverdomme niks van!'

Manager? Zo iemand die ervoor moest zorgen dat de twee-ling al dat fantastische werk voor film, televisie en dat model-lenwerk kreeg?

Zenith haalde diep adem; het was duidelijk dat ze haar zelf-beheersing probeerde te bewaren. 'Moet je horen, dit soort din-gen gebeurt nu eenmaal. Zodra ze met geld over de brug moe-ten komen, blazen ze de hele boel af.'

'Je zei dat we een eigen televisieserie zouden krijgen. Een eigen film. Een eigen clubketen,' jammerde Rose. 'Je zei dat Pa-ris en Nicole naast ons zouden verbleken!'

'Hoor eens, er lígt een aanbod. Als jullie niet zulke verwende nesten waren zouden jullie dat meteen aannemen,' zei Zenith woedend.

'Voor een bruiningsspray? En dan moet ik weer de voor-foto zijn, zeker? Sage Baker hoeft nóóit de voor-foto te zijn!'

Sage Baker als een voor-foto? Geen sprake van.

'Zijn jullie klaar?' vroeg Zenith rustig.

'En nou als de sodemieter mijn terrein af,' antwoordde Sage.

'Met alle vormen van genoegen. En bel me vooral nooit meer.' Zenith liep weg, langs de veranda, maar ze nam godzij-dank een route waarop ze mij niet tegen het lijf zou lopen.

'Nee, bel jíj ons vooral nooit meer!' Sage trok een van haar met siersteentjes bezette sandalen uit en gooide die naar haar weglopende manager. Hij viel in het zwembad. 'En dat beige staat je voor geen meter!'

Sage draaide zich weer om naar haar zus. 'Ze kan het lazarus krijgen. We zoeken wel een andere manager. Kom, Rose, we zet-ten het op een zuipen.'

'Nee.' Het huilen stond Rose zo te zien nader dan het lachen.

'Nee?' zei Sage haar op ongelovige toon na. Ik geloofde mijn oren ook niet. Ik wist niet dat Rose in staat was dat woord tegen haar zus te zeggen.

'Alles is... naar de klote.' Rose rende de veranda over en het stenen trapje af naar het strand, weg van Sage. Het zag er heel even naar uit dat Sage haar achterna zou gaan. Maar toen beende ze terug naar hun huis, waarbij ze haar andere sandaal ook nog even in het zwembad schopte.

Verdeel en heers, hield ik mezelf voor. Het huis van de tweeling was al verdeeld. Ik hoefde het alleen nog maar te veroveren.

Ik liep terug naar het strand en probeerde heel nonchalant te kijken, alsof ik net toevallig een middagwandelingetje ging maken. Ik zag Rose bijna meteen; ze liep met babypasjes langs de branding, hupste voor elke aankomende golf weg en liet de zee toen om haar voeten spoelen.

'Ga je een eind wandelen?' vroeg ik toen ik vlak bij haar was. Haar onderlip trilde. 'Hé, gaat het wel met je?'

Ze schudde haar hoofd. Het was vloed, en een golf kwam gevaarlijk dicht bij onze voeten. Ik sprong achteruit, want ik kon me zo voorstellen dat de ballerina's van Marco niet waterdicht waren.

'Waar is mijn zus?' vroeg ze, en ze keek bezorgd.

'Kweenie.' Ik haalde mijn schouders op.

Rose liep het strand op en ging tegen de stenen zeewering zitten. Ik deed dat ook maar, want ik realiseerde me dat Sage ons, als ze uit het raam naar het strand keek, niet kon zien – en daar ging het nou net om.

'We zijn echt razend,' mompelde Rose op een gegeven moment. 'Sage en ik.'

Toe maar. 'Hoe dat zo?'

Ze bleef naar het water kijken. 'Weet je nog wat Sage je verteld heeft op de avond dat je hier net was? Over onze manager in Los Angeles? Over alle aanbiedingen en over dat we ons eigen geld zouden verdienen?'

Ik knikte en wachtte op verdere uitleg. En ik wachtte. Eindelijk kwam het er allemaal uit, in een monoloog die alle wetten van interpunctie en syntaxis aan zijn laars lapte: 'Sage zei dat we met dat stuk in *Vanity Fair* beroemd zouden worden, dat we na een tijdje zeg maar nergens meer naartoe zouden kunnen zonder televisiecamera's achter ons aan, en dat klonk allemaal wel leuk, want zo zijn beroemde mensen nu eenmaal, weet je wel, met alles en iedereen... Dus toen heeft Sage zeg maar een manager in Los Angeles aangenomen en er zouden allemaal aanbiedingen komen, voor een film, en ons eigen realityprogramma voor de tv en make-upbedrijven, maar dan niet van die goedkope zeg maar, begrijp je?'

Ik knikte weer. Dat leek me maar het beste.

'Nou,' ging Rose verder. 'En nou blijkt dat geen van die afspraken doorgaat, maar ik weet niet waarom, en dan was er nog iets voor een bruiningsspray. O, en misschien was dat andere nog niet zeker, maar dat was voor een winkelketen in het Zuiden die spijkerbroeken van Jessica Simpson doet, die ze zelf niet eens draagt.'

'Wauw.' Rose leek zich door mijn medeleven aangemoedigd te voelen.

'Nou, hoe dan ook, we zouden niet eens genoeg verdienen om zeg maar een jaar van te leven. Maar we hadden al gezegd dat oma dat geld in haar reet kon steken en we hadden jou nooit naakt moeten laten zwemmen, want nu heb je zeg maar een hekel aan ons en wil je ons vast geen les meer geven, maar zelfs al zou je dat wel doen, wat voor zin zou dat hebben?' Ze knipperde twee keer met haar ogen. 'Kun je me volgen?'

In een ander grammaticaal universum misschien wel, ja. Maar de hoofdlijn had ik te pakken, want die vormde de opening waarop ik gehoopt had. Sage had Rose wijsgemaakt dat ze het geld van hun oma niet nodig hadden omdat ze zelf heel veel zouden gaan verdienen. En dus hadden ze mij niet nodig. Maar niet heus. Rose nam mij in vertrouwen omdat ze als de dood was dat ze berooid achter zou blijven.

Niks fijner dan wanneer mensen je nodig hebben.

'Dus... denk je dat je ons kunt helpen?'

Ik kon haar natuurlijk lesgeven, en daarmee zou ik tijd in het paradijs voor mezelf rekken – en dat was mooi. Nee. Dat was fantastisch. Maar kon ik ervoor zorgen dat ze op Duke aangenomen werd? Zelfs als ik zevenenhalve week dag en nacht met haar aan de slag ging wist ik nog niet zeker of ze wel het IQ van een tennisbal had. Bovendien moesten ze allebei aangenomen worden, en als Sage mocht kiezen was ze liever de Palm Beach-versie van Heidi Fleiss dan dat ze les van mij kreeg.

Maar in elk geval zat ik met één van de tweeling op het goede spoor. Misschien haakte haar zus ook wel binnen niet al te lange tijd in...

Die avond werkte ik als een goede onderzoeksjournalist mijn aantekeningen uit. Van Marco, Keith, Will en de tweeling had ik al genoeg derrie te horen gekregen om de hele jetset van Palm Beach onder te bedelven.

Van Suzanne de Grouchy, na één flirtini te veel op het Rood-witte Galabal: een societyprinses die haar man met een klassiek keukenmes van het merk Wusthof-Trident neerstak nadat ze hem met een van Suzannes vriendinnen had betrapt, kreeg twee maanden huisarrest. De vriendin werd naar Zuid-Frankrijk gestuurd.

Van Keith, tijdens de zoveelste make-upsessie: afgelopen jaar heeft een opvanghuis, Vredespaleis genaamd, hun gebruikelijke feest om fondsen te werven voor Het Seizoen afgezegd en in plaats daarvan uitnodigingen rondgestuurd waarin stond dat de 'gasten' lekker thuis konden blijven en gewoon een donatie konden sturen. Het Vredespaleis ontving normaal gesproken meer dan een miljoen dollar aan donaties tijdens het feest. Het jaar waarin het feest werd afgezegd ontvingen ze maar vijfduizend dollar. 'Liefdadigheidsfeesten tijdens Het Seizoen,' verkondigde Keith, 'zijn de bijdrage van Palm Beach aan de samenleving.'

En van Rose zelf, met haar servet opgevouwen op haar schoot: soms is het net zo bevredigend om je eten te kauwen en het dan gewoon uit te spugen als om het door te slikken... Begrijp je wat ik bedoel?

Nee echt. Al zou ik het proberen, ik zou het niet zelf kunnen verzinnen.

Ik dacht dat ik hier maar twee weken zou zijn. Maar Rose had me de mogelijkheid geboden om er twee maanden van te maken. Om dat tot een succes te maken moest Sage ook meedoen. En dus stylede ik de volgende ochtend mijn haar glad, trok weer zo'n casual outfit van Marco aan – een heupspijkerbroek van Joe's die in de was was gekrompen en een wit T-shirtje van Petit Bateau – en posteerde me op de kruising van de gang tussen onze appartementen in.

Rond een uur of elf kwam ze naar buiten gebeend met een donkere skinny jeans aan, een wit topje met engelenvleugels op de voorkant en sandalen met bandjes en onmogelijk hoge hakken. Afgezien van de schoenen hadden we ongeveer dezelfde kleren aan.

Dat vatte ik op als een goed teken.

'Sage!'

Nog voordat ik mijn mond open had gedaan keek ze al geïrriteerd. 'Wat is er?'

'Nou...' Ik leunde onderuit tegen de muur en probeerde zo verloren mogelijk te kijken.

'Nou, wát?' zei ze vinnig. 'Sta je soms te wachten tot iemand je restjes krab toegooit uit het Bath & Tennis Hotel?'

Ik kwam overeind uit mijn onderuitgezakte houding. Lily had blijkbaar het acteertalent bij ons in de familie, maar het was nog niet te laat om er meteen mee op te houden. 'Sage, luister, ik zal eerlijk tegen je zijn.' Waar. Van een journalist die er alles voor zal doen om haar verhaal te maken. 'Ik weet dat studeren je niet interesseert, maar' – duimen maar – 'ik heb deze baan echt heel hard nodig.'

Ze keek me aan met iets wat in de buurt van professionele belangstelling kwam. 'Omdat je schulden hebt?'

'Precies.' Helemaal waar.

'Grote schulden?'

Ik knikte.

Sage knikte ernstig. 'Zoiets dacht ik al. Twee jaar geleden had Precious plaatsen op de eerste rij tijdens de Fashion Week in New York en de kleren waren dat jaar echt om een moord voor te doen. Uiteindelijk had ze voor driehonderdduizend dollar uitgegeven en haar moeder ging helemaal door het lint want ze haar op haar creditcard maar een limiet van zeg maar honderdduizend dollar.'

Dit was fantastisch. Onbetaalbaar.

'En wat hebben de ouders van Precious toen gedaan?'

Sage boog zich naar voren. 'Ze hebben haar toelage verlaagd,' fluisterde ze, alsof ze me een staatsgeheim mededeelde. 'Precious was zo overstuur dat ze bijna moest bevallen. Toen we jou gegoogeld hadden dacht ik ook al dat het zoiets moest zijn.'

Ach, de ironie. Het zou in geen miljoen jaar in me opgekomen zijn dat Sage de overhaaste conclusie had getrokken dat ik een coutureschuld had opgelopen en niet een studieschuld.

'Dus je begrijpt waarom ik deze baan nodig heb,' zei ik, zonder haar verkeerde indruk recht te zetten. 'Om die schuld een beetje te drukken.'

'Om papa en mama Smith blij te maken, bedoel je,' vertaalde ze. 'Hebben ze de datum waarop je trust vrijkomt verschoven? Jezus, wat een rotstreek!'

'Inderdaad,' beaamde ik. Op Yale had ik een meisje gekend dat de hele tijd jammerde dat ze haar trust pas op haar dertigste kreeg, waarmee ze bedoelde te zeggen dat ze dan zo'n beetje bejaard was. 'Dus als we gewoon een paar dingetjes zouden kunnen doen, zodat ik je oma iets kan laten zien... Ik zal het je niet al te lastig maken. Als je op een gegeven moment besluit dat Hollywood toch niks voor jullie is, nou dan, eh... dan hebben we in elk geval iets aan jullie schoolwerk gedaan.'

Ik kon de blanco gedachtewolkjes zo'n beetje uit haar hoofd zien opstijgen. Ze slaakte een uitermate geïrriteerde zucht. 'Best.'

Best? Waanzinnig.

'Ontzéttend bedankt,' zei ik ademloos. 'Dat stel ik enorm op prijs.'

'Wat jij wilt. Wanneer beginnen we?'

'Vanmiddag?' vroeg ik aarzelend.

'Oké,' zei ze instemmend, en daarbij rolde ze even met haar ogen om te benadrukken dat ze me een ongelooflijke dienst bewees.

Ze had geen flauw idee.

Vijftien

Kies het item dat het best overeenkomt met het
volgende woordpaar:

Zeiljacht: societyprinses

- kartonnen doos: alcoholist
- chihuahua: popsterretje
- cocaïne: topmodel
- Fendi-tasje: Sarah Jessica Parker
- Arrestatie vanwege drugsbezit: Robert Downey
  junior

Vier dagen later, op mijn zevende dag in Palm Beach, werd me
een fundamentele waarheid duidelijk: al die verhalen over beroemde geleerden die op brood en radijs hadden geleefd, op een
zolderkamertje, waar ze het water waar ze hun eieren in kookten
ook gebruikten om hun oksels mee te wassen, hadden een reden: een leven van luxe is niet bevorderlijk voor de studie. Als je
de keus hebt om vierkantsvergelijkingen onder de knie te krijgen of om een nog niet uitgebrachte dvd te bekijken in een
huisbioscoop die mooier is dan welk bioscoopcomplex ook,
dan kies je toch voor warme popcorn en Orlando Bloom, of
niet soms?

Ondanks de overduidelijke kersverse toewijding van de tweeling aan hun schoolwerk besteedden ze nog steeds veel meer tijd

aan spelen dan aan werken. Als ik echt hun privélerares was geweest had ik me er misschien druk over gemaakt. Maar dat was ik niet, dus deed ik dat ook niet. In plaats daarvan deed ik mijn best om onder het mom van lesgeven een band met hen te kweken.

Rose deed vrij aardig tegen me, aangezien zij van nature gewoon aardiger was. Sage duldde me, want met mijn nieuwe garderobe en look van Marco was ik, precies zoals hij al had voorspeld, een aanvaardbaar accessoire. Deze middag was ik op het vijftig meter lange zeiljacht van Laurel, de *Heavenly*, aan het lesgeven annex een band kweken annex onderzoek doen.

Terwijl we op de motor de jachthaven van Palm Beach uit voeren gaf de nieuwe dekknecht, Thom geheten, me een snelle rondleiding. Hij was mager en had warrig door de zon gebleekt haar en een hartveroverende glimlach. De boot besloeg drie niveaus – een benedendeks met de ontvangstruimtes; een in het midden met aan de achterkant een reusachtig open dek, een woonkamer, een eetkamer en een keuken; en een landingsbaan voor helikopters, zodat gasten van en naar de kust gebracht konden worden zonder dat ze de strijd met de golven hoefden aan te gaan.

Na de rondleiding ging ik naar het achterdek, waar de meisjes al in badkleding in de zon lagen. Sage had een oranje bikini aan met smokwerk op haar kont, zodat ze van achteren net een perzik leek. Rose had een wit halterbadpak aan met zo'n lage rug dat je net haar bildécolleté zag. Ik had daarentegen een witte broek van stretchkatoen van Marc Jacobs aan en een zwart t-shirt met een reusachtig kruis op de rug dat Marco tijdens zijn Cher-fase had gedragen.

'Waar is jouw badpak, Megan?' vroeg Rose. 'Voor we aan het werk gaan nemen we toch eerst een duik in de *hot tub*?'

Marco had veel voor me, maar een badpak zat er niet bij. Ik

zei maar dat ik buikpijn had en ontspande me terwijl zij lagen te niksen. Na hun *hot tub* volgde de sauna en daarna gaven ze Thom opdracht wat te eten te brengen: kaviaar, crackers, in chocolade gedoopte frambozen en een fles Taittinger, hun favoriete champagne. Aangezien de crackers koolhydraten bevatten kwam het er voornamelijk op neer dat ze hun vingers in de kaviaar doopten en dan in hun mond staken.

Daarna waren ze klaar voor een beetje algebra. Ze pakten hun pennen, papier en rekenmachines en ik probeerde de opdrachten aan hun belangstelling aan te passen. 'Karen vond een klassiek jurkje van Chanel voor tweeduizend zeshonderd en vijftig dollar.'

'Wie is Karen?' vroeg Rose, terwijl ze zich op haar buik omdraaide.

'Dat doet er niet toe. Dat is gewoon een naam. Schrijf nou maar op.' Ik trok mijn T-shirt van mijn schouders, zodat ik toch een sprankje zon kon opvangen.

Sage zuchtte geërgerd. Ze had – zonder succes – geprobeerd om een andere manager te vinden die hun zaken kon waarnemen. Ondertussen was ze, verdomd, met de studielessen mee gaan doen. 'Meedoen' moet je heel ruim opvatten. 'Kun je dat nog een keer zeggen?'

'Karen vond een klassiek...'

'Wacht even,' beval Sage. Ze pakte een fles zonnebrand met beschermingsfactor 50 en smeerde het spul op haar doorschijnende borst, armen en benen. Rose wachtte. 'Nog een keer.'

'Karen vond een klassiek jurkje van Chanel voor zesentwintighonderd en vijftig dollar.'

'Ik dacht dat je net "tweeduizend, zeshonderd en vijftig dollar" zei,' zei Rose.

Ik glimlachte en sloeg deze opmerking meteen op. 'Dat is hetzelfde. Als die jurk in de jaren veertig is ontworpen en gemaakt, dan kostte hij toen tachtig procent minder. Wat kostte de jurk toen hij gemaakt was?'

Rose duwde zich op haar ellebogen omhoog en begon op een velletje kladpapier te schrijven. Sage keek me uitdrukkingsloos aan.

'Moet ik de vraag voor je herhalen?' vroeg ik.

'Hebben we het over de daadwerkelijke prijs of over de prijs waarin de inflatie is verwerkt?' vroeg ze koeltjes.

Hè? Eén-nul voor Sage.

'Over de daadwerkelijke prijs,' zei ik.

'Heeft Karen een trustfonds of een toelage?' vroeg Sage.

'Karen bestaat niet,' zei ik voorzichtig, en ik bedacht dat we misschien beter verder konden gaan met meetkunde. 'Het is gewoon een verzonnen opdracht om...'

'Wacht even,' zei Sage, en ze stak een vinger in de lucht en legde een hand tegen haar linkeroor. Toen wees ze naar de lucht in het westen. 'Ja, daar zul je ze hebben.'

Heel in de verte hoorde ik een helikopter naderen. 'Daar zul je wie hebben?'

'Suzanne is gisteren achttien geworden,' legde Sage uit. 'Dat vieren we vanavond. Als je geen zin hebt kun je naar de bibliotheek van mijn oma gaan.'

Ik vond het prima. Een feestje zou veel eerder Palm Beach-materiaal opleveren dan die hele Karen en dat klotige Chanel-jurkje.

Toen de heli de boot naderde en vervolgens op dertig meter boven het achterdek kwam hangen, was het kabaal oorverdovend. Ik keek hulpeloos toe hoe de werkboeken en papieren waar we mee bezig waren geweest door de luchtzuiging van de rotorbladen de zee in geblazen werden.

De heli landde, de deuren gingen open en drie vrienden van de tweeling sprongen naar buiten. Ik herkende Ari en Suzanne en er was een lange sportieve jongen bij die ik nog niet eerder had gezien. Hierna volgde een orgie van omhelzingen en kussen en werd er uitgebreid 'gefeliciteerd!' geroepen.

Toen de helikopter weer opgestegen was, vroeg ik me af hoe het kon dat de tweeling hun fortuin zo zorgeloos op het spel kon zetten met hun volslagen gebrek aan concentratie – tenzij ze in de veronderstelling verkeerden dat datgene wat ze met mij deden wél iets met concentratie te maken had. Over iets meer dan zes weken zouden ze erachter komen dat dat een heel verkeerde inschatting was.

Sage liep meteen weg met de lange jongen, door de anderen opgewekt nageroepen. Ik werd nota bene door Suzanne omhelsd, die daarna riep dat ze een biertje wilde en naar de *hot tub* ging, waarbij ze onderweg al haar kleren uittrok.

'Hoe gaat het met de studie?' vroeg Ari, en hij bood me zijn vuist aan, waar ik een stomp tegen moest geven. Hij had een afgeknipte kaki broek van Brooks Brothers aan en een oud T-shirt van CBGB. Hij zag eruit alsof hij in mijn buurt in East Village had kunnen wonen en niet op een jacht van miljoenen dollars midden in de baai zat.

'Ze boeken vooruitgang. En jij, Ari? Wat zijn jouw plannen voor volgend jaar?'

'Massachusetts Institute of Technology. Ik heb een heel hoog gemiddelde en ik had een hoge uitslag voor mijn examen, dus ik heb er alle vertrouwen in.'

Ik stikte bijna in mijn eigen speeksel. Was een van de vrienden van de tweeling dan daadwerkelijk... slim?

'Ik wou dat jij dat examen voor me kon doen, Ari,' zei Rose met een hulpeloze zucht.

'Die zet van je oma is echt...' begon Ari, maar de rest verstond ik niet, want er kwam alweer een helikopter aan. Nee. Drie helikopters, die het zeiljacht tot het middelpunt van hun gelijkbenige luchtdriehoek maakten. Toen zag ik een paar speedboten die ook onze kant op kwamen, en Thom liet een ladder zakken waarlangs de opvarenden aan boord konden klimmen.

Een half uur later bevond ik me midden in een volwaardig verjaardagsfeest. Alle vrienden en vriendinnen van de tweeling die ik tot dan toe had ontmoet waren er, en nog een stuk of veertig, vijftig andere jongelui. De enige die er niet bij was, was Will Phillips, die ik niet meer had gezien sinds hij me op Worth Avenue aan mijn lot had overgelaten. Niet dat dat me iets interesseerde.

Nee, echt niet.

Toen de zon in het westen onderging, waren de meeste kinderen er heel anders aan toe. De nieuwe plaat van Gwen Stefani jammerde door de geluidsinstallatie van de boot. Meisjes dansten met jongens, meisjes dansten met meisjes, meisjes kusten jongens, en een paar meisjes kusten ook elkaar – tot groot genoegen van de jongens. Iedereen had drank en drugs bij de hand. Een studentenfeestje van Yale was hierbij vergeleken net een bijeenkomst van de quakers, dus toen Pembroke zei dat ik niet zo gestrest moest kijken – we lagen de vereiste achttien kilometer van de kust af, waardoor we ons in internationaal water bevonden, dat wil zeggen buiten de zeggenschap van de kustwacht – haalde ik daadwerkelijk opgelucht adem.

Toen de muziek overschakelde op een oud nummer van de Smashing Pumpkins, trok Pembroke me dicht tegen zich aan – nou ja, zo dicht als met die buik van hem ertussen mogelijk was. Zijn ogen stonden glazig.

'Je ziet er ontzettend lekker uit,' fluisterde hij in mijn oor, en ik voelde een beetje spuug tegen mijn oorlel komen. Gatver. 'Dat hele leraressengedoe is helemaal te wauw, zeg maar.'

Alsof ik op wauw zat te wachten, zeg maar.

Zestien

Elitarisme (a) <u>lijdt</u> tot elitarisme, en er zijn moed, (b) <u>overtuiging</u> en (c) <u>fatsoen</u> voor nodig om (d) de <u>cyclus</u> te doorbreken. (e) <u>geen fout</u>.

Toen ik de uitnodiging kreeg om Thanksgiving bij de ouders van James te vieren, in hun strandhuis, wist ik dat deze feestdag niet de allesovertreffende ervaring zou zijn als bij ons thuis in New Hampshire. Ik zou de sneeuw en het knapperende haard-vuur missen, mijn vader die de *greatest hits* van Bob Dylan op zijn akoestische gitaar ten beste gaf, terwijl mijn oma haar we-reld-, oké, familieberoemde cranberrysaus maakte. (Geheim in-grediënt: sinaasappelschil.)

Ik had mijn ouders de dag ervoor nog gesproken. Lily zou met een limousine gebracht worden, zodat ze haar optreden op woensdagavond en vrijdagavond niet zou hoeven missen. Ik werd overspoeld door heimwee, en dat werd alleen nog maar er-ger doordat ik wist wat me te wachten stond: kalkoendag in Florida met de zogenaamde kouwe kant die een hekel aan me had.

Op de ochtend van Thanksgiving keek ik op mijn plasmate-levisie naar de optocht van Macy's en straightte ik mijn haar met de stylingtang – een kunstje dat ik bijna onder de knie had. Met make-up was ik nog steeds een wandelende ramp, dus ik rende naar het huis van Marco en liet het hem doen. Om aan te trek-ken koos ik een mouwloze kasjmieren trui van Oscar de la Renta uit de Ann-Margaret-fase van Marco en een camelkleurige Burberry-rok. Toen ik in een van de BMW's stapte voor de rit van een uur naar de Golfstroom, vond ik dat ik er vrij goed uitzag voor een vrouw die aanstonds het strijdperk zou betreden.

Het huis van de ouders van James lag aan het strand, in een stadje dat je vergeleken met elke andere plaats uitzonderlijk welgesteld kon noemen, behalve dan vergeleken met Palm Beach. Toen ik de oprit op reed, kwam James naar buiten. Voor ik het wist lag ik in zijn armen.

'Hé,' mompelde hij in mijn haar. 'Ik heb je gemist.' Toen hield hij me op een armlengte afstand. 'Kanonnen... Wat is er met jóú gebeurd?'

Ai. En ik maar denken dat ik er, zeg maar, lekker uitzag.

'O, ik heb gewoon wat andere...'

'Je ziet er prachtig uit.'

Ik grijnsde. 'Echt?'

'Draai je eens om,' gebood hij, waarbij hij erin slaagde om deze opdracht zo onhomoachtig mogelijk te laten klinken. 'Dat haar, die kleren... Wacht maar tot mijn ouders je zien.'

Ik was een beetje geïrriteerd. Was ik eerst dan niet goed genoeg geweest? Maar aangezien ik wist dat hij het aardig bedoelde – hij was trots op me – gaf ik hem een zachte kus en hield ik mijn mond. Hij legde zijn arm om mijn schouders en liep met me naar binnen.

Als je ooit *A Clockwork Orange* van Stanley Kubrick hebt gezien, heb je al een goede indruk van het strandhuis van de familie Ladeen: strak, modern, zonder enige kleur, meubels met rechte belijning. Op een tafel van glas en chroom in de woonkamer lagen de enige tekenen van leven: de ochtendeditie van de *New York Times*, netjes in elkaar overlappende katernen neergelegd, en een leeg koffiekopje.

Er stonden ook een stuk of vijf in chromen lijstjes ingelijste familiefoto's op tafel – de bekende familieportretten en vakantiekiekjes, en een van James tijdens de diploma-uitreiking op Yale. Er was een foto bij waarop ze lachend op een skihelling stonden: James en zijn ouders met trui en parka aan, met blozende wangen glimlachend naar de camera. Prima. Maar James had zijn arm ook nog om iets anders heen. Om iemand anders. Heather.

Biecht: dat was toen James en ik al een maand iets met elkaar hadden. Op de ochtend na een fantastische nacht liet hij me in zijn bed in zijn appartement liggen en ging ontbijt halen. Ik was helemaal gek op hem, maar wist niet zeker of hij wel net zo gek op mij was. Ik vond het te zielig om het hem recht op de man af te vragen, dus deed ik het enige wat een min of meer normaal meisje doet wanneer ze alleen is in het appartement van een nieuw vriendje: ik snuffelde rond.

Ik weet niet wat ik nou precies zocht. Ondergoed van een ander meisje? Lippenstift in zijn medicijnkastje? Ik belandde met mijn geneus in zijn bureau en in de onderste la daarvan vond ik een sigarendoos. Daarin lagen oude liefdesbrieven van Heather, en in één envelop zat een foto. Een naaktfoto, in ditzelfde appartement genomen... in het bed waar ik net in geslapen had. Op dat moment gaf ik haar de bijnaam die ik nog steeds voor haar gebruik als ik aan haar denk: Heather de Volmaakte. Heathers lichaam was... volmaakt. Toen ik haar afgelopen jaar eindelijk een keer op een van de feestjes van de ouders van James ontmoette, had ze een wikkeljurk van Diane von Furstenberg aan die strak om al haar benijdenswaardige rondingen zat. Ik kan volstaan met te zeggen dat mijn theorie meer dan bevestigd werd.

En nu keek ik weer naar haar foto, waar ze dit keer samen met mijn vriendje op stond. Ze hadden in elk geval kleren aan.

'O, die.' James omhelsde me even toen hij zag waarnaar ik

keek. 'Ik denk dat mijn ouders die vergeten zijn.'

'Heb je een handzame vlammenwerper?' vroeg ik snedig.

'Kom.' Hij pakte mijn arm en liep met me naar een patio die rechtstreeks op het strand uitkwam.

'Megan!' begroette doctor Ladeen me hartelijk, terwijl hij de grilltang neerlegde waarmee hij de kalkoenfilets had omgedraaid. 'Jeetje, wat zie je er fantastisch uit. Veronica, vind je ook niet dat Megan er fantastisch uitziet?'

Mevrouw Ladeen keek op van de komkommer die ze stond te snijden. Ze had een skinny jeans aan, want daar was ze slank genoeg voor, en een koraalkleurige folkloristische blouse, en een hele berg zilveren en turkooizen kettingen. Haar donkere haar had ze in een nieuwe korte coupe geknipt, een beetje zoals Debra Wurtzel.

'Hé, Megan, hallo, lieverd,' zei ze, en ze gaf me een kus ergens in de buurt van mijn linkerwang. 'Je ziet er prachtig uit.'

Kijk, dat lijkt natuurlijk heel aardig, dus ik moet proberen om haar toon over te brengen. Die was koel, hooghartig en een tikje neerbuigend, en dat allemaal tegelijkertijd. Ik durf te wedden dat de Ladeens en mijn ouders op dezelfde partij hebben gestemd en dat ze aan dezelfde politieke en maatschappelijke doelen geld hebben gegeven. Maar dat ik niet aan een bepaalde mythische norm voldeed – de platonische norm, om precies te zijn – over wat en wie de vriendin van James hoorde te zijn, steeg boven de politiek uit. Een platonische norm die ongetwijfeld wel door Heather de Volmaakte en Heathers Volmaakte Familie werd belichaamd.

Ik bedankte haar en gaf haar de fles Calera Jensen Vineyard Mt. Harlon Pinot Noir uit 2001 die ik per se van Marco uit de wijnkelder had moeten meenemen. Laurel scheen er tientallen dozen van te hebben om als kleine bedankjes te kunnen weggeven.

'We eten dit jaar kalkoenfilet van de barbecue,' legde doctor Ladeen uit. 'Veel gezonder. Met een vulling van tofu en bulgur, de hele rataplan.'

'Lijkt me heerlijk,' zei ik, maar dat meende ik natuurlijk niet.

'Wij zijn binnen, mam... Even bijpraten,' zei James tegen zijn ouders. 'Tot straks.'

We gingen weer naar binnen en de gang door naar een studeerkamer die al net zo weinig kleur en karakter had als de rest van het huis. Maar er stonden in elk geval boeken – voor het merendeel recensie-exemplaren die de moeder van James bij het tijdschrift waar ze werkte toegestuurd had gekregen en de rest cadeautjes van bevriende schrijvers.

James trok me omlaag op de grijze suède bank. Mijn lichaam hielp me er snel aan herinneren dat het al een hele tijd geleden was sinds het enige aandacht had gekregen. Zijn hand verdween onder mijn, nou ja, onder Marco's rok.

Ik pakte zijn pols. 'Je ouders.'

'Ja, wat is daarmee?' Hij neuzelde in mijn hals.

'Dat weet je best.' Ik duwde hem zachtjes weg en streek de rok glad.

'Prima...' Hij kreunde. 'Nou, vertel eens hoe het gaat. Hoe is die tweeling?'

Ik gleed terug naar de andere kant van de bank. 'Ik zal een tekening voor je maken: van hun hersenen.' Ik maakte met mijn middelvinger en duim een rondje. Toen blies ik er lucht doorheen, en daar moest ik om lachen.

'Heb je al goed materiaal voor je stuk?'

'Tegen de tijd dat ik klaar ben, James, heb ik geen artikel, maar een boek.' Ik vertelde hem een paar verhalen van de afgelopen tien dagen.

'Er komen een paar redacteuren eten met wie mijn moeder samenwerkt. Je moet ze erover vertellen.' Hij kuste me weer en liet zijn hand naar mijn borst glijden. 'Zal ik morgen naar Palm Beach komen?' stelde hij voor, in mijn oor mompelend. 'Dan kunnen jij en ik in Shutters on the Beach logeren – dan zal ik je laten zien hoe erg ik je gemist heb...'

'Ik vind het hartstikke leuk als je komt,' zei ik, en ik meende het met elke vezel in mijn lichaam die ernaar hunkerde om aangeraakt te worden. 'Maar Laurel komt over vijf dagen thuis en ik heb geen flauw idee of ik dan niet meteen ontslagen word.'

De waarheid was dat ik de tweeling er nog niet eens van had weten te overtuigen dat ze een proefexamen moesten doen. Sinds ik de meisjes zover had gekregen dat ze zich als studiemaatjes met verschillende mate van bereidwilligheid hadden gemeld, was ik veel drukker bezig geweest met hen voor het artikel te observeren dan met hun les te geven. Laurel zou thuiskomen, zien hoe weinig (lees: geen) vooruitgang ze hadden geboekt en dan kon ik mijn biezen pakken en teruggaan naar New York. Maar wel met aantekeningen voor mijn artikel.

'Dus je bedoelt te zeggen dat je elke minuut nodig hebt om onderzoek te doen,' vulde James me aan.

'Precies.'

James moest lachen. 'Die e-mail die je me gestuurd hebt, over dat je net deed alsof je van adel uit Philadelphia was – dat was ongeveer het grappigste wat ik ooit gelezen heb.'

'En... voor zover zij weten heeft Megan Smith uit Philadelphia geen vriendje. Je zou versteld staan over de ranzigheid waar ik me flirtend en wel toegang toe heb weten te verschaffen.'

Als ik dacht dat James hier boos over zou zijn, vergiste ik me. Hij keek me juist vol bewondering aan en zei: 'Met dat nieuwe uiterlijk niet, nee.'

Ik boog me naar hem toe en kuste hem. 'Het is maar voor vijf dagen.'

'Hé, journalisten hebben wel ergere dingen gedaan om een

verhaal te scoren. Ik ben diep onder de indruk.'

Toen we weer teruggingen naar de patio, waren de andere gasten er inmiddels ook. Onder hen Alfonse Ulbrecht, die net een vernietigende beoordeling had geschreven over de familie Bush, die nu op de non-fictiebestsellerlijst van de *Times* stond. En Simon Chamberlain, op en top Engels, die een leerstoel poëzie aan de University of Chicago bekleedde en die door de moeder van James de opvolger van T.S. Eliot werd genoemd. Verder waren er twee redacteuren uit New York, ene Barbara en ene Janis. Ze waren allebei in de vijftig en lachten om alles wat de ander zei.

Het eten werd door een naamloze Cubaanse vrouw opgediend. Ik vroeg me onwillekeurig af of zij doordat ze ons moest bedienen nu haar eigen Thanksgiving-etentje misliep.

'Dus jij bent Megan?' zei Janis, lachende redacteur nummer één, die zich naar me omdraaide toen de thee werd geserveerd.

'Ja.'

'Wat doe je zoal?'

Interessante vraag. Moeilijk uit te leggen. Ik hield het eenvoudig. 'Ik ben privélerares, ter voorbereiding op de universiteit.'

'O ja? En jij hebt samen met James op Yale gezeten?' vroeg haar partner, op een toon die betekende: wat zielig dat je geen echte baan kunt krijgen.

'Hé, ze is niet zomaar privélerares. Ze werkt voor de Baker-tweeling,' zei James. 'Hebben jullie dat stuk in *Vanity Fair* niet gelezen?'

Barbara keek me over haar theekopje heen aan. 'Daardoor krijgen die kinderen overal een slechte naam!' Janis lachte alsof dit het grappigste was wat ze ooit had gehoord.

'En hou je het een beetje uit in Palm Beach?' Mevrouw Ladeen keek me doordringend aan. 'Het wemelt daar van de Republikeinen!'

'We hebben het nog niet echt over politiek gehad,' zei ik, ondanks het brullende gelach aan tafel.

'Ik heb daar afgelopen week een voorleesavond gedaan,' meldde Alfonse. 'De vrouwen zagen eruit alsof ze in formaldehyde waren gedoopt. Daar schrijf ik nu over in mijn stuk voor *East Coast*.'

Hij bleek een artikel van tweeduizend woorden voor dat blad te schrijven over de verschrikkingen van een lezingentournee, waarin het vooral ging om een dikke vrouw van middelbare leeftijd die van zichzelf dacht dat ze een groupie was en die hem van voorleesavond naar voorleesavond volgde, tot en met het Botox Barbie-avondje in Palm Beach, zoals hij het noemde, toe.

Een uur later, toen ik eindelijk aan de Ladeens was ontsnapt, was ik blij. Ik miste James, en seks miste ik al helemaal, maar toen ik uit hun kille, stijve huis naar buiten liep, slaakte ik een zucht van verlichting en zoog ik de vochtige lucht van Florida in me op.

Op de oprit van vermalen schelpen stond de Cubaanse vrouw die ons bediend had. Ze stopte een bruinpapieren zak in de kofferbak van haar roestende Corolla.

'Hallo,' zei ik ter begroeting, en ik keek gegeneerd naar de staalgrijze BMW waarin ik was gekomen. 'Hebt u... Ik vroeg me af of... Hebt u hierdoor uw eigen Thanksgiving-etentje misgelopen?' Ik gebaarde naar het huis van de Ladeens. 'Trouwens, ik heet Megan.'

'Marisol,' antwoordde ze, en ze nam mijn uitgestoken hand aan. 'Ja, maar ze bewaren wel wat vulling voor me,' zei ze met een knipoog.

Binnen klonk weer een lachsalvo. We keken allebei achterom en toen naar elkaar.

'Ze vinden zichzelf wel heel grappig, hè?' zei ze.

'*Sí*,' zei ik, en ik moest een beetje lachen. '*Sí*.'

'Fijne Thanksgiving, Megan,' zei ze, en ze pakte haar sleutels uit haar zak.

'Fijne Thanksgiving...' Ik pakte de sleutels van de BMW uit mijn geleende tas van Goyard en deed het portier open. 'Eh, Marisol?'

Ze deed de kofferbak van haar auto met een knal dicht en keek me vragend aan.

'Nou, eh... bedankt.'

Zeventien

Kies de definitie die het volgende woord het best omschrijft:

Obsceen

- weerzinwekkend
- pikant en roddelachtig, zoals in een roddelrubriek
- kil en gereserveerd
- zenuwachtig

Aan het eind van de vrije dagen ter gelegenheid van Thanksgiving had ik met de tweeling toch iets van een vast lesprogramma ontwikkeld. Dat was allemaal te danken aan een combinatie van vleien, schuldgevoelens opwekken en het werk dát ze deden een zo goed mogelijke draai geven. We spraken rond een uur of twaalf af bij het zwembad en bestelden dan bij Marco de lunch. Garnalen, kreeft, biefstuk, fruit en groenten die zo vers waren dat ze smaakten alsof ze net van een boom of struik waren geplukt, aardappelpuree met kappertjes, gefrituurde yam, Italiaanse arboriorijst met shitakepaddenstoelen en pecannoten erdoor – en zo kan ik nog wel even doorgaan. Maar de tweeling raakte hun eten bijna niet aan. Ze prikten wat in een kreeftsalade, gevolgd door een halve garnaal en misschien één hapje aardappelpuree.

Jammer genoeg had ik niet alleen alles aangeraakt, maar ook

alles doorgeslikt. Als ik niet in Palm Beach rondliep om informatie los te wurmen, was ik bezig met de aantekeningen voor mijn artikel óf zat ik me vol te proppen. Ik wist niet zeker of ik genoeg materiaal voor een behoorlijk verhaal had, maar ik wist wel zeker dat ik, als ik terugging naar New York, vijf kilo zwaarder zou zijn. Die ochtend had ik op mijn bed moeten gaan liggen om de spijkerbroek van Joe's dicht te krijgen, en zelfs toen had ik nog het gevoel dat de aderen in mijn dijen helemaal afgeknepen werden.

Na het eten besteedden we ongeveer een uur aan zogenaamd studeren. Daarna ging de tweeling naar de tennisclub of naar een van de landhuizen van hun vrienden, en dan liep ik naar boven om mijn aantekeningen uit te werken of te lezen.

Vandaag, vijf dagen na Thanksgiving, hadden we – had ík – aan het zwembad krabtaart en visquiche gegeten, gevolgd door verse peren en vijgen met gekaramelliseerde pecannoten. Ik was in de cabana nog een fles gekoeld granaatappelsap gaan halen en toen ik terugkwam, hadden Sage en Rose knallende ruzie. Over een woord dat in een test voorkwam, dus reken maar dat ik daarvan opkeek.

'"Obsceen" betekent aanstootgevend!' hield Rose vol, en ze werkte zich op haar ligstoel omhoog.

'Je bent niet goed bij je hoofd, Rose. "Obsceen" betekent iets waar je aan likt,' beet Sage terug.

'Niet waar. Moet ik het woordenboek soms halen?'

'Ik heb dat godvergeten woordenboek niet nodig om te weten dat het iets betekent waar je aan likt. Denk je plotseling dat je slim bent omdat je met haar bevriend bent?' Sage wees naar mij.

'Nee. Ik denk dat ik slim ben omdat ík oplet als we met de les bezig zijn,' hield Rose vol. 'En jij niet.'

'Rot toch op,' zei Sage tegen haar zus, en ze zwaaide haar haar over haar schouder.

'Nee, rot jíj op,' daagde Rose haar uit.

'Wat ben je toch een kutwijf, Rose!' Sage gooide haar zus een potlood naar het hoofd.

Toen kwam ik toch maar tussenbeide. 'Jongens, ophouden nou,' zei ik, krachtiger dan mijn bedoeling was geweest. Die ruziënde zussen deden me denken aan... nou ja, aan mezelf. 'Zo ging het ook altijd tussen mijn zus Lily en mij...' begon ik, maar toen deed ik er het zwijgen toe. Ik had altijd het gevoel gehad dat ik de verliezer was in de strijd met mijn zus, te weten in het leven. Maar in plaats daarvan zei ik: 'Zij, eh... wilde altijd precies doen wat ik ook deed – ze praatte net als ik, kleedde zich net als ik. Ik werd gewoon nooit eens met rust gelaten, zeg maar.' Onlangs had ik me hun voortdurende 'zeg maar' als belangrijk onderdeel van mijn eigen vocabulaire aangemeten.

Sage keek boos naar haar zus. 'Nou, dan weet je dus precies hoe ík me voel.'

'Maar goed.' Ik zuchtte en ging weer aan tafel zitten. 'Op een gegeven moment begon Lily zichzelf toch ook als een zelfstandig persoon, los van mij, te zien. Godzijdank.'

Tot mijn verbazing zag ik dat Sage van deze opmerking schrok. Ze liet het bijna niet merken – ze knipperde alleen even snel met haar ogen – maar ik wist zeker dat ik het gezien had.

'Goed, kunnen we weer?' vroeg ik.

'Ja hoor.' Rose stemde als eerste in.

'Je doet maar,' zei Sage, maar ze stond op om het potlood op te rapen dat ze naar haar zus had gegooid.

'Hallo, meisjes.'

Ik keek op en zag aan de overkant van het rimpelloze helblauwe zwembad Laurel Limoges staan, in een smetteloze geelbruine strakke rok en een taupekleurige kasjmieren trui. Godverdegodver. Ze had morgen pas terug zullen komen, en ik was van plan geweest om er dan weer als de Megan van 'voor de behan-

135

deling' uit te zien. Ik ging snel met mijn hand door mijn haar, alle mogelijke kanten op, behalve de goede.

'Welkom thuis!' hoonde Rose.

'Daar hebben we de boze heks,' mompelde Sage zacht.

Nee. Dit betekende het einde.

'Hallo, Laurel. Mevrouw Limoges. Ik bedoel, madame Limoges,' corrigeerde ik mezelf, en ik kwam overeind. 'U bent weer thuis.'

O, geweldig. Ja hoor. Ik zou zelf ook beslist willen dat het genie dat deze observatie had gedaan mijn kleindochters privéles kwam geven.

'Meisjes, zouden jullie mevrouw Smith en mij even een paar minuten alleen willen laten?'

'Gebruik die tijd goed,' raadde ik de tweeling aan. 'Ga wat oefenen.'

Sage keek me zo aan van 'dat meen je niet', maar ze liep wel met Rose weg naar hun huis. Toen ze weg waren, ging Laurel in de stoel van Rose zitten. Ik wist dat ik haar niks wijs hoefde te maken. Maar ik probeerde het toch.

'De meisjes hebben enorme vooruitgang geboekt,' begon ik. 'Ze doen echt...'

Ze stak haar hand op: hou maar op.

Dat deed ik.

'Ze hadden ruzie. Bij het zwembad.'

'Meestal verlopen de sessies veel soepeler,' begon ik, maar wederom onderbrak ze me door haar hand op te steken.

'Je hebt ze uitstekend aangepakt.'

Pardón?

'Ik was onder de indruk. Ze luisterden naar je.'

Ik had heel wat scenario's bedacht voor de manier waarop ik de laan uit gestuurd zou worden, maar dit hoorde er niet bij. 'Eh... dank u wel.'

'En ze gaan dus vooruit?'

'Mm-mm,' beaamde ik. Ze waren vooruitgegaan. Min of meer. Hopelijk. 'Ik geloof dat ze er eindelijk de ernst van inzien. Zeker Rose.'

'Ze heeft het gevoel dat ze niet zo slim of zo goed is als haar zus. Dus het is een heel goed teken.' Ze glimlachte. De palmbomen ruisten in de wind. 'Debra Wurtzel had dus toch gelijk toen ze jou voor deze baan aanbeval. Heb je verder nog iets nodig?'

'N-nee,' stamelde ik. Van de vleugel van de tweeling schalde een oud nummer van REM over het terrein. Stapje voor stapje, stapje voor stapje.

'Ik zal nog duizend dollar op je rekening storten, als zakgeld,' zei ze. 'Ik hoop dat je er iets aan hebt. En, eh... Megan?'

'Ja?'

'Die nieuwe kleren staan je goed. Zeg dat maar tegen Marco.'

Ze liep terug naar het hoofdgebouw en het scheelde niet veel of ik viel op mijn knieën neer en kuste de veranda. Lof, voortgezet dienstverband in het paradijs, een designergarderobe en véél meer geld in mijn zak dan ik in een week bij *Scoop* had verdiend – en dat allemaal om een artikel te schrijven waarmee mijn carrière vleugels zou krijgen. Waanzinnig.

Achttien

Kies het item dat het best overeenkomt met het volgende woordpaar.

Tweedjasje: Chanel

- smakeloze rommel: Zeeman
- trouwjurken: Vera Wang
- laarzen: Prada
- bondagekleding: Gaultier
- slipover: Ralph Lauren

Twee weken later zat ik op de helft van mijn inmiddels verlengde verblijf in Palm Beach. Het was 15 december en alles liep gesmeerd. Na een verblijf van een week op Les Anges was Laurel teruggegaan naar Frankrijk, waar ze tot de kerst zou blijven, dus ze keek niet over mijn schouder mee en viel me niet lastig met de vraag of de tweeling wel op schema zat. Tot mijn verbazing besteedden ze al wat meer tijd aan hun studieboeken en aan mij. We waren nu na school iets van twee uur bezig en in de weekends ook. Sage – die een stuk aardiger tegen me deed als haar zus er niet bij was – vertelde dat ze zich gewoon indekte. Tussen Thanksgiving en nieuwjaar was er niks te doen in Hollywood, dus het was uitgesloten dat ze een nieuwe manager zouden vinden of contracten zouden sluiten. Als de studie verder ook niet te veel problemen bleef opleveren, zou ze dus meedoen.

Het vreemde was dat het nog loonde ook, ook al waren hun inspanningen naar Yale-normen gemeten nog zo schamel. Rose kwam na een dag op Palm Beach Country trots thuis met een test waarin haar gevraagd was om verschillende personages uit *Fahrenheit 451* van Bradbury met elkaar te vergelijken. Ze had het boek niet alleen gelezen, in tegenstelling tot wat Sage en zij normaal gesproken deden – namelijk de film bekijken – maar ze had er ook nog een min of meer samenhangend opstel over geschreven. Haar lerares had er 'goed gedaan!' boven geschreven, met een 7 ernaast, en je zou bijna denken dat Rose een presidentiële onderscheiding had ontvangen. Sage haalde zelfs een 6 voor een proefwerk wiskunde, en dat zonder dat Ari haar de antwoorden had ge-sms't.

Dit bevestigde een theorie van mij over school. Om uitnemende resultaten te behalen moest je heel slim zijn. Om goede resultaten te behalen hoefde je alleen maar bereid te zijn om je in te spannen. Je hoefde echt niet per se briljant te zijn. Alleen had ik van de tweeling jammer genoeg nog niets gezien waaruit ik kon afleiden dat ze óf hun best deden, óf briljant waren. Maar het was een beginnetje.

Wat wel echt briljant was, was wat er gebeurde als iemand met kennis van zaken, zoals Marco, met je aan Worth Avenue lingerie ging kopen. Ik verheugde me erop dat James weer naar Zuid-Florida kwam, zodat ik hem, ahem, kon laten zien dat ik geleerd had mijn pluspunten uit te buiten en dat ik een groeiende verzameling beha's van La Perla en push-upbeha's had. *East Coast* ging voor de kerstvakantie dicht en hij zou op kerstavond deze kant op komen.

Het was zondagochtend en ik had net de telefoon neergelegd na een gesprek met mijn ouders, die me hadden verteld dat er het hele weekend al een sneeuwstorm woedde en dat ze inmiddels aan hun elfde film op het onafhankelijke filmkanaal bezig waren. Dat bracht me ertoe om naar het filmhuis in West Palm Beach te gaan, waar ze op dat moment twee films van Truffaut draaiden – *Le dernier métro* en *L'argent de poche*, die ik plotseling dolgraag wilde zien. Ik wist wel dat ik de tweeling zo vroeg nog niet moest lastigvallen, dus ging ik op het balkon zitten lezen en keek naar een paar bruinvissen die door de golven zwommen. Om twaalf uur vouwde ik het hoekje van de bladzijde waar ik gebleven was om en ging ik naar de vleugel van de tweeling. Als ik hun studeersessie kon verschuiven ging ik naar de bioscoop.

'Sage,' riep ik zacht. Er kwam geen antwoord, en dat betekende dat ze nog onder zeil was of dat ze aan haar toilettafel haar oorlogskleuren aanbracht.

Ik liep op mijn tenen naar binnen en zag daar dat ze helemaal niet sliep en ook helemaal niet aan haar toilettafel zat. Maar toen viel mijn oog ergens op: de computer van Sage stond aan en op het platte scherm van 21 inch stonden vier foto's: een van Sage met dezelfde kleren aan waarin ik haar gisteravond had gezien, namelijk een rokje van goudkleurige schakels, goudkleurige slappe laarzen met naaldhak en een zwarte kasjmieren trui die over haar schouders zakte. Er waren een foto van voren, van achteren en twee keer van opzij. Verder zag ik nog een vijfde heel kleine foto, die ik aanklikte om uit te vergroten, en daarop stond ze van voren gezien, samen met Rose. Rose had een bruine heupbroek aan, een blauwgroen hemdje met niets eronder, dat ze ook de avond ervoor aan had gehad.

Ik zag nog een paar pictogrammen op het scherm. Ik klikte er een aan en er verschenen nog meer foto's. De eerste twee waren close-ups van Rose en Sage, van heel dichtbij genomen, ook van de avond ervoor. Ik zag ook een gedetailleerd dagboek waarin de meisjes allebei bijhielden wat ze gegeten hadden en hoeveel ze wogen, compleet met onderaan een grafiek waarin hun dagelijkse gewichtsfluctuaties te zien waren en die je ook kon instellen op een week, een maand of een jaar. Elke hap die ze namen was genoteerd, tot aan 'één hap aardappelpuree' toe.

Daarna vond ik een verslag van twee alinea's van de gebeurtenissen van de avond ervoor, over wie met wie was en wie wat aanhad. Ze waren blijkbaar naar een besloten feest in de Leopard Lounge geweest. Er stonden namen van allerlei vrienden en vriendinnen bij, en sommige, zoals die van Suzanne en Precious, waren onderstreept. Ik klikte op Suzannes naam en kwam op een andere pagina terecht waarop haar kleding van het afgelopen half jaar stond, afgezet tegen wat Sage en Rose droegen. Verder was er nog een kopje 'Geschiedenis', en daardoor kwam ik bij een kalender met voor elke dag een piepklein fotootje van Sage en Rose. Als je de datum aanklikte, werd de foto uitvergroot.

Ik schudde vol ongeloof mijn hoofd. Ik was vrij handig met mijn iBook, maar de invoer en het onderhoud van de data van een database voor relaties gingen mij boven de pet. Hier moest een gigantische hoeveelheid tijd in gestoken zijn. En Sage had de gegevens van gisteravond al ingevoerd, dus dat betekende dat ze dat gedaan had voordat ze naar bed ging of meteen 's ochtends voor ze...

'Waar ben jij in godsnaam mee bezig?'

Ik draaide me vliegensvlug om. In de deuropening stonden Sage en Rose.

'Blijf van mijn computer af,' beval Sage.

'Het spijt me ontzettend,' mompelde ik. 'Ik kwam vragen of we de les konden verzetten en toen zag ik die foto's op het scherm... Ze zijn prachtig... Waarom hebben jullie me daar niet over verteld?'

Sage keek me aan alsof ik gek geworden was. 'Wat denk jij nou? Dat we jou zoiets zouden vertellen? Dan vertel jij het weer door en voor je het weet maakt iedereén er een.'

'Ho eens even, wat bedoel je met "maakt"?'

'Met Oracle,' antwoordde Rose, alsof het aanleggen van zo'n database net zo eenvoudig was als een beetje foundation op je huid aanbrengen (licht naturel, daar ging het om, had ik van Marco geleerd). 'We zijn er een paar weken mee bezig geweest.'

Sage zette haar handen in haar zij. 'Daarom hebben we liever niet dat iemand eraan zit. Of er zelfs maar naar kijkt.'

Als iemand me vijf minuten eerder had verteld dat de Baker-tweeling in staat was om een dergelijke database tot stand te brengen en vorm te geven, had ik mijn Yale-diploma eronder verwed dat diegene loog. Of zich vergiste. Of allebei. 'Hoe zijn jullie op dit idee gekomen?'

Rose haalde haar schouders op.

'Kom op, jullie moeten het idee toch ergens vandaan hebben?' drong ik aan.

'Van *Clueless*,' zei Sage. 'De film.'

Ik had *Clueless* samen met mijn zus gezien. Er zat een scène in waarin Alicia Silverstone haar kleding bepaalt met behulp van de database van een computer. Maar de database uit *Clueless* verhield zich tot de database van Rose en Sage zoals de eerste tweedekker van de gebroeders Wright zich tot de spaceshuttle verhoudt. Ik kon mijn volgende vraag niet voor me houden.

'Maar hoe...'

'Werkt het dan?' maakte Sage mijn vraag met rollende ogen af.

Rose keek aarzelend naar haar zus. 'Volgens mij kan het wel.'

'Goed. Megan, ga maar voor mijn spiegel staan. Rose, open een nieuwe pagina voor Megan.'

Ik ging de kleedkamer in. Sage kwam achter me aan. Het was me nog niet eerder opgevallen, maar er stond echt een weegschaal op de grond tussen de spiegels in.

'Ga op de weegschaal staan. Zie je het koordje links van je?'

Sage wees. Tussen de zijspiegel en de middenspiegel hing een witte elektriciteitsdraad met onderaan een minuscuul knopje. Toen ik naar de bovenkant van de spiegels keek, zag ik drie heel kleine camera's die schuin naar omlaag gericht stonden. 'Druk op de knop, wacht vijf seconden, draai dan langzaam naar links en dan langzaam naar rechts.'

Dat deed ik. Ik hoorde de camera's snorren.

'Heb je ze daar ontvangen?' riep Sage naar haar zus in de andere kamer.

'Ja,'

'Oké, kom maar van de weegschaal, dan gaan we kijken,' zei Sage. 'En als je het waagt om aan iemand – kan me niet schelen wie – te vertellen dat wij dit hebben, zorg ik dat je een langzame en pijnlijke dood sterft.'

Ik stak mijn hand op. 'Ik zwijg als het graf, serieus.'

Dus zo zorgden Sage en Rose ervoor dat ze nooit twee keer dezelfde outfit droegen. Het was echt heel ingenieus. Ik was nog meer onder de indruk toen Rose me mijn eigen computerpagina liet zien, met de drie verschillende hoeken, een close-up van mijn gezicht, alle kruisverwijzingen naar de informatie die door de weegschaal was geregistreerd – zowel mijn gewicht als mijn BMI (ai!) – en die op de een of andere manier elektronisch aan de computer was doorgegeven.

'We hebben ook een verbinding met de spiegels in mijn kamer,' vertelde Rose. 'WiFi. Dat was mijn idee.'

Op Yale had ik *De structuur van wetenschappelijke revoluties* van Kuhn gelezen, waarin de auteur een theorie uiteenzet over het wezen van verandering. Terwijl ik daar naar mezelf stond te kijken vanuit drie gezichtspunten op hun platte beeldscherm, en Rose wat intikte in een computerprogramma dat zij en haar zus hadden gemaakt, had ik zo'n moment waarop ik de paradigma's voelde verschuiven. Alles waar ik in geloofd had stortte in.

Daarvoor in de plaats kwam, zoals Kuhn had uitgelegd, een nieuw en radicaal ander paradigma: Rose en Sage Baker uit Palm Beach, Florida, waren... slim!

Negentien

Schrijf een reactie (een opstel) op de volgende uitspraak: door met mensen met verschillende sociaaleconomische achtergronden om te gaan krijgen we inzicht in hoe andere mensen leven en leren we met hen mee te voelen.

Ik geloof dat de tweeling in de paar dagen daarna geen idee had wat hun overkwam. Ik kon niet echt in een drilmajoor veranderen, maar ik breidde de lessen uit van twee naar vier uur per dag en ik stond erop dat ze tijdens de toetsen niet hun nagels zaten te lakken. Ik zei dat ik dat deed omdat we op de laatste maand van voorbereidingen afstevenden – hetgeen me een volstrekt legitieme verklaring leek – maar in werkelijkheid stonden de felgroene dollartekens me in de ogen. De kans – toegegeven, die was klein – dat ik daadwerkelijk in staat zou zijn om drie keer te scoren – namelijk dat deze meisjes op Duke aangenomen werden, dat ik vijfenzeventigduizend dollar rijker was én mijn artikel zou schrijven – was inderdaad een grote drijfveer geweest.

Als beloning voor twee keurige zevens voor een biologieproefwerk waar de meisjes mee thuiskwamen, namen we de vierde avond van het *nouveau regime* vrij. Sage ging met Suzanne en Dionne naar een club in West Palm Beach. Toen Rose zei dat ze waarschijnlijk ook meeging, besloot ik een ritje langs de kust te maken, naar het stadje Hollywood, even ten noorden van Miami Beach. Ik dacht dat het wel goed zou zijn voor mijn stuk als ik Palm Beach vergeleek met een ander deel van Zuid-Florida dat geografisch gezien dichtbij lag en er tegelijkertijd lichtjaren van verwijderd was. Rose had gezegd dat Hollywood de tegenpool van Palm Beach was, in die zin dat je kon zeggen: 'Schat, hij kleedt zich zo Hollywood dat het me verbaast dat ze hem op het eiland toegelaten hebben!', hoewel ik een bepaalde zangerigheid in haar stem had bespeurd toen ze dat vertelde.

Toen ik in Hollywood aankwam, was het bijna tien uur, maar er waren nog steeds heel veel mensen op de been. Ik liep de boulevard op, langs het muziekpodium en helemaal naar de Ramada. Het publiek doorliep het hele scala van lagerwal tot smakeloos – een heel bruine oude man op rolschaatsen met een grijze paardenstaart, een dronken stel dat ruziemaakte over hun kinderen en een groepje Russische toeristen die allemaal hetzelfde T-shirt droegen met daarop FBI: FEMALE BODY INSPECTOR, allemaal in een andere kleur.

Ik had getwijfeld wat ik voor dit uitstapje moest aantrekken, want ik wilde er niet te Palm-Beacherig uitzien, dus had ik maar voor een spijkerbroek van Prada met platte sandalen en een diep uitgesneden T-shirt gekozen dat Marco voor de 'Britney: Voor en Na'-avond in zijn favoriete club in South Beach had gekocht. (Hij had ook een T-shirt met daarop IK BEN DE GOUDEN WIKKEL, zo groot dat er een zwangerschapsbuik onder kon. Die had ik afgeslagen.)

Ik dronk iets in een strandtent, O'Malley's genaamd – een openluchtbar met een uitgelaten karaokegedeelte, goedkope plastic tafeltjes en stoelen, en een halfronde bar met daartegenover een hele batterij televisies die allemaal op een sportzender stonden. Aan de bar zaten een paar eenzame mannen, voornamelijk van middelbare leeftijd, die geen acht op de karaoke sloegen en naar het sportprogramma keken. Ik vroeg de gezette, kalende barkeeper om een flirtini. Hij gaf me een martini en een suggestieve knipoog. Van het huis, zei hij.

'Hoe heet je?' vroeg ik.

'George. En jij?'

'Vanessa,' antwoordde ik. Dat was mijn nepnaam, hoewel ik hem niet eens mooi vond. 'Bedankt voor het drankje. Mag ik je iets vragen?'

'Brand los.'

'Wat is hier de hipste tent om uit te gaan?'

Hij gebaarde om zich heen. 'Daar ben je nu.'

'Ha.' Ik moest lachen, of ik nu wilde of niet. Ik had gedacht dat het sociale leven in Hollywood, met kerst voor de deur, in volle gang zou zijn. Ik dronk de martini in een paar slokken voor de helft op en zette het glas op de houten bar.

'Ik heb gehoord dat het in Palm Beach rond deze tijd van het jaar een dolle boel is,' klonk een stem van de andere kant van de bar.

'Bedankt, maar...' Ik keek op en zag Thom, de knappe dek-knecht van de *Heavenly*.

'Hé, Thom.' Ik glimlachte, want ik zag dat een diepgebruin-de man zijn knalblauwe FBI-T-shirt uittrok en zijn mannenbor-sten ten overstaan van zijn vrienden heen en weer zwaaide. 'Woon je hier in de buurt?'

'Vlakbij. Ik speel in een show in een tent een stukje verderop langs de boulevard. Maar wat doe jíj hier?' Thom keek om zich heen. 'Dit lijkt me nou geen Megan Smith-achtige gelegen-heid.'

Denk na, denk na. 'Ik, eh... ik was toevallig...'

'Megan?'

Ik draaide me om. 'Rose?'

Je zou bijna denken dat ik een beveiligingsmedewerker was die haar net in het warenhuis op Winona Ryder-achtig gedrag betrapt had. Bij Rose gebeurde het omgekeerde van wat er met mij gebeurde: in plaats van knalrood te worden trok alle kleur uit haar bruine gezicht weg, waardoor ze er ziekelijk grauw uitzag.

'Wat... wat doe jíj hier?' Ze had een halter met een roze-met-groene bladprint aan en een witte skinny jeans.

'Ik kwam Thom net toevallig tegen.' Ik glimlachte, hopelijk geruststellend en tegelijkertijd overtuigend genoeg dat ik niet iets ongeoorloofds deed.

'Hé, schatje.' Thom kwam van zijn barkruk en sloeg zijn armen om Rose heen. Ik keek verbijsterd toe. 'Fijn dat je kon komen.'

Ik wachtte nog op een soort uitleg, maar ik kreeg alleen maar een smekende blik van Rose.

'Ik ga een tafeltje voor ons zoeken,' zei Thom, en hij gaf haar een kus op haar wang. 'Leuk je gesproken te hebben, Megan. Heb je soms zin om straks ook naar de voorstelling te komen kijken?'

'Eh... prima.' Ik hoopte dat ik er niet zo confuus uitzag als ik me voelde. Rose en Thom? Wie had dat ooit kunnen denken?

Thom nam plaats in een zitje in de hoek en Rose trok me naar de andere kant van de bar, waar ik op een kruk ging zitten. Toen keek ze me recht aan en zei: 'Sage mag hier niets van weten.'

Okééé. 'Als Sage dit weet zijn de rapen gaar,' giste ik.

Rose zuchtte. 'Dat wil jij niet weten.'

Ik keek naar Thom, die aan zijn gitaarkist zat te frutselen en er echt adembenemend uitzag. 'Mag ik vragen... waarom?'

'Waarom?' herhaalde Rose, alsof ik wel ongelooflijk stom moest zijn als ik dat niet begreep. 'Ik zal het je even uitleggen. Vorig jaar kende ik een jongen, ene Richard, die ik heel leuk vond, maar elke keer dat Sage hem zag, zei ze: "O, hallo, Dick", en dan stak ze haar pink omhoog. En ze vertelde aan al onze vrienden dat zijn bijnaam de Grote Garnaal luidde. Na een tijdje kon ik er gewoon niet meer tegen.'

'Wat ontzettend gemeen van haar,' zei ik, en ik zag dat Rose weer tranen in haar ogen kreeg van dit verhaal.

'Daarna kwam Scott, die ik op de tennisbaan had ontmoet,' ging Rose verder. 'Sage beweerde dat hij naar zweet stonk en hield haar neus dicht als hij in de buurt was. Dat ging vervolgens iedereen doen.' Ze snoof.

Hoeveel bedrukte uren had ik, toen ik op de middelbare school zat, en zelfs op Yale nog, niet zitten someren dat ik me nooit, maar dan ook nooit met Lily zou kunnen meten? Eén goedkeurend knikje, een glimlach, een 'leuke outfit, Megan' had ontzettend veel voor me betekend.

Dus ik begreep precies wat ze doormaakte en ik omhelsde haar. Toen ik Rose zag huilen, vond ik dat ze er net zo leuk uitzag als een meisje van zeventien – nou ja, elk meisje van zeventien met een navelpiercing, aan een bar – er maar uit kón zien. 'Je bent niet de schaduw van Sage, Rose. Je hebt haar goedkeuring niet nodig.'

Rose schudde haar hoofd. 'Weet je nog dat jij tegen ons gezegd hebt dat jij de coolste zus was? Nou, ik weet zeker dat je ook de slimste zus was. Maar als je zo bent als ik, is het anders.'

Toen ze dat zei, wendde ik mijn blik af. Mijn borst voelde beklemd. 'Rose, denk nou eens aan hoe goed je het doet met je schoolwerk. Als je nou gewoon een béétje beter je best doet...'

'Ik denk niet dat ik nog harder kán leren. Ik heb van mijn hele leven nog nooit zo hard gewerkt.'

Heel even wilde ik dat ik de toverkracht had om hier op het strand, tegenover O'Malley's, de bibliotheek van Yale te laten opdoemen, zodat Rose eens met eigen ogen kon zien dat daar tijdens een examenweek honderden studenten de hele nacht zaten te blokken.

'Nou, dan zal ik het vanavond door de vingers zien,' zei ik, en ik keek even om naar Thom. 'Jullie zijn een leuk stel samen.'

'Over leuke stellen gesproken...' Rose glimlachte. Ze had een nieuwe, veelbetekenende blik in haar ogen. 'Ik sprak Will laatst nog.'

'Will Phillips?' vroeg ik. Alsof ik dat niet zou weten.

Ze knikte. 'Hij wilde weten hoe het met je ging.'

Ik kon het nauwelijks geloven. Ik was nog steeds beledigd over zijn bevrorentoendrahouding aan het eind van onze wandeling over Worth Avenue onder het mom van 'ik zal je Palm Beach laten zien'.

'Als hij wil weten hoe het met me gaat, moet hij me bellen.'

'Of wij bellen hem.' Rose pakte haar Razor en bracht hem naar haar oor.

'Will?' zei ze. 'Ik zit hier met Megan in Hollywood. Ik kwam haar toevallig tegen... Ja, dat weet ik... Nou ja, ze zegt dat je maar moet bellen.' Ze luisterde even en glimlachte toen. 'Goed. Hier krijg je haar.'

Voor ik kon tegensputteren, had ik de Razor in mijn hand en lag hij tegen mijn oor.

'Hallo,' zei ik.

'Hallo.' Toen niks. Ik had geen idee wat ik moest zeggen.

'Zo... Rose zegt dat je een fantastische lerares bent,' ging Will verder. 'Ze raakt niet over je uitgepraat.'

'O ja?' Ik keek even naar haar en glimlachte. 'Wat leuk.'

'Ja,' ging Will verder. 'Het is de hele tijd "Megan dit" en "Megan dat".'

Ik praatte zachtjes, zodat Rose niet kon verstaan wat ik zei. 'Ze is veel slimmer dan ze zelf denkt.'

'Nou, ik ben door al dat Megan-gedoe wel aan het denken gezet,' zei Will, terwijl ik de telefoon beter tegen mijn oor hield. 'Het spijt me dat ik er laatst vandoor ben gegaan, maar misschien kan ik het nog goedmaken.'

Ik glimlachte. Blijkbaar had de goedkeuring van Rose me ge-red. 'Wat had je in gedachten?' vroeg ik.

'Nou, als je het leuk vindt... Ik ga over een paar dagen op pad. Misschien kan ik je een kant van Florida laten zien die de meeste mensen op het eiland helemaal niet kennen.'

'Lijkt me enig,' zei ik snel, en ik voelde dat ik moest blozen. En toen bloosde ik nog meer, ook al kon hij me door de telefoon natuurlijk niet zien.

'Leuk,' zei Will, en ik kon hem aan de andere kant van de lijn horen glimlachen. 'Fijn dat het je wat lijkt.'

Dat het me wat leek? Godallemachtig, reken maar.

Twintig

Het hoofdthema van 'De mythe van Sisyfus' luidt:

- Verpest het niet in dit leven, anders krijg je het in je volgende leven op je brood.
- Werken met je handen is vervelend!
- Behandel mensen zoals zij jou behandelen.
- Leef elke dag alsof het je laatste is.
- Het gras is altijd groener... blablabla.

Twee dagen later – twee dagen voor kerst – gaf ik de tweeling in de ochtend drie uur achter elkaar les. We waren bezig met het schrijfgedeelte van het examen en ik probeerde hun duidelijk te maken hoe belangrijk het was om een echt voorbeeld te gebruiken als je iets wilde vertellen. Ik liet ze beloven dat ze allebei in de loop van de middag twee opstellen van vijf alinea's zouden schrijven, die ik dan bij thuiskomst zou nakijken. Toen pakte ik mijn spullen en stond op.

'Wat?' zei Sage. 'Ga je weg?'

'Ik neem een middag vrij,' meldde ik, en ik knipoogde snel naar Rose. Toen liep ik naar het roze landhuis om me te verkleden.

Toen kwam de belangrijkste testvraag van de dag: wat trok een rijk meisje dat uit een ander universum kwam dan ik aan als ze een tochtje ging maken naar de volkse kant van deze zonovergoten staat? Will had gezegd dat we naar de Everglades gingen, dus ik dacht aan iets gemakkelijks en sportiefs.

Designerkleren zitten, interessant genoeg, over het algemeen niet gemakkelijk. Ze zijn ook niet groot, en ik werd er bepaald niet slanker op. Ik koos een witte capri van katoenen stretch – dank u, God – van Stella McCartney en een wit topje met daaroverheen een oversized donkerblauw linnen overhemd. Ik slaagde erin de minimale versie van mijn make-up aan te brengen en stylde mijn kroezende haar glad en bond het in een eenvoudige paardenstaart.

Toen Will me in zijn Beemer bij het hoofdgebouw kwam ophalen, zag ik tot mijn tevredenheid dat hij ook casual gekleed was. Niks geen Palm Beach-achtige preppy blazer en instappers zonder sokken meer. Hij had een spijkerbroek en een donkerblauw T-shirt aan – heel gewoon, geen merkje te bekennen.

Toen we van het eiland af reden en de snelweg op gingen, waarmee we volgens hem het schiereiland overstaken, vroeg hij hoe het met de vorderingen van de tweeling gesteld was.

'Ze doen het goed,' zei ik, en dat was grotendeels waar. 'Vooral Rose.'

'Sage is niet zo stoer als ze eruitziet,' antwoordde hij, en heel even vroeg ik me af of die twee iets gehad hadden samen. 'En waar ben je zelf zoal mee bezig als je geen lesgeeft?'

Ik speelde mijn rol prima en vertelde hem over de feestjes, de etentjes en de clubs.

'Wat moest je dan in O'Malley's in Hollywood?' Hij keek in de achteruitkijkspiegel. 'Wat deed je daar?'

Aha. Dus het ging gebeuren. Midden op de snelweg was het gedaan met mijn dekmantel. Ik voelde mijn handpalmen vochtig worden en veegde ze af aan mijn witte broek. Ze lieten vlekken achter. 'Ik wilde alleen...' Ik probeerde me voor te stellen wat Heather in 's hemelsnaam in een tent als O'Malley's deed. 'Om je de waarheid te zeggen,' loog ik, 'was ik in Bal Harbour wezen shoppen en onderweg naar huis de weg kwijtgeraakt. Ik kwam daar net vragen hoe ik moest rijden.'

'Ja, ik kon me al niet goed voorstellen wat jij er te zoeken had.' Ik wist het niet helemaal zeker, maar er klonk iets van teleurstelling in Wills stem door.

'Niks, nee,' beaamde ik, en ik vroeg me af wat er aan de hand was. Toen somde ik snel een paar namen op van clubs waar ik met de tweeling was geweest of waar ik hen over had horen praten. Dat was meer iets voor mij, zei ik. Dat was helemaal niet waar, natuurlijk, maar hoe meer ik deed alsof ik het rijke meisje Megan was, hoe gemakkelijker het was om me tijdens deze onverwachte ontmoeting met Will op mijn gemak te voelen. Als ik het toch niet echt was, dan hoefde mijn ware ik zich nergens druk over te maken.

Pas toen hij echt begon te gapen realiseerde ik me dat hij niet naar me luisterde.

'Dus als ik het goed begrijp ben je alleen maar in je eigen sociale leven geïnteresseerd,' zei ik, en ik probeerde het luchtig te laten klinken. Tot mijn verbazing hoorde ik iets van irritatie in mijn stem.

'Sorry. Ik was met mijn gedachten ergens anders.' Hij sloeg rechts af en toen meteen links, waarna we op iets kwamen wat nauwelijks een tweebaansweg te noemen was. 'We rijden nu het gebied van het Okeechobeemeer in. Dat meer zit helemaal vol met forelbaars en verder niks.'

We kwamen langs een houten bord met daarop CLEWIS-TON: DE LIEFSTE STAD VAN AMERIKA, en toen minderden we vaart voor een verkeerslicht voor Norm's Aaswinkel. Norm adverteerde met allerlei speciaal aas én met een gids met garantie: NIKS GEVANGEN, GELD TERUG!

Het leek wel of in Clewiston de tijd had stilgestaan. Geen McDonald's, alleen een cafataria die de Okeechobee Diner heette. Eigenlijk stond er DI ER, want de n was ertussenuit gevallen en niemand had de moeite genomen hem te vervangen. Ik zag een jongetje over de stoep hollen met een bellenblaasstokje waar bellen uit kwamen, en zijn doodgewoon uitziende ouders liepen hand in hand achter hem aan. De jongen zag er blij uit; hij deed iets wat hij leuk vond. In Palm Beach zag je nooit blije kinderen die gewoon wat leuks deden. Je zag ze helemaal niet, en als je ze al zag waren ze helemaal opgedoft en moesten ze als hondjes op een tentoonstelling rondtrippelen.

Ik draaide mijn gezicht naar de warme zon van Florida. 'Heerlijk is het hier,' mompelde ik, en ik vergat even dat ik eigenlijk een andere Megan was. Ik voelde hoe mijn schouders zich van mijn oorlellen losscharnierden. Net doen alsof je iemand anders bent vraagt behoorlijk wat energie.

'Ja, hè?'

Toen het licht op groen sprong, gaf Will net genoeg gas om de Beemer in gang te zetten en wees hij naar een patrouilleauto die keurig achter een geparkeerde bestelwagen van een bakkerij verstopt stond.

'Ze zijn op zoek naar mensen met een nummerbord van Palm Beach County. Ze denken vast dat wij zo'n bekeuring wel kunnen betalen.'

'Nou, dat kunnen jullie ook.' Ik draaide het raampje omlaag.

'Zou je dat wel doen? Je hebt hier muggen ter grootte van een kleuter.'

'Ach, jawel.' Het was een hele tijd geleden sinds ik plattelandslucht had ingeademd. Hij was warm en vochtig en deed me denken aan warme juliavonden in New Hampshire, wanneer Lily en ik achter vuurvliegjes aan zaten totdat mama riep dat we naar bed moesten. 'God, wat is dit heerlijk ontspannend. Geen Palm Beach. Geen tweeling.' Ik draaide me naar Will om. 'Misschien kun jij me wel ergens mee helpen.'

'Waar dan mee?'

'Het gaat om Sage. Ik begrijp haar niet. Je zou zeggen dat vierentachtig miljoen dollar een enorme drijfveer is, maar het is echt een sisyfusarbeid om haar les te geven.'

Will keken even niet-begrijpend naar me. 'Was Sisyfus niet die Romeinse gast met dat rotsblok?'

'Nou, Grieks. Hij moest voor straf van Mercurius een kei tegen een heuvel omhoogduwen, en als hij bijna boven was, rolde de kei weer naar beneden. En dat tot in het oneindige. Sommige geleerden denken dat de Grieken deze mythe hebben bedacht om het feit te verklaren dat de zon elke dag in het oosten opkomt en dan elke avond weer in het westen ondergaat.'

'Ach, die Yale-studentjes ook,' zei hij plagerig. Toen we de politieauto eenmaal veilig waren gepasseerd, trapte hij op het gaspedaal, tot hij vijftig kilometer per uur reed.

'Northwestern is een goede school. Je moet behoorlijk wat tijd in je studie gestoken hebben.' De opening die hij me net geboden had vond ik best. We konden het wel een andere keer over Sage hebben. Of niet.

Hij haalde zijn schouders op. 'Ik was een echte corpsbal.'

Ik keek naar zijn volmaakte profiel. 'Ben je dat nog steeds?'

'Hé, ik feest nou eenmaal graag,' zei hij. 'Maar dat betekent nog niet dat het mijn roeping is.' Hij schonk me een raadselachtig glimlachje. 'Heb ik je eigenlijk verteld wat we op dit uitstapje gaan doen?'

'Nee, meneer Phillips, ik geloof van niet.' Will ging langzamer rijden; hij zat achter een roestige rode vrachtauto met een vissersboot erachter. 'Ben je nog van plan om er iets meer over te vertellen?' drong ik aan.

Weer die glimlach. 'Ze heet Hanan Ahmed. Ze is kunstenares.'

'En jij hebt belangstelling voor haar vanwege de galerie van je vader...' Ik wist dat ik het voortouw nam, maar dit interview met Will vlotte voor geen meter.

'Helemaal niet. Ze is uit Jemen op een studentenvisum naar Amerika gekomen om in Chicago aan de kunstacademie te gaan studeren. Ik heb haar werk daar op een tentoonstelling van de academie gezien. Als je ziet wat ze schildert, begrijp je meteen waarom ze politiek asiel heeft aangevraagd. Het gaat er in haar vaderland behoorlijk conservatief aan toe. Het was zelfs een heel gedoe om in Amerika te komen studeren.'

Wauw, een hele alinea, en nog een interessante ook.

'Maar als je niet voor de galerie van je vader in haar kunst bent geïnteresseerd...?' Kom op, Will. Vertel.

'Ik ben op Northwestern, tussen het feesten door,' zei hij met een blik opzij, 'afgestudeerd in kunstgeschiedenis.' Dat was geen antwoord op mijn vraag, maar het was uitgesloten dat hij aan Northwestern kunstgeschiedenis had gestudeerd zonder met zijn neus in de boeken te zitten, en nu bleek hij ook nog tentoonstellingen bezocht te hebben. Interessant.

'Dus die Hanan woont uit eigen beweging in dit slaperige oord?'

De vrachtauto sloeg af in de richting van het grote meer, en eindelijk lieten we het bord achter ons dat ons maande terug te gaan naar Clewiston. Will gaf eens flink gas.

'Ze heeft een hekel aan lawaai – dat stoort haar bij haar werk. In Chicago was ze in een boekwinkel en daar zag ze een boek met foto's van Okeechobee en de stadjes eromheen. Ze werd er verliefd op. Dat was drie jaar geleden. Daarna is haar visum goedgekeurd en woont ze hier.'

'En jullie... hebben iets met elkaar?' Sorry hoor, ik móést het gewoon vragen. Research. En ik vond het trouwens nog een hele prestatie van mezelf dat ik het zo lang had weten uit te stellen.

'Megan, ze is lesbisch.'

O.

Even voorbij de volgende hengelsportwinkel sloeg Will rechts af een grindweg op met daarboven een baldakijn van weelderig gebladerte. Nadat we een prachtige blauwe reiger die in de overhangende takken zat uit te rusten de stuipen op het lijf hadden gejaagd, parkeerde Will de auto voor een bouwvallig huis dat hard aan een likje verf toe was. 'We zijn er.'

Hij claxonneerde twee keer. En bijna nog voordat de tweede toon weggestorven was, kwam een mooie jonge vrouw aan de zijkant om het huis heen aanrennen. Haar dikke ravenzwarte haar zat met iets wat eruitzag als een veter in een rommelige paardenstaart gebonden. Ze had een spijkerbroek aan die onder de verfvlekken zat, een wit T-shirt met rode en gele vlekken, en ze glimlachte breed.

'Hanan!' begroette Will haar toen we uit de Beemer stapten.

'Hallo! Jullie zijn net op tijd, want ik heb hulp nodig,' riep Hanan in bewonderenswaardig Engels uit. Ze schudde me hartelijk de hand. 'Jij bent vast Megan.'

Will had blijkbaar verteld dat hij een vriendin zou meenemen.

'Leuk om kennis met je te maken.' Ik moest wel naar haar glimlachen, of ik nu wilde of niet; ze had een aanstekelijke energie.

'Welkom in mijn hoekje van de wereld.' Hanan spreidde haar armen uit. 'Ver weg van dat vreemde oord Palm Beach. Kom.'

Ze ging ons voor om het huis heen; tot mijn verbazing zag ik een gigantische moestuin die volop in bloei stond, omgeven door een hek van kippengaas. Ik zag komkommers, drie verschillende soorten paprika, het blad van de courgette en zes of zeven reusachtige tomatenplanten met rijpe vruchten. Wauw. Mijn ouders zouden likkebaarden bij zo'n groeiseizoen. In New

Hampshire lag er rond half november meestal sneeuw.

Maar Megan uit Philadelphia hoorde natuurlijk niets over groeiseizoenen te weten. Megan uit Philadelphia zou niks van Hanan of van deze oase van gezondheid begrijpen.

'Vind je het echt leuk om hier te wonen?' vroeg ik, en voor Will deed ik er ook nog maar een hoofdzwaai bij. 'Waar ga je dan shoppen?'

Ze haalde haar schouders op. 'Ik heb niet veel nodig. Ik heb ook in New York gewoond, maar die hele kunstwereld, al die feesten, al die vernissages... Slaapverwekkend.' Ze hield haar gezicht omhoog naar de middagzon en deed haar ogen dicht. 'Ik wil alleen maar schilderen. Hier in Clewiston kan ik werken zonder gestoord te worden.' Ze deed haar ogen open en keek me aan. 'Als je niet van vissen houdt, is er geen enkele reden om hiernaartoe te gaan. Iedereen in de stad vindt me maar raar, maar dat maakt me niks uit. Dat ben ik waarschijnlijk ook. Ik vertel straks wel verder... onder het werk.' Ze gaf mij een schoffel en Will een cultivator. 'Ik zet bezoekers altijd meteen aan het werk.'

Terwijl zij kletsten en tussen twee rijen sappige komkommers die aan hun ranken hingen onkruid los schoffelden, ging ik aan het werk. De geur van de volle aarde en de zon op mijn rug deden me heel erg aan thuis denken, aan de vele uren die ik in de tuin van mijn ouders had gewerkt. Mijn moeder zei altijd dat alles een cyclus had: planten, water geven, wieden, bewerken...

'Megan Smith, wat kun jij goed schoffelen.'

Ik keek op. Will keek me aan alsof ik net hoorns had gekregen.

'Dit heeft je vriendin al eens eerder gedaan,' merkte Hanan op. 'Kijk, ze houdt de schoffel als een bezem vast; zo krijg je geen rugpijn. Megan, volgens mij heb je Will nu voor het eerst in zijn leven aan het werk gekregen. Ik ben zo terug.'

Ze wipte naar binnen en ik zag Will vragend kijken. 'Ik... ik heb op Yale een bijvak biologische landbouw gedaan,' luidde mijn tamme verzinsel. 'Dat was gemakkelijk scoren.' Ik stak hem de andere schoffel toe. 'Probeer maar eens.'

Hij stond perplex. 'Op Barbados hebben we een twaalfkoppig team van tuinarchitecten. Je denkt toch niet dat ik me met hun werk ga bemoeien, hè?'

Ik grijnsde. De ramp was afgewend. 'Ik zal je geheim goed bewaren.'

Hij deed alsof hij zijn hemdsmouwen opstroopte – die hij niet had. 'Oké, oké. Vooruit dan maar. Wat moet ik doen? Ik lever me over aan jouw kundige, modderige handen.'

Ik ging met een vieze hand over zijn wang, waardoor er een bruin spoor van vegen op achterbleef. 'Zo kom je een beetje in de stemming, boer Will.' Toen liet ik hem de kneepjes van het onkruid wieden zien.

'Wiedende Will,' grapte hij.

'Hé, Will? Megan!'

We draaiden ons om. Daar stond Hanan met een digitale camera. Ze maakte een paar kiekjes van ons, bezweet en wel.

'Die stuur ik naar het studentenblad van Northwestern,' zei ze plagerig. 'Anders gelooft niemand dat Will Phillips daadwerkelijk aarde op zijn gezicht heeft gehad. Kom, we gaan naar binnen. Will, sinds de vorige keer dat je hier was heb ik airconditioning laten installeren. Daar zul je wel blij mee zijn.'

We liepen achter Hanan aan naar binnen en werden getroffen door een dreun koele lucht.

'God bestaat!' riep Will uit.

Vanbinnen vormde de bungalow een sterk contrast met de armoedige buitenkant, want het was er kleurig, licht en smetteloos ingericht. De binnenmuren die er ooit hadden gestaan waren grotendeels neergehaald en vervangen door witte zuilen. Het huis had maar twee kamers. Het ene vertrek was een woonkamer annex keuken annex slaapkamer met badkamer. Het andere vertrek was Hanans atelier.

'Kom, dan laat ik jullie mijn werk zien.' Hanan wenkte ons haar te volgen. 'Niet te streng zijn. Ik heb iets nieuws geprobeerd.'

Toen we haar atelier binnenliepen, dacht ik dat ik schilderijen te zien zou krijgen – sommige af, andere nog in wording – verfblikken en een ezel. Maar nee, het atelier was kraakhelder: witte muren, witte vloer. Tegen de raamloze muren stonden een paar gigantische doeken, allemaal af. Het waren stuk voor stuk voorstellingen van een romantische lesbische liefde. Op het eerste doek stonden twee vrouwen met kleren aan in een warme omhelzing. Op het volgende stond hetzelfde tafereel, maar nu waren de vrouwen naakt. Alle andere doeken behandelden één deel van het grotere schilderij, alsof het stukjes van een puzzel waren die werden uitvergroot: verstrengelde handen, dijen, borsten die tegen elkaar kwamen.

'Ongelooflijk,' fluisterde ik.

'Maar dat niet alleen,' lichtte Will toe. 'Het knappe eraan is niet alleen de manier waarop Hanan kleur en licht weergeeft, maar ook de voortgang. Zodra je de geliefden met kleren aan en daarna naakt hebt gezien, dwingt ze je om, wanneer je naar de afzonderlijke fragmenten kijkt, je ze ook zo voor de geest te halen. Maar als je de afzonderlijke fragmenten ziet voordat je de hele reeks hebt gezien, creëer je in gedachten automatisch onderwerpen, en jouw onderwerp ziet er misschien wel heel anders uit dan het hare. En daardoor word jij als toeschouwer eigenlijk ook een kunstenaar. Begrijp je wat ik bedoel, Megan?'

Ik kon alleen maar knikken. Ik was verbijsterd.

'Will is mijn grootste fan,' bekende Hanan.

'Nou, dan ben ik je op één na grootste fan,' zei ik. 'Jouw werk hoort in musea te hangen.'

'Dank je wel,' zei Hanan, en haar hoofd wipte elegant op en neer. 'Nu begrijp je waarom ik wacht tot Will zelf een galerie opent, zodat hij mijn werk kan laten zien. Schiet eens een beetje op, Will.'

Mijn onlangs gewaxte wenkbrauwen gingen in de richting van mijn gestylde haargrens. 'Een eigen galerie?' vroeg ik aan hem.

Hij reageerde niet.

'Will heeft mij opdracht voor deze hele serie gegeven,' legde Hanan uit.

Ik had zin om hem te omhelzen. 'Dat wist ik niet.'

In het andere vertrek ging de telefoon. Hanan excuseerde zich en ging opnemen.

'Kijk me niet zo aan,' protesteerde Will toen hij zag hoe diep ik onder de indruk was. 'Ik ben een kapitalistische schurk in hart en nieren. Ik heb haar die opdracht gegeven zodat ik die schilderijen in mijn galerie kan ophangen en verkopen.'

'Maar dan heb je wel eerst een galerie nodig.' Ik bleef hem aankijken. Toen pakte hij mijn hand.

'Kom. Ik wil je iets laten zien.'

'Waar?'

Hij gaf geen antwoord, maar rende naar de achterdeur. We liepen langs de tuin, door een bosje, over een groot weiland en toen een vieze oever af naar een prachtige waterpoel die in de middagzon lag te glinsteren. Will had zijn T-shirt al over zijn hoofd getrokken. Het ontging me niet dat hij een volmaakt goudkleurig wasbord had.

'Wat ga je doen?' vroeg ik. Afgezien van voor de kikkers streaken, wist ik natuurlijk wel wat hij ging doen, maar het leek me toch de aangewezen vraag.

Hij maakte zijn riem los. 'Kom mee zwemmen.'

De vraag was: gingen die spijkerbroek en boxershort uit? En zo ja, verwachtte hij dan van mij hetzelfde? Het evakostuum waar hij me al eerder in gezien had? Voor de vijftigste keer in de afgelopen drie weken betreurde ik de kwaliteit en het caloriegehalte van Marco's prestaties in de keuken.

Net toen ik over dit dilemma stond te dubben, kwam Hanan tussen de bomen door aanrennen, terwijl ze gaandeweg haar kleren uittrok. Toen ze alleen nog maar een heel functioneel behaatje en een onderbroekje aanhad, sprong ze het water in.

Geen evakostuum. Ik haalde opgelucht adem. Maar dan nog. De spijkerbroek en het linnen hemd gingen uit. Toen sprong ik, met alleen nog mijn witte topje aan en de slip die ik bij Target in West Palm had gekocht, het water in. Het was heerlijk koel. Als huid kon zingen, neuriede de mijne 'Stairway to Heaven'.

Will kwam boven en duwde mijn schouders omlaag. Ik ging sputterend onder en kwam met verruïneerd gestyld haar boven, terwijl de niet-waterbestendige mascara die ik die ochtend nog zo zorgvuldig had opgebracht over mijn gezicht liep.

Mijn Palm Beach-ego had het op een krijsen moeten zetten en uit het water moeten klauteren. Maar daar had ik helemaal geen zin in. Mijn research kon nu even de boom in. Ik wilde gewoon lekker mezelf zijn.

Een half uur lang spetterden we als kleine kinderen rond. We speelden Marco Polo. We hielden een watergevecht. We deden bommetjes vanaf de oever. We hielden pas op toen mijn mobiele telefoon ging. Het was de tweeling, die zeiden dat ze hun opstel af hadden. Wanneer kwam ik thuis? Ik keek naar Will.

'Over anderhalf uur,' zei hij. 'Als we nu weggaan.'

Hanan zei dat ze snel terug naar het huis zou rennen om handdoeken te halen. Will en ik gingen op de modderige oever zitten. Ik was vies, ik was nat en ik was sinds ik aan dit krankzinnige experiment was begonnen niet meer zo gelukkig geweest.

'Zeg, ik begrijp iets niet.' Hij groef een steentje op uit de modder en gooide het in het water.

'En dat is?'

Hij draaide zich naar me om. 'Het ene moment ben je zo'n echte saaie rijke trut. Het volgende moment... niet.'

'Je meent het, meneertje-met-als-hoofdvak-feesten?'

Hij moest lachen. 'Dat was gelogen, echt.'

Ik streek mijn natte haar van mijn voorhoofd. 'Dan heb ik ook een vraag voor jou: waarom heb je me gevraagd met je mee te gaan?'

'Toen ik je net ontmoet had – die rare avond toen de tweeling zo verschrikkelijk tegen je deed – meende ik iets te zien... Maar toen je me in de galerie kwam opzoeken was dat meisje verdwenen.' Hij gooide nog een steentje in het water. *Ploink.* 'Maar toen ging Rose maar door over dat ze zoveel van je had geleerd en dat jij de eerste was die haar het gevoel gaf dat ze hersens had. Dus heb ik je vandaag mee gevraagd omdat ik benieuwd was welk meisje zich zou laten zien.'

'En?'

'Gemakkelijk zat: allebei. Maar niet op een vervelende manier.' Hij keek naar me omlaag, bracht toen zijn vrije hand naar mijn wang en streek er met zijn duim voorzichtig overheen. 'Modder.'

Ik rilde een beetje. In mijn binnenste verschoof er iets. Mijn echte ik.

'Bedankt dat je me mee hiernaartoe genomen hebt, boer Will,' zei ik.

Hij keek naar mijn mond. Zou hij me gaan zoenen?

'Graag gedaan. Wil je ook nog mee ergens anders naartoe?'

'Ja hoor. Waarheen?'

'Naar het kerstavondbal in het Norton Art Museum. Ik weet dat het een beetje kort dag is, maar ik zou het heel leuk vinden als...'

'Hartstikke leuk.'

Eenentwintig

Een bedrijf in mobiele telefonie rekent 3 cent per minuut voor een interzonaal gesprek. Welke wiskundige weergave laat zien hoeveel een gesprek van twintig minuten vanuit Florida naar New York kost, als vijf van de twintig minuten in het gratis nachttarief vallen?

- $y = 3 + 20/5$
- $5z = 20x$
- $X = 3 (20-5)$
- $C = 20 + 5 + 3$

Die avond las ik vlug even de opstellen door die de tweeling 's middags gemaakt had. Ik negeerde de vragende blik in de ogen van Rose over hoe ik het met Will had gehad en trok me toen terug in mijn badkamer, waar ik het langste, warmste bad uit de geschiedenis van lange, warme baden nam. Terwijl het bad volliep deed ik er wat badschuim van Heavenly Holly in, uit de nieuwe collectie van Laurel. Het rook naar het bos in de herfst en het water kreeg er onder een deken van witte belletjes een smaragdgroene kleur van.

Ik wil even van de gelegenheid gebruikmaken om iets te zeggen: fantaseren is niet hetzelfde als bedriegen. Oké. Als we het daar maar over eens zijn.

Ik lag daar met mijn ogen dicht, het warme water stroomde,

en ik voelde me heerlijk warm en... eh... nat, terwijl ik de middag met Will nog eens in gedachten de revue liet passeren en ik me afvroeg hoe het geweest zou zijn als Will aan de waterkant gedaan had wat hij volgens mij van plan was geweest om te doen. Mij zoenen dus. Net toen ik een onderwaterexpeditie wilde ondernemen hoorde ik in de verte mijn telefoon gaan.

Dat was hem. Ik wist gewoon dat hij het was.

Ik sprong uit bad en glibberde over de badkamertegels, liet natte voetafdrukken op de hardhouten vloer van de slaapkamer achter en dook toen nat en naakt over mijn bed heen. Ik slaagde erin om mijn tas open te maken en mijn telefoon eruit te rukken, zodat ik bij de vierde keer overgaan kon opnemen.

'Hallo?' vroeg ik fluisterend.

'Hé, schat. Wauw, wat klink jij... buiten adem.'

Hij. De verkeerde hij.

'O, hallo! James!' Ik wikkelde mijn drijfnatte lichaam in mijn sprei, in de wetenschap dat er, als ik een andere nodig had, wel een van het hoofdgebouw gebracht zou worden, zonder dat daar verder vragen over werden gesteld. 'Ik zat in bad. Ik moest rennen om bij de telefoon te komen. Wat leuk dat je belt!'

Oké, fantaseren is een sóórt bedriegen. Wie denkt er nou, als haar vriendje belt, dat het de verkéérde is – het vriendje dat ze nauwelijks ziet, laat staan dat ze het met hem kan doen? Het vriendje dat ze op kerstochtend weer zal zien? Binnen zesendertig uur dus.

'Ik heb goed nieuws. Ik ben net twaalf uur bezig geweest om dat korte verhaal van die klojo te redigeren. Songwriters die denken dat ze een verhaal kunnen schrijven – heel pijnlijk. Toen had die rukker ook nog het lef om te bellen en te zeggen dat hij mijn veranderingen wel eerst wilde goedkeuren.'

'Is dat het goede nieuws?'

Hij lachte. 'Nee, dat is de aanloop. Mijn baas heeft medelijden met me gekregen. Ik mag morgen om twaalf uur weg. Dus ik ben voor het eten aan de Golfstroom. Fantastisch, toch?'

Schuldbewuster en schuldbewuster.

'Ja, geweldig.'

'Ik bijna niet wachten tot ik je weer zie.'

'Ik ook niet.'

'Moet je horen,' ging James verder. 'Mijn moeder belde net. Ze heeft van een vriendin twee kaartjes voor het kerstavondbal in het Norton Museum gekregen. Heb je daarvan gehoord?'

Eh... ja. Ik heb toevallig net tegen een andere jongen gezegd... 'Ik geloof dat de tweeling erheen gaat,' zei ik draaikonterig.

'O, te gek!' kraaide hij. 'Want ik vond namelijk dat jij en ik ook moesten gaan. Ik weet dat je daar moet doen alsof je single bent, maar dat maakt het juist spannend. Dan doen we alsof we elkaar niet kennen. Opwindend.'

Balen, balen, balen. Waarom had ik ja gezegd tegen Will? Nou, daar wist ik het antwoord natuurlijk wel op, maar wat moest ik doen nu mijn echte vriendje vroeg of ik meeging?

'Dan kun je er in je artikel over schrijven,' ging James door. 'Dit is te gek – echt iets wat Hunter Thompson ook had kunnen doen. Bovendien krijg ik de tweeling dan te zien zonder dat ze weten dat ik je vriendje ben. Beter kan gewoonweg niet.'

Ik trok de sprei dichter om me heen en probeerde net zo enthousiast te doen als James. 'Ja, leuk! Maar weet je, ik geloof dat ik een beetje grieperig begin te worden. Misschien kan ik maar beter in bed blijven en zorgen dat ik voor de kerst weer opgeknapt ben.'

'O nee, hè? Nou, laat dat bal dan maar zitten. Dan kom ik naar Les Anges en dan kunnen we doktertje spelen.'

'Wat lief van je. Ik denk dat ik morgen in bed blijf en dit even uitziek – wat het ook moge zijn.'

'Als dat echt is wat je wilt.' Hij klonk teleurgesteld. Of misschien was ik door mijn schuldgevoel gewoon extra gevoelig.

'Ja, blijf morgenavond maar lekker bij je ouders; dat vinden ze leuk. Hoe laat wil je dat ik kom met kerst?'

Dat was natuurlijk een vraag van mijn schuldgevoel.

'Om elf uur. Ik bel je morgen nog als ik er ben.' Ik hoorde iemand roepen die hem welterusten wenste. De arme jongen – het was twaalf uur 's nachts en hij zat nog steeds op kantoor, twee dagen voor kerst. 'Megan?'

'Ja?' zei ik, en ik stond op van bed en keek naar buiten naar de donkere zee.

'Ik hou van je.'

Ik slikte. 'Ik hou ook van jou.'

We namen afscheid en ik hing op. Wat had ik gedaan? Ik had tegen mijn vriendje gelogen zodat ik met iemand anders naar een bal kon gaan. Verschrikkelijk. Ik wist dat het verschrikkelijk was.

En het was me zo gemakkelijk afgegaan.

Tweeëntwintig

In een roman staat een 'wending' voor een moment waarop een personage:

- zich bedenkt
- iets in een ander licht ziet
- verbaasd is over een onverwachte ontwikkeling
- emotionele groei of een verandering doormaakt
- al het bovenstaande

Volgens de commissie die het examen heeft ontwikkeld, wordt daarmee beoordeeld hoe goed je problemen kunt analyseren en oplossen. Hij wordt op middelbare scholen gebruikt om ruwweg te voorspellen hoe goed degene die het examen maakt het op een bepaalde opleiding zal doen. Dit had ik de tweeling al heel vaak verteld. En toen had ik daaraan toegevoegd dat het examen, naar mijn bescheiden mening, eigenlijk mat of iemand in staat was zich op het examen voor te bereiden en hem te maken.

Het was uitgesloten dat ik in acht korte weken tijd kon goedmaken wat er in twaalf jaar aan scholing was verwaarloosd. Maar toen ik het vernuft van hun database met betrekking tot schoonheidskwesties had gezien, wist ik dat ze in aanleg de intelligentie hadden om te slagen. Ik durfde te wedden dat ze, als ik ze vertrouwd kon maken met de manier waarop dit systeem werkte – dus om te denken zoals de examenmakers dachten –

met de hakken over de sloot zouden slagen.

De tweeling hadden problemen met abstracte begrippen. Maar als ik het onderwerp op hun situatie betrok, konden ze het wel onthouden. Ik nam mijn toevlucht tot onderbouwtactieken. Systeemkaartjes vormden mijn beste wapen.

In plaats van ze een trapezium te laten zien en hun te vragen om het oppervlak en de omtrek te berekenen, stonden op mijn systeemkaart bijvoorbeeld de afmetingen van de damestoiletten van club Everglades. In plaats van theoretische verhoudingen te berekenen, tekende ik een spiegel, schreef daarbij hoe hoog hij was en vroeg hoeveel meisjes, als ze ieder vijfentwintig centimeter ruimte op de spiegel innamen, tegelijkertijd hun lipgloss van Stila konden bijwerken. Om hun vocabulaire bij te spijkeren gebruikte ik toepasselijke voorbeelden. Het purgatorium was niet alleen een plek tussen de hemel en de hel in, maar ook de situatie waarin je op een trans-Atlantische vlucht van New York naar Parijs een krijsende baby naast je hebt zitten.

Er werd vooruitgang geboekt. Niet genoeg, maar toch genoeg om mij niet alle hoop te doen verliezen. En genoeg om hen aan de slag te houden. Het grootste probleem was het werk. Wat ik ook deed, ik kon hun niet aan het verstand brengen dat studeren een cumulatief proces was, dat de extra uren die je er op de eerste dag aan besteedde, op de zevende of achtste dag enorme winst opleverden. Het was heel moeilijk om zeventien jaar van relatieve luiheid teniet te doen.

Het komt er in feite op neer dat zelf koken een enorme inspanning wordt als je ook de roomservice kunt bellen, zelfs als je vier uur per dag aan het fornuis staat.

Aangezien we besloten hadden om met kerst vrij te nemen, begonnen we op de dag voor kerst bespottelijk vroeg, namelijk om negen uur al. Daardoor zouden zij – en ik ook – 's middags vrij hebben om zich voor te bereiden op het bal van die avond.

We bestelden koffie en croissants, die we aan het zwembad gebruikten, en gingen aan de slag met de woordenschat. Ik hield een zelfgemaakt kaartje voor Sage omhoog:

Met behulp van ... pikte Suzanne het vriendje van haar rivale af.
a) cohesie, b) coïncidentie, c) dualiteit, d) chicanes

'D,' zei Sage. 'Honderd procent zeker.'

Ik prees haar, aangezien zij normaal gesproken de koningin van het verkeerd gebruikte woord was. Volgende kaart:

Na Labor Day wordt een witte broek niet meer als een ... misser beschouwd.
a) bezwarende, b) kolossale, c) ergonomische, d) schrandere

'B,' zei ze. 'Kolossaal.'

Verdomd. Twee achter elkaar goed. Hierna kwamen drie foute antwoorden, maar twee achter elkaar vond ik een mijlpaal. Nu was Rose aan de beurt, en zij verdubbelde de prestatie van haar zus. We gingen verder met grammatica, en getweeën wisten ze onderwerpen, samenstellingen en gezegdes te herkennen, hoewel de finesses van de voorwaardelijke bijzin hun nog ontgingen. Ja, dat zijn dingen die de meeste mensen in de onderbouw al leren, maar de tweeling hadden het niet meegekregen.

Om het allemaal een beetje relevant te maken en om hun schrijfvaardigheden aan te scherpen, vroeg ik hun om een opstel van vijf alinea's te schrijven waarin ze hun outfit voor het kerstavondbal vergeleken met en afzetten tegen wat ze de maand daarvoor naar het Rood-witte Galabal hadden aangehad, en om daarin de onderwerpen, persoonsvormen en gezegdes aan te geven. Dit werd gevolgd door het bekende gefoeter en gekreun, maar uiteindelijk gingen ze er toch voor zitten met hun pennen en papier. Terwijl zij bezig waren ging ik lekker op een ligstoel liggen, genoot van de ochtendzon op mijn gezicht en dacht na over wat ik tegen James zou zeggen als hij 's middags belde. Een griepje van achtenveertig uur? Iets in die geest.

Ik moet weggedoezeld zijn, want ik schrok wakker toen Sage me een duwtje tegen mijn enkel gaf.

'Megan? Mooie streek van je, gisteren.'

Ik deed mijn ogen open. Ze zat op de ligstoel naast me. 'Heb je je opstel af?'

'Nee, ik ben halverwege opgehouden omdat ik een enorme behoefte aan jouw sprankelende gezelschap had, nou goed?' zei ze vlak. 'Natuurlijk heb ik het af.'

Ik keek naar Rose, die nog steeds zat te schrijven, en deed toen mijn ogen dicht en glimlachte. 'Mooi.'

'Waarom heb je niet gewoon gezegd dat je verliefd bent op Will?'

Die opmerking zorgde er niet alleen voor dat mijn ogen opengingen, maar ook dat ik rechtop ging zitten. 'Waar héb je het over?'

'Ik heb hem gisteravond in Breakers gezien. Hij heeft me alles verteld.'

'Wat is alles?' vroeg ik behoedzaam.

'Dat jullie er gisteren samen op uit zijn geweest, dat hij je in het meer gezoend heeft...'

'Hij heeft me helemaal niet gezoend!' sputterde ik tegen, terwijl ik het bekende warme gevoel naar mijn gezicht voelde sluipen.

'Geintje. Je hoeft heus niet zo rood als een biet te worden. Hij zei wel dat jullie samen iets hadden gedaan en dat hij je leuk vond. Tevreden?'

Ja, eigenlijk wel. Maar dat zei ik natuurlijk niet. Ik zei helemaal niets.

'Je had het me best zelf kunnen vertellen,' zei ze nuffig.

'Ik wilde het professioneel houden.'

Ze gaapte. 'Onzin. Rose wist het. Alsof mij dat wat interesseert. Hij zei ook dat je met hem naar het bal gaat.'

Rose kwam met haar opstel naar me toe gedraafd, waar ze ongeveer twee keer zolang over had gedaan als zou moeten, en ging naast haar zus zitten. 'Dus je vindt hem leuk?' vroeg ze gretig.

Misschien kwam het doordat ik op de middelbare school eigenlijk nooit het-leuke-meisje-dat-gek-op-de-leuke-jongen-is heb kunnen uithangen. Misschien kwam het doordat ik met Bruce Philips naar het eindbal was geweest – de jongen met het schitterende IQ en de bedenkelijke huid, met wie ik ongeveer net zo veel chemie had als een RTF-document. Of misschien kwam het doordat mijn zus Lily altijd het mooie meisje was en ik in de verste verte niet in haar schaduw kon staan. Wat er ook de reden voor was, er werd een sluimerend meisjesachtig meisje in me wakker dat of ik wilde of niet haar uit één woord bestaande antwoord gaf.

'Ja.'

Ik moet even iets bekennen: het is heel moeilijk om jezelf ervan te overtuigen dat je vanwege je research met een jongen naar een gala gaat als je al tegenover je leerlingen hebt toegegeven dat je op hem valt.

'Wat doe je aan?' drong Sage aan.

'Hetzelfde als ik naar het Rood-witte Galabal aanhad, denk ik,' antwoordde ik, hopend dat ik mijn door Marco vetgemeste achterwerk er nog in zou krijgen.

Je kent vast het beroemde schilderij *De schreeuw* van Edvard Munch wel. Nou, vervang het gezicht van de doodsbange man op de brug door de gezichten van de tweeling en dan heb je een redelijke indruk van hoe Rose en Sage op mijn mededeling reageerden.

Sage was zoals gebruikelijk de eerste die iets wist uit te brengen. 'Is dat normaal in Philadelphia?'

'In de trant van: je bent zo rijk dat het je niet meer interesseert of mensen je twee keer in dezelfde outfit zien?' verduidelijkte Rose.

Natuurlijk. Megan uit Philadelphia wíst natuurlijk dat ze niet twee keer dezelfde jurk aan kon trekken. Die gedachte zou haar net zo veel afschuw inboezemen als hij de tweeling had gedaan. Ik probeerde te redden wat er te redden viel en legde uit dat ik maar één officiële jurk mee naar Palm Beach had genomen en dat ik geen tijd had om te gaan shoppen. Dat excuus kon ik vanavond ook wel gebruiken, mocht het ter sprake komen.

Sage knikte. 'We begrijpen het.'

'O ja?' piepte Rose.

'Ja,' hield Sage vol. 'Kom, we laten de lunch brengen. Hoewel die waarschijnlijk niet te vreten is nu Marco met vakantie is.'

'Waar is hij naartoe?' vroeg ik. Marco met vakantie? Dat wist ik niet.

'Naar New Jersey, samen met Keith,' legde Rose uit, terwijl Sage belde om de lunch te bestellen. 'Daar gaan ze elk jaar naartoe om zijn familie te bezoeken. Hij is terug voor het feest op oudjaarsavond, wees maar niet bang. Dan moet hij van oma de catering leiden.' Ze stond op en trok haar spijkerbroek en T-shirt uit; daaronder had ze een groene geruite bikini aan. 'Ik ga zwemmen tot het eten er is. Ga je mee?'

Ik schudde van nee en voelde het bloed uit mijn gezicht wegtrekken. Er waren vanavond dus géén Marco en géén Keith? En over een paar uur moest ik klaar zijn voor het bal? Ik kon mezelf niet eens zonder de hulp van Marco in mijn eigen jurk ritsen, verdomme. Assepoester zou haar naam dit keer eer aandoen.

'Wat is er met je?' vroeg Sage toen ze uit haar spijkerbroek stapte en die aan haar voeten liet liggen. 'Je bloost, maar dan omgekeerd.'

'Kijk, ik beschouw make-up altijd maar als een kunst. En ik ben – niet verder vertellen, hoor – een heel slechte kunstenaar. Ik heb al moeite met een kleutertekening. Dus ik doe mijn make-up nooit zelf.' Dat was niet gelogen. Althans, niet helemaal.

'En nu is Marco er niet om je vanavond te helpen,' sprong Rose me bij. 'Hij zei dat Keith je stylist in Philadelphia kent.'

'O ja?' Wat een engel dat hij zo voor me opgekomen was, op meerdere manieren.

'Tuurlijk.' Sage ging aan de ondiepe kant het zwembad in. 'Maar voor vanavond zit je dus nog steeds in de problemen, hè?'

Rose giechelde. Sage giechelde. Leuk dat ze zo'n leedvermaak hadden, ook al wisten ze niet eens wat dat was.

'Kom,' blafte Sage tegen haar zus, alsof ze een goed afgerichte hond een bevel gaf. Ze kwam het zwembad uit en gleed in haar teenslippers. 'We bellen het hoofdgebouw om te zeggen dat ze het eten naar binnen moeten brengen.'

Ze liep naar haar huis toe, en ik wachtte tot Rose uit het water kwam en zich afdroogde. Toen gingen we op zoek naar Sage, die in haar kamer aan haar beeldscherm zat. Ze klikte één keer, en er verscheen een close-up van mijn gezicht op het scherm.

'Hoe heb je dat gedaan?' vroeg ik verbaasd. Op mijn gezicht zat make-up waarvan ik niet wist dat hij er ooit op gezeten had.

'Dat is nog een functie die we in ons systeem hebben ingebouwd,' zei Rose trots.

'Kijk maar en let goed op,' beval Sage. Met een paar snelle bewegingen van de muis maakte ze mijn wenkbrauwen dikker. 'Hoewel de Brooke Shields-look niet zo goed bij je past.' Ze maakte ze weer dunner.

Terwijl de meisjes met de computer van Sage tekenden en ik

toekeek, kreeg ik een dubbelcollege over de juiste make-up en het juiste kapsel voor een meisje met mijn gelaatstrekken. Daarna schakelden ze over op een foto ten voeten uit en kreeg ik een preek over lichaamsverhoudingen, hoe je 'tekortkomingen onder de taille' moest verhullen en hoe je mijn op z'n zachtst gezegd bescheiden decolleté het best kon laten uitkomen.

'Oké. Ga maar mee naar mijn kleedkamer,' beval Sage. 'Eens kijken wat je ervan opgestoken hebt.'

Even later duwde ze me op een stoel aan haar toilettafel. Rose maakte een doos open die wel een instrumentenkist van roze parelmoer leek. De vakjes, allemaal bekleed met roze fluweel, zaten vol met het nieuwste van het nieuwste op het gebied van cosmetica.

De tweeling was een uur lang met mijn gezicht bezig. In tegenstelling tot Marco namen de meisjes de moeite om alles wat ze deden uit te leggen. Toen gaven ze me stap-voor-stapinstructies, zodat ik het ook zelf kon als zij er niet waren, en ze legden alles heel eenvoudig uit, zodat ik het ook kon, hoe onhandig ik ook was. Toen gaven ze me de doos.

Ja, ik mocht hem hebben. Ze hadden hem voor mij gekocht. Voor ik hen kon bedanken gingen ze over op mijn haar, dat Sage schoon genoeg vond, want kapsels bleven vaak beter zitten als je haar een beetje vies was.

Wie had dat kunnen denken?

Ze stylde het glad en deed het in een paardenstaart. 'Om dit mooi te krijgen moet je twee dingen goed onthouden,' verordonneerde ze. 'Hair U Wear en lokken.' Met die woorden haalde ze een schitterend haarstukje tevoorschijn, helemaal steil en precies in mijn kleur. Ze maakte het over mijn eigen haar heen vast, en voilà: ik had een paardenstaart tot halverwege mijn rug. Toen schikte ze heel kunstig lokken rond mijn gezicht om het geheel wat zachter te laten ogen en deed ze nog een lavendel-

177

kleurige strik om de paardenstaart. Rose maakte het geheel af door mijn lippen nog een laagje gloss te geven. Vanaf mijn hals naar boven zag ik er fantastisch uit.

Rose moest snel even naar haar kamer om iets te halen en Sage legde haar handen op mijn schouders. 'Je begrijpt toch wel waarom je de jurk van het Rood-witte Galabal niet vanavond aan kunt, hè?'

'Ik...'

Ik kreeg niet de kans om meer dan die ene lettergreep te zeggen, want Rose was terug... met een lavendelkleurige jurk, een prinses waardig, over haar arm gedrapeerd. 'Atelier Versace. Lavendel is helemaal jouw kleur. Moet je kijken.'

Ze gaf me een *Scoop* met Emmy Rossum in de moderubriek, die precies dezelfde jurk droeg. En ik moest toegeven dat ik inderdaad een beetje op haar leek. Als ze tenminste vijf kilo aankwam. 'Die pas ik nooit,' protesteerde ik nog.

'Probeer nou maar,' drong Rose aan.

Dus mijn joggingbroek en T-shirt gingen uit. Ik had alleen een onderbroekje aan; dat moest, vonden zij, want mijn borsten werden door het lijfje wel omhooggehouden. Met hun hulp liet ik de jurk over mijn hoofd zakken, hield mijn adem in en toen ritste Rose hem dicht.

'Je mag uitademen,' zei Sage.

Ik ging rechtop staan en keek hen aan.

'O, o, wat zijn we goed.' Sage gaf haar zus een vuiststomp.

Ik draaide me om naar de spiegel. Het lijfje was strapless en strak. Ze hadden gelijk: een beha zou overbodig geweest zijn. De rok was van geplooide chiffon en georgette.

'Hoe hebben jullie...? Wanneer hebben jullie...?' stamelde ik.

'Als je zes nullen per jaar aan kleren uitgeeft, is je personal shopper je beste vriendin,' legde Sage uit. 'We hebben haar gisteravond deze opdracht gegeven. De jurk was er voor het ontbijt.'

'Je ziet er prachtig uit,' zei Rose met een brede grijns.

'Ik kan gewoonweg niet geloven dat jullie dit allemaal voor me doen.'

Sage knikte. 'Ik ook niet. We hebben vast drugs gebruikt.'

Maar ik merkte dat ze een grapje maakte. Was het dan echt mogelijk dat ik door hun façade heen was gebroken, zonder het zelf te weten?

'Voor je alle eer naar jezelf toe trekt,' ging Sage verder, alsof ze mijn gedachten had kunnen lezen, 'moet je eens aan de doodsangst denken die wij onszelf hiermee besparen. Als jij in een gedragen jurk naar het bal gaat en je wordt in gezelschap van ons gezien, zouden wij ons verschrikkelijk vernederd voelen.'

Ik glimlachte maar. Ze gaven me mijn nieuwe koffer vol cosmetica, de tekening met instructies en toen joegen ze me de kamer uit, zodat zij zich ook klaar konden maken. Ik vertrok, maar niet zonder hen bedankt te hebben. Uit de grond van mijn hart. Maar hoe zou ik deze gebeurtenis een plaatsje in mijn artikel moeten geven? Terwijl ik onder lagen vlindervleugeldunne chiffon naar mijn appartement zweefde, bedacht ik onwillekeurig toch dat de oppervlakkige Baker-tweeling, over wie ik een stuk had willen schrijven, dit nooit zou hebben gedaan. Dus wie was hier nou oppervlakkig?

Drieëntwintig

Met meer dan één persoon een verhouding
hebben kan als

a. ridicuul
b. onbezonnen
c. egalitair
d. decadent
e. misantropisch

beschouwd worden.

Toen Will me die avond kwam ophalen, zei hij dat ik er prachtig uitzag. En ik geloofde hem vreemd genoeg ook nog. Het was net alsof ik mezelf nu zag als degene die ik had voorgewend te zijn. Misschien niet rijk – sommige fantasieën zijn zo bespottelijk dat je er niet intrapt, zelfs niet iemand die zo goed in liegen was geworden als ik – maar wel mooi. Toen ik in de spiegel keek, zag ik daar niet langer het nietszeggende zusje van Lily.

Het jaarlijkse kerstavondbal ten gunste van het Norton Museum of Art begon pas om acht uur. We kwamen om zeven uur in West Palm aan, zodat Will me voordat de grote horde arriveerde het museum nog kon laten zien. Het was zo vroeg dat de parkeerbedienden nog niet eens op hun post stonden en hij zijn auto zelf moest wegzetten, maar hij wilde me gewoon heel graag rondleiden voordat de schilderijen en beeldhouwwerken het tegen couture en cocktails moesten opnemen.

De tentoonstellingszalen waren leeg; er liepen alleen wat werkmensen rond. Musici installeerden zich en deden soundchecks, en het personeel zette de buffettafels vol en bevoorraadde de bars. Niemand lette op ons toen Will me langs alle werken leidde.

Het Norton had een afdeling voor negentiende- en twintigste-eeuwse Europese kunst, voor Amerikaanse, Chinese en hedendaagse kunst, en nog een uitgebreide fotocollectie. Op de afdeling voor hedendaagse kunst kwam Will pas echt tot leven. Eén schilderij vonden we allebei heel mooi, met de titel *Jesaja: gras zal uw steden overwoekeren*, waarop de Bijbelse voorspelling te zien was die in een moderne metropool waarheid was geworden.

'Alles is maar tijdelijk,' mijmerde ik. Ik bedacht dat dat ook heel erg op mijn eigen leven van toepassing was: ik was een baan en een flat kwijtgeraakt, en...

'Gelukkig kerstfeest, jongens.' Thom legde zijn hand op Wills schouder. Hij had een standaard wit smokingjasje aan met de witte doek van een ober over zijn arm gedrapeerd. 'Hé, Megan.'

'Hallo, Thom.' Ik gaf hem snel een kus op zijn wang. De zaal liep al vol. 'Gelukkig kerstfeest.'

'Moet je werken, man?' vroeg Will.

'Het verdient goed.' Hij maakte een hoofdbeweging in de richting van de bar achter ons. 'Ik wilde alleen even gedag zeggen voor het feest echt op gang komt. Ik zie jullie straks nog wel.'

Toen Thom buiten gehoorsafstand was, draaide ik me om naar Will. 'Waar ken jij hem van? Ik dacht dat jullie in heel andere kringen verkeerden.'

'Van de *Heavenly*. Ik probeer me niks van dat soort dingen

181

aan te trekken,' zei hij, en ik vroeg me af of hij dacht dat ik dat wel deed. 'Ik heb tegen Rose gezegd dat ze iets met hem moest beginnen.'

Ik zag de tweeling met hun vrienden hun entree maken en de zaal door lopen. Sage had een bordeauxkleurige kanten jurk aan, gevoerd met lichtroze zijde, waardoor de jurk bijna doorzichtig leek. Rose droeg een zwarte strakke jurk met een heel diep decolleté en veren en gouden kraaltjes langs de zoom van de rok. Hun rossige lokken golfden over hun rug. Ze waren net een wandelende reclame voor een lifestyle waar de meeste mensen alleen maar van konden dromen.

Thom stond naast de bar en verloor Rose geen moment uit het oog. Ik keek of ze zich zou omdraaien om hem gelukkig kerstfeest te wensen of hem in elk geval een 'wij zijn in het geheim verliefd'-glimlach te schenken. Maar nee, ze pakte de hand van haar zus en trok haar mee naar de centrale hal, een deur verder.

'Ze is zo te zien niet zo open over hun relatie als...' En daar liet ik het maar bij.

'Ja, nou, dat begrijp ik ook wel.' Hij knipoogde even naar me. 'Kom, ik geloof dat we moeten gaan kijken of de gasten er zijn.'

Hij pakte me bij mijn arm en liep met me terug het museum door, tot aan de reusachtige spierwitte centrale hal, die als ontvangstruimte voor het feest dienstdeed. Overal stonden feestgangers, die de kunst bekeken en kir royals van de langslopende obers aanpakten. In een hoek stond een strijkkwartet dat kerstliedjes speelde en de kerstboom midden in het vertrek gloeide van de fonkelende lichtjes. Onder de boom lag een berg kerstcadeautjes.

'Voor wie zijn die?' vroeg ik terwijl ik zag dat een net gearriveerd echtpaar er nog twee bij legde, alvorens in de menigte op te gaan.

'Dat is speelgoed,' antwoordde Will. 'Dat wordt morgen naar de kinderafdeling van het ziekenhuis van de University of Miami gebracht. Dat doen we elk jaar.'

'Leuk.'

'Ja. Wil je een kir? Ik zoek even een ober.'

'Lekker. Ik wacht hier wel.'

Will liep om de mensenmassa heen. Ik volgde hem met mijn ogen – neem van mij aan dat jij hem ook met je ogen gevolgd zou hebben – maar toen voelde ik een zachte hand op mijn arm.

'Megan, lieveling. Wat zie je er prachtig uit!' begroette Laurel me. Ze had een zwarte jurk aan tot op de grond en één enkel parelsnoer met een diamanten sluiting zo groot als de knokkel van mijn vinger; haar blonde haar zat in een losse wrong laag in haar nek gedraaid. Ze droeg maar een vleugje make-up, net genoeg om haar huid te laten stralen en te egaliseren. Franse vrouwen wisten veel beter wat ingetogen elegantie was dan welke andere vrouwen ter wereld ook.

'Laurel, hallo. Wanneer ben je teruggekomen?' vroeg ik.

'Vanmiddag. Ik probeer voor alle echt belangrijke gelegenheden van Het Seizoen hier te zijn, maar het valt niet mee. Je weet natuurlijk dat er met oudjaar een feest op Les Anges gegeven wordt, hè? Voor mijn stichting.'

Ik knikte. 'Ik verheug me erop.'

'Vorig jaar hebben we twee miljoen dollar ingezameld voor vrouwen in Afrika die hun eigen bedrijfje willen beginnen. Dit jaar hoop ik op drie. Met wie ben jij hier vanavond?'

Heel bijzonder, zoals ze zonder enige hapering van liefdadigheid op mijn gezelschap voor die avond overschakelde.

'Met Will Phillips,' zei ik, in de hoop dat ik daarmee niet de etiquette voor de privélerares schond. 'Hij is even wat te drinken halen.'

'Dat wist ik.' Haar ogen twinkelden. 'Ik zag dat hij je kwam ophalen. Een enige jongeman. Hoe gaat het met de tweeling?'

'Ze gaan met de dag vooruit.'

Ze knikte. 'Je zult morgen ook wel even met ze aan het werk willen, of het nu kerst is of niet. Het examen is al heel snel, toch?'

'Ja,' beaamde ik. 'Absoluut.'

Laurel zag een echtpaar staan dat ze kende en excuseerde zichzelf met een kneepje in mijn hand. 'Veel plezier vanavond, Megan.'

De tweeling zou het niet leuk vinden als ze hoorden dat ze met kerst moesten studeren. Ik ook niet trouwens. Hoe moest ik in godsnaam een studieles geven én bij James zijn? Jezus. Nu ik aan hem dacht vouwden mijn ingewanden zich tot een kraanvogel van origami. Wat voor meisje zegt haar vriendje nou af om met een andere jongen naar een galafeest te kunnen? Antwoord: een meisje van wie ik niks zou moeten hebben en op wie ik al helemaal niet zou willen lijken...

En toen zag ik James staan, in levenden lijve, net alsof mijn geweten het had afgedwongen. Hij nam een slokje uit een glas Merlot en bewonderde de reusachtige kerstboom. En dus deed ik het enige wat gezien de omstandigheden in aanmerking kwam: ik vluchtte. Ik vloog de centrale hal uit en ging de afdeling voor Chinese kunst in, langs het orkest en de dansende paren en toen via de nooduitgang die de organisatoren van het feest godzijdank open hadden laten staan naar buiten. Ik stond moederziel alleen in een beeldentuin en verstopte me achter een goed gepositioneerde rondlopende metalen wand van Richard Serra.

Denk na, Megan, beval ik mezelf. Denk na.

Will was binnen, vermoedelijk naar mij op zoek. James was binnen, en verwachtte niet mij daar te zullen zien. Wat moest ik tegen hem zeggen? Of, erger nog: wat zou er gebeuren als Will en hij elkaar tegen het lijf liepen? Dat was geheel niet uitgesloten: James zou de Baker-tweeling opzoeken om zichzelf te vermaken, de Baker-tweeling zou Will opzoeken, James en Will zouden...

Ademhalen. Logisch nadenken.

Oké. Het was voor mij veiliger om binnen te zijn en te proberen hen uit elkaar te houden dan buiten, waar niemand me kon vinden.

Met een verkwikkende diepe zucht beende ik weer naar binnen... en ik liep zo tegen James op.

'Megan? Jíj hier?'

O god. Ik stortte mezelf in James' armen en tuurde over zijn schouders snel de zaal af. Waar was Will?

'Wat een heerlijke verrassing,' fluisterde ik in zijn oor. 'Maar ik ben nog steeds undercover. Je moet me helpen hier weg te komen.'

Hij hield me op een armlengte afstand en fronste zijn wenkbrauwen. 'Jíj bent de verrassing. Ik dacht dat je ziek was.'

Hier moest ogenblikkelijk geïmproviseerd worden.

'Ik wás ook ziek. Maar de tweeling wilde er niet van horen. Ze zijn zo ontzettend verwend, ze hebben me min of meer gedwongen om mee te gaan. Dus hier ben ik!'

'Je ziet er helemaal niet ziek uit,' merkte hij op.

Mijn handen schoten naar mijn buik. 'Het is iets met mijn ingewanden. Het ene moment gaat het wel, het volgende moment vlieg ik naar de plee.'

De plee? Ik zei nooit 'de plee'. De tweeling zeiden 'de plee'. Hoe dan ook, voor dat soort dingen had ik nu geen tijd. Met buikgriep had ik een prima excuus om om de paar minuten te verdwijnen om Will te zoeken en hem uit de buurt van mijn vriendje te houden.

'En jij dan?' vroeg ik, terwijl mijn ogen rondschoten, op zoek naar Will. 'Ik dacht dat je vanavond gezellig bij je familie zou zijn.'

James keek ongemakkelijk. 'Ik ben ook met mijn familie. Mijn ouders zijn hier ook ergens, en...'

'James!' kirde een stem. 'Daar ben je dus.'

Nee. Uitgesloten. Had hij háár meegenomen?

'De familie van Heather ook,' maakte hij zijn zin af, toen Heather de Volmaakte naast hem kwam staan, een verschijning in perzikkleurige chiffon met een glinsterende zilveren hals, waardoor het volmaakte decolleté dat mij maar al te bekend was goed uitkwam.

Misschien zat ik eigenlijk wel helemaal niet in de penarie. Híj zat in de penarie.

Vierentwintig

Stelopdracht. Schrijf een reactie op de volgende stelling: omdat ouders hun kinderen op de wereld zetten en voor hen zorgen, financieel en emotioneel, verdienen ze het in alle beslissingen die hun kinderen verder in hun leven nemen betrokken te worden.

Na een minuutje ondraaglijke prietpraat excuseerde Heather zich, en James liep met me de fotoafdeling op. Die was door de organisatoren als conversatieruimte ingericht. Er waren geen muziek en geen bar, maar overal stonden comfortabele loveseats. We vonden een leeg bankje onder een triptiek van Maria Magdalena Campos-Pons.

'Ik kan het uitleggen,' zei hij.

'Ik kan luisteren,' zei ik, zogenaamd lief. Hij was niet de enige die informatie over deze avond voor zich hield, maar dat wist hij niet.

'Om te beginnen ben ik hier niet met háár,' begon James. 'Haar ouders hebben ons kaartjes voor vanavond gegeven.'

'Dat had je er wel eens bij kunnen vertellen.'

'Dat zou ik ook gedaan hebben, ware het niet dat mijn moeder het me niet verteld heeft. Ik liep het strandhuis in en daar lag Heather in bikini op de veranda.'

Oké, hij hoefde me echt niet per se met het beeld van die bikini om de oren te slaan.

'Ze logeert vanavond met haar ouders bij ons. Ze vertrekken

morgen naar de Turks en Caicoseilanden. Mijn moeder vond dat we allemaal moesten gaan.'

Ik zag al helemaal voor me hoe James' moeder hem had overgehaald om met Heather naar het bal te gaan. Prima.

James pakte mijn hand. 'Dus je bent niet meer boos?'

Nee, niet meer... maar toen zag ik Will de fotoafdeling binnenkomen. Hij had een leeg en een vol glas kir in zijn handen en een grote frons op zijn gezicht.

Ik trok een grimas.

'Wat is er?'

'Mijn buik.' Ik greep naar mijn buik en bad in stilte dat Will niet in dit vertrek zou kijken. 'Ik moet naar de wc,' zei ik, en ik sprong op. 'Ik zie je straks wel weer!'

Ik spurtte de zaal uit, waarbij ik met juwelen overladen douairières moest ontwijken.

Godver. Welke kant was Will op gegaan? Ik zag hem net toen hij de zaal met het orkest binnenliep. Ik ging snel achter hem staan.

'Zoek je een meisje in een lavendelkleurige jurk?'

Hij glimlachte. 'Waar heb jij uitgehangen?'

'O, je weet hoe dat gaat: tientallen jongens wilden met me dansen. Ik moest ze met een polohamer van me af slaan.'

Hij gaf me het volle glas en klonk er met het lege tegenaan.

'Drinken of dansen?' vroeg hij.

Dit was echt helemaal de verkeerde avond om het op een zuipen te zetten.

'Dansen. Zeker weten.'

Will gaf onze glazen aan een ober die langsliep en leidde me naar de dansvloer van parket, terwijl het orkest een versie van 'Something' speelde, waarbij John Lennon en George Harrison zich ongetwijfeld in hun graf zouden omdraaien. Dansen bleek een oefening in bewegingsangst. Ik manoeuvreerde hem de hele tijd zo dat hij zich tussen de ingang en mij bevond, waarbij ik dolblij was met zijn lengte.

'Alles goed?' vroeg hij, terwijl hij naar me omlaagkeek.

'Ja hoor!' Ik ontspande me even tegen hem aan, maar toen ik James meende te zien was ik meteen weer een en al spanning.

Vals alarm.

'Je doet zo... stijfjes,' zei Will. Zijn rechterhand gleed over mijn rug en kwam gevaarlijk – en verbazingwekkend – dicht bij mijn stuitje. Normaal gesproken had ik dit geweldig gevonden. Maar dit was niet normaal. Dit was een vleesgeworden film van de Marx Brothers.

Nadenken, snel.

'O, ik heb een beetje buikpijn.'

'Je hebt waarschijnlijk honger. Laten we op het buffet aanvallen. Deze cateraar staat bekend om zijn garnalen met kokoslaagje. Die moet je echt proberen.'

Hoewel de gedachte aan eten me op dat moment net zo erg tegenstond als de gedachte aan alcohol, zat er niks anders voor me op dan achter Will aan naar de buffettafel te lopen. De zaal was zo vol dat we er bijna tien minuten over deden. Ik wilde net het witporseleinen bordje aanpakken dat Will me gaf toen ik zag dat James aan de andere kant in de rij ging staan.

Ongelooflijk zo snel als je buikkramp kunt krijgen.

Nadat ik beloofd had meteen weer terug te komen, smeerde ik 'm naar de damestoiletten, waar het al bijna net zo vol was als op de rest van het feest. Na een toepasselijke, griepwaardige vertraging ging ik weer terug, dit keer op zoek naar James.

Nu even een filosofische uitweiding: sommige mensen kunnen bij een auto-ongeluk gewoonweg niet níet kijken. Dat begrijp ik, echt. Het is verschrikkelijk, maar het gaat niet om jou, dus je móét gewoonweg wel uit een soort perverse fascinatie met open mond toekijken. Dit kan uiteraard ook gelden als je eigen auto met een snelheid van honderdtwintig kilometer per uur op de betonnen muur af dendert.

Toen ik terug was in de balzaal, zag ik James plotseling voor me. En Will. Samen, aan de bar. Als vrienden die elkaar lang niet gezien hebben klonken ze hun martiniglazen tegen elkaar.

Will zag me als eerste en zwaaide.

'Megan! Kom! Ik heb met deze vent hier moeten vechten om de laatste kokosgarnaal.' Ik hoopte maar dat Will niet zag dat James naar me knipoogde toen ik naar hen toe liep. 'Megan, dit is James Ladeen. Hij is net afgestudeerd aan...'

Ik waagde het erop. 'Yale?'

'Hoe wist je dat?' Will was stomverbaasd.

James wreef over zijn kaak. 'Je komt me zo bekend voor...'

'Misschien heb je me een keer op de campus gezien,' wist ik uit te brengen, en ik stak hem mijn hand toe. 'Ik ben Megan Smith.'

James wees naar me. 'Wacht eens even... Deed jij geen biologie?'

'Nee, letterkunde. Hoe kom jij zo in Palm Beach verzeild, James?' vroeg ik stijfjes.

Hij glimlachte. 'O, ik heb hier wat vrienden en familie wonen. En jij, Regan?'

'Ik heet Megan,' corrigeerde ik hem, en ik bood weerstand aan de neiging om mijn ogen ten hemel te slaan. Door mijn naam opzettelijk verkeerd te zeggen legde hij het er wel erg dik op.

Will en James kletsten nog een minuut of tien, terwijl ik goed voor ogen probeerde te houden wie ik zou moeten zijn en welke versie van mijn leven waar zou moeten zijn. De twee dingen die in mijn voordeel werkten waren dat James op de hoogte was van de Megan uit Philadelphia en dat ik tegen hem gezegd had dat ik mijn status als single gebruikte om dichter in de buurt van sommige mensen op het eiland te komen. Terwijl Will uitlegde dat we elkaar via de tweeling hadden leren kennen en dat hij me het eiland en een deel van Zuid-Florida had laten zien, knikte James begripvol.

'Ik moet wat bekennen,' zei James, nadat hij een kir van een ober had aangenomen en op zijn nieuwe vriendschap proostte. 'Ik heb je een keer in een koffieshop in de buurt van de campus gezien, Regan. Ik vond je wel leuk en wilde je gedag zeggen... maar je was al weg voordat ik daar de kans toe kreeg.'

Ik wilde nog een slimme opmerking verzinnen, maar kwam niet verder dan een stralend 'wauw'.

'Zullen we dansen, Regan?' vroeg James. 'Dat vind je toch niet erg, hè, Will?'

'Ga je gang,' zei Will met een knikje. 'Maar niet verliefd worden, hoor. Megan, ik zie je straks wel weer.'

'Hij vindt je leuk,' merkte James op toen hij met me naar de dansvloer liep en me in zijn armen nam. 'Hij is veel te knap om jou leuk te vinden.'

'Hij is gewoon het zoveelste stuk uit Palm Beach,' loog ik. Ik zag Pembroke met Suzanne dansen, die een groene jurk aanhad die haar borsten zo ver opdrukte dat ik bang was dat ze haar eigen tepels zou inademen.

James trok me dichter naar zich toe. Ik haalde diep adem en blics weer uit. Oké. Het ergste was al gebeurd: James had Will ontmoet. En ik had het op de een of andere manier overleefd.

Een paar tellen later zag ik de vader en moeder van James vlak bij ons. Zij had een jurk van zwarte jersey aan met een lage rug – helemaal New York – en trok haar wenkbrauwen op, verbaasd om mij daar te zien. Toen wenkte ze haar zoon: kom dansen.

'Ga maar,' mompelde ik tegen zijn schouder. 'Dan kun je uitleggen hoe ik hier verzeild ben geraakt.'

Ik vond een leeg bankje naast een vitrine met stukjes jade van tweeduizend jaar oud uit de Han-dynastie en bedacht dat Jim Morrison toch geen gelijk had: sommigen van ons komen hier wél levend uit. Ik was er trots op dat ik het onmogelijke voor elkaar had gekregen.

Maar toen Heather naast me neerplofte, wist ik dat ik te vroeg had gejuicht.

'Leuk feest,' begon ze.

'Mm-mm.' Ik wachtte tot de andere Manolo viel.

'Zeg, hoe zit dat met jou en dat vriendje met wie je hier bent?'

'Will Phillips? Hij is een buurman van de tweeling,' antwoordde ik. 'En hij is niet mijn vriendje.'

'Ik zag jullie dansen.' Ze trok één vakkundig gewelfde wenkbrauw naar me op.

Aha. Daar had je het. De dreun waarmee de naaldhak neerkwam.

'Dat is wishful thinking, Heather.' Ik probeerde veel stoerder te klinken dan ik me voelde. 'Als ik James zou bedriegen, zou jij hem maar al te graag zoenen en het goedmaken.'

Ze glimlachte dunnetjes. 'Geloof me, Megan: ik kan hem zo terugkrijgen, wanneer ik maar wil.'

O mijn god, wat was dit? De brugklas?

'Hij is geen trui die je me even geleend hebt, Heather. Je zegt maar tegen hem wat je wilt. Je gaat je gang maar.' Ik stond op en liep weg. Heather wist in elk geval wat – en wie – ze wilde, en dat kon ik van mezelf bepaald niet zeggen.

Vijfentwintig

Kies het antoniem dat het best past bij het volgende woord:

Uitnodigend

- omarmend
- attent
- vijandig
- onoprecht
- ontwapenend

Op eerste kerstdag belden mijn ouders en Lily me 's ochtends vroeg vanuit Lily's appartement. Mijn zus kon vanwege haar voorstelling niet met kerst in New Hampshire zijn, en dus waren mijn ouders naar haar toe gegaan. Ze waren naar het theater geweest en hadden Lily zien optreden, ze hadden geschaatst bij het Rockefeller Center en gegeten in een restaurant waar je niet eens kon reserveren, maar de grote Lily Langley had vanwege haar stuk van de bedrijfsleider een tafeltje aangeboden gekregen. Nu we het toch over haar hebben: Lily vertelde blij dat Revolution Studios de filmrechten had gekocht en dat Joe Roth in eigen persoon had beloofd dat ze als het script klaar was auditie mocht doen.

Nadat ik iedereen een vrolijk kerstfeest had gewenst, feliciteerde ik haar natuurlijk, maar diep in mijn hart vond ik dat ik eigenlijk de echte actrice van de familie was, met een hoofdrol in de film *De twee gezichten van Megan*. Ze is privélerares – nee, ze is journalist! Het is Megan Smith, een egalitaire intellectueel. Nee, ze is Megan uit Main Line, Philadelphia, een rijkeluisdochter! Ze houdt van haar vriendje James. Nee, ze poeiert hem af om bij een andere jongen te kunnen zijn! Laat de doldwaze verwikkelingen maar beginnen.

Ik nam afscheid, zette koffie voor mezelf en belde Charma toen bij haar ouders. Ze vond het hartstikke leuk dat ik belde en wilde uitgebreid horen hoe het met de tweeling ging. Ze vertelde me het goede nieuws dat ze meteen na 1 januari weer in ons flatje kon. Ja, ze werkte nog steeds voor het jeugdtheater en ja, het was nog steeds aan met Wolfmother. Hij ging haar zelf helpen met verhuizen. Wanneer kwam ik terug? Op 15 januari, zei ik. Was het dan goed dat hij tot zolang bleef? Ik vond het prima, zei ik. Alleen jammer dat ik niet kon helpen verhuizen. Hadden we wel meubels? Ze zei dat ik me geen zorgen hoefde te maken. Haar oma in Levittown ging binnenkort naar een bejaardenwoning en had een huis vol meubilair waar ze vanaf moest. 'Ik weet dat je die futon van Avenue B zult missen,' zei ze, 'maar je zult je moeten aanpassen.'

Toen ik had opgehangen, slaagde ik erin allebei mijn persoonlijkheden en mijn dijen onder de douche te krijgen en daarna trokken we – trok ik – een zwartfluwelen broek van Ralph Lauren aan en een zwarte coltrui van kasjmier. Het was bijna negen uur, en dan werd ik in het hoofdgebouw in de kerstkamer verwacht. Dat bedoel ik letterlijk. Laurel heeft een kamer in haar huis die maar één keer per jaar en alleen voor deze gelegenheid wordt gebruikt. Het was helemaal georganiseerd door Laurels festiviteitensecretaresse, een muisachtig meisje, Jillian, die ik zelden zag en wier taakomschrijving luidde: cadeaus geven, cadeaus in ontvangst nemen en bedankbriefjes schrijven.

Ze had haar roem te danken aan het feit dat ze Laurels hand-
tekening zo goed kon nabootsen dat niemand wist dat madame
Limoges het kaartje niet zelf had geschreven.

De werkzaamheden aan de kerstkamer waren al weken voor
de grote dag zelf begonnen, onder toeziend oog van dé binnen-
huisarchitect uit New York van dit seizoen, Harry Schnaper.
Schnaper had dit jaar voor het thema zilver-met-mauve gekozen – een schrikbarende verandering ten opzichte van het gebruikelijke roze van Laurel, maar hij had zo'n goede naam dat
Laurel hem geheel de vrije hand had gelaten, tot aan een blauw-
spar toe met bovenin een engel met zilverkleurig haar die wel
erg op Laurel zelf leek. Onder die boom kwamen de cadeaus te
liggen, maar alleen als ze in de kleuren van het algehele kleuren-
schema waren ingepakt. De andere belandden in de kast.

Toen ik aankwam, waren Laurel en de tweeling al cadeaus
aan het uitwisselen. Laurel had zich op een dagje thuiswerken
gekleed: een rechte zwarte rok, een witzijden blouse en zwarte
suède pumps. De tweeling hadden een bikinibovenstukje aan
en een geruite korte broek afgezet met kant (Sage) en een roze
katoenen capri (Rose) die in de taille was omgeslagen.

Het was vreemd om kerst te vieren met de airconditioning
aan.

Laurel had de meisjes parels van Tiffany's cadeau gedaan. Ze
waren er zo te zien niet al te blij mee. Ze hadden hun oma een
nieuw salontafelboek over de architectuur van Palm Beach gegeven. Ze bedankte hen beleefd. Er viel geen ziertje oprechte
emotie in het vertrek te bekennen.

Ik had geen flauw idee gehad wat ik voor de tweeling moest
kopen en ik had ook niet echt veel geld te besteden. Daarom
had ik voor Rose een dvd gebrand met mijn lievelingsliedjes, die
ze naar haar iPod kon overzetten. Voor Sage had ik een cadeaubon gekocht waarmee ze kon gaan skydiven – ik had een adver-

tentie op de *Shiny Sheet* gezien en dacht dat ze dat misschien wel leuk vond. De meisjes keken allebei heel verbaasd dat ik überhaupt iets voor hen had. Van Rose kreeg ik tot mijn verbazing hetzelfde als ik haar gegeven had: een dvd met haar favoriete alternatieve bands. Van Sage kreeg ik een bon om een dagje naar het kuuroord van Breakers te gaan.

Toen Laurel. Wat geef je een werkgeefster die alles al heeft? Ik wist dat ik niet veel kon besteden, dus besloot ik iets met inhoud te geven. Op internet had ik een gesigneerde eerste druk gevonden van *Le sang des autres* van Simone de Beauvoir, haar existentiële roman over het Franse verzet. Ik werd beloond met een praktisch ondoorgrondelijk 'Dank je wel. Prachtig'. Laurel was niet de hartelijkste persoon die ik ooit had ontmoet, maar als ik me niet vergiste was ze ontroerd.

Tot zover kerst op Les Anges. Geen kerstliedjes, geen warm familiefeest. De tweeling verdween alras naar het zwembad, maar ik wist hun wel de belofte te ontlokken dat ze om vijf uur op de les zouden verschijnen, hetgeen me een goedkeurende blik van Laurel opleverde.

Ik had tegen James gezegd dat ik om elf uur bij hem thuis zou zijn, maar ik arriveerde een kwartier te laat, aangezien er een ophaalbrug over de snelweg vast had gezeten. Hij wachtte me dit keer niet buiten op, dus moest ik aanbellen. Dat deed ik met enig angst en beven, aangezien ik bang was dat Hare Heatherhoogheid er nog was. Maar ik had geluk. James legde uit dat Heather en haar ouders net naar South Beach waren vertrokken, waar ze bij andere vrienden op bezoek gingen, in de Abbey logeerden en daarna naar de eilanden gingen.

Dat was het beste kerstcadeau dat ik me kon wensen.

De ouders van James zaten in de woonkamer de *New York Times* te lezen. Geheel in overeenstemming met hun *Clockwork Orange*-interieur hadden ze een kunstboom, meer een abstracte boomsculptuur dan een eerbetoon aan deze feestdag. Er hing geen enkele versiering in. Daar ging de hoop op een sliert popcorn.

Op de patio achter het huis gebruikten we de kerstbrunch: gerookte zalm op puntjes toast, paddenstoelen gevuld met krabvlees, komkommer in dillesaus en een verse fruitsalade. Mevrouw Ladeen, die er prat op ging iconoclast te zijn, noemde dit een 'antikerstdiner'. Gelukkig kon ik dit keer 'dank je wel, Marisol' zeggen.

'Zo, Megan,' zei mevrouw Ladeen, terwijl ze plaatsnam aan het hoofd van de terrastafel. 'James heeft ons gisteravond verteld wat de ware reden is dat je bij de Baker-tweeling woont. Waarom heb je ons niet verteld dat je daar bent om een stuk te schrijven? Dat slaat tenminste ergens op!'

Mijn ogen schoten naar James, aan de andere kant van de tafel.

'Ik moest uitleggen waarom je hier bent,' zei hij zacht.

'En we vinden Palm Beach verschrikkelijk. Alles,' viel zijn moeder hem bij. 'Dus we vinden het enig dat je dat stuk schrijft. Echt.'

'Daar sluit ik me bij aan,' voegde meneer Ladeen eraan toe, terwijl hij zichzelf nog een met krab gevulde portobello opschepte.

Ik wilde net opmerken dat ze gisteravond anders wel bij een van dé gebeurtenissen van Het Seizoen aanwezig waren geweest, maar toen hield mevrouw Ladeen haar glas Chardonnay omhoog. 'Marisol, nog een glas? Hoe dan ook, we hebben de tweeling op het feest ontmoet. Had James je dat al verteld?'

Jeetje, daar wist ik niks van.

'Te opvallend gekleed, te laag opgeleid en zo dom als het achtereind van een varken.' Mevrouw Ladeen nam een slokje van haar wijn.

'Ze hebben meer in hun mars dan u zou denken,' zei ik.

'O ja? Wat dan? De inhoud van hun Prada-tas?' Mevrouw Ladeen moest om haar eigen geestigheid lachen.

'Om u de waarheid te zeggen: ze zijn niet dom. Maar er werd altijd van hen verwacht dat ze mooi, rijk en dom waren, dus zijn ze zich daarnaar gaan gedragen.' Dat deed me aan een van mijn favoriete citaten denken: 'Als mensen een situatie als werkelijk goed omschrijven, zullen de gevolgen daarvan werkelijk zijn.'

'W.I. Thomas, *The Unadjusted Girl*, volgens mij uitgegeven door Little, Brown.' Mevrouw Ladeen keek me spottend aan. 'Zelfs toen ik op Yale zat werd hij al overschat. Gebruiken ze die nog steeds?'

James schraapte zijn keel, maar ik ging verder. 'Ja. Ik denk dat hij ook op Duke wordt gebruikt, en daar gaat de tweeling volgend jaar naartoe.'

Tja, wat zal ik zeggen? Ik ben er nooit het type naar geweest om terug te deinzen.

Mevrouw Ladeen moest lachen. 'Kom op, Megan. Dat lesgeven is toch maar een voorwendsel? Ik neem het jou niet kwalijk, hoor. Integendeel, ik bewonder je tactiek. Verduiveld slim van je. En als het je lukt, is het alleen maar goed voor je stuk. Maar je rekent er toch niet echt op, hè?'

James kende me goed genoeg om te weten dat het beter was om nu te vertrekken, dus vroeg hij of ik zin had in een strandwandeling. En geloof het of niet, we hadden echt een heleboel te bepraten, maar ik kon daar niet blijven. Ik moest terug naar Les Anges en naar de meisjes.

Maar toen ik over de snelweg in noordelijke richting naar Palm Beach reed, kon ik wat mevrouw Ladeen over de tweeling gezegd had maar niet uit mijn hoofd zetten. Een maand geleden had ik er vermoedelijk met haar om gelachen. Maar nu had ik het voor hen opgenomen. Ik had zelfs beloofd dat ze op Duke aangenomen zouden worden.

Ja, ik wilde die bonus van vijfenzeventigduizend dollar heel graag. Maar dat was het niet alleen. Langzaam maar zeker was ik echt hun privélerares geworden... en misschien wel meer dan dat.

Zesentwintig

Modellen moeten soms .... maatregelen nemen
om hun figuur voor een modeshow te behouden.

* drastische
* boelimische
* aanvaardbare
* redelijke
* verschrikkelijke

'Even draaien, Megan,' zei Daniel Dennison met zijn zangerige
Australische accent. 'Een beetje naar links, alsjeblieft.'

Ik stond op een houten platform dat niet groter was dan de
zitting van een stoel en schoof mijn voeten wat naar links. Ik
vond het maar vreemd dat een man wiens ruige knappe kop onlangs nog op de cover van *Time Magazine* had gestaan met de
tekst DE REDDER VAN DE MODE? mijn jurk keurde. Nou ja,
eigenlijk was het zíjn jurk – een van de twee die hij voor me had
ontworpen en die ik op de liefdadigheidsmodeshow voor het
oudjaarsgala op Les Anges aan moest.

De modeshow was het klapstuk van de avond. Een verzameling beroemde ontwerpers die toevallig ook bevriend waren met
Laurel – Vera Wang, Donatella Versace, Anna Sui en nog veel
meer – deed maar al te graag mee, en dat gold ook voor beroemde actrices, modellen en Palm Beach-prinsessen. Na de show
zou er een stille veiling van deze jurken – allemaal unieke stuk-

ken – zijn, waarvan de opbrengst ten goede kwam aan de Heavenly Foundation. Over het algemeen leverde de veiling meer dan twee miljoen dollar op.

Het was twee dagen na kerst en ik zat met de tweeling op Grand Bahama Island, in het vakantiehuis van diezelfde Australische couturier Daniel Dennison, vroeger de jongste ontwerper die ooit voor Chanel heeft gewerkt en op dit moment dé lieveling van de modewereld. Laurel had dit jaar haar zinnen op Daniel gezet. Ze was erin geslaagd hem te krijgen, en daarom waren wij nu in zijn atelier ter grootte van een basketbalveld met één glazen wand met uitzicht op het strand om jurken te passen. Er waren zes kleine verhoginkjes waarop jurken op modellen werden gespeld, overal lagen rollen stof, er stond een gigantische kniptafel en één wand hing vol met modeschetsen op een reusachtig prikbord.

De tweeling en ik waren met het vliegtuig van Laurel vanaf het vasteland hiernaartoe gevlogen, een tochtje van nauwelijks twintig minuten. Toen we door de douane kwamen, werden we opgewacht door een van Daniels sloofjes, een overdreven bezorgde jonge vrouw, Nance geheten. Ze reed met ons in Daniels landrover naar zijn 'cottage' – zo noemde ze het echt – om te passen.

Ik moest de meisjes nageven dat ze de hele ochtend aan wiskunde en natuurkunde hadden gewerkt. Die ochtend waren met de post hun rapporten van het eerste semester gearriveerd. Sage had een aantal zesjes en zeven-minnen, wat misschien niet veel lijkt, maar het was een reuzensprong vergeleken met haar vorige semesters. Rose had nog betere cijfers, met allemaal zevens, behalve één zes voor biologie. Oké, dit waren geen cijfers die de deuren van Duke University wagenwijd voor je openzetten, maar ze hadden wel een duidelijke verbetering laten zien. Wat ik al bijna net zo bemoedigend vond was dat er al dagen geen gekibbel, gevit of gekat was geweest, met name van de kant van Sage. Ik had ze precies waar ik ze hebben wilde. Ik hoefde nu alleen nog maar goed te luisteren en aantekeningen te maken voor mijn stuk. Dat aantekeningen maken van mij begon wel steeds meer als verraad te voelen, en dat gevoel probeerde ik te onderdrukken, maar zo nu en dan borrelde het schuldgevoel weer op.

'Hier, Marie.' Daniel instrueerde een jonge vrouw, de mond vol spelden, om hem op zijn wenken te bedienen.

Sage stond rechts van me en Rose links, en allebei werden ze door een andere assistente bij het passen geholpen. Daniel stuiterde tussen ons heen en weer, gaf aanwijzingen en instructies, flikflooide en berispte, en drapeerde de stof soms zelfs opnieuw, totdat hij precies viel zoals hij wilde. De tweeling keek een beetje verveeld. Deze modeshow was gesneden koek voor hen. Zo niet voor mij, want toen mij gevraagd was om mee te doen was mijn eerste reactie vol afgrijzen een bondig 'in godsnaam niet, zeg' geweest.

Ik had al meteen voor me gezien hoe al die maatjes 32 en 34 als gazelles over een catwalk liepen, gevolgd door ondergetekende, koningin op het gebied van 'wel kijken maar niet gezien worden', die met haar maat 38 over het plankier denderde. Van boven dan. Van onder ging ik inmiddels, na de geneugten van Marco's kookkunst, ernstig in de richting van de 40. Er was maar één iemand in mijn familie die de kwaliteiten had om een catwalk te sieren, en dat was ik beslist niet. Op familiefoto's stond Lily altijd vooraan tegen de camera te glimlachen. Ik stond aan de zijkant, met mijn heupen achter een ander familielid of achter een strategisch geplaatst kussen.

Maar hier stond ik dan toch, op een verhoginkje, terwijl een wereldberoemde ontwerper zijn toverkunsten op me losliet.

'Sta stil, Megan,' waarschuwde Daniel, terwijl Marie een speld in de stof net over mijn borsten stak. 'Je wilt vast niet gespiest worden.'

De ragfijne stof die ze op me speldden was wit en de halslijn was zo doorzichtig dat het net leek alsof ik alleen maar een sluier droeg, tot hij bij mijn tepel kwam. Het lijfje was bezet met kraaltjes, wit en zilver, die wegliepen in de rok, die in lange elegante plooien tot op de grond viel.

'Draai je nog eens om,' zei Daniel. 'Naar mij toe. Nu naar voren buigen.' Dat deed ik, maar ik had het gevoel dat ik in een slechte fitnessvideo figureerde. 'Zo blijven staan.'

Hij keek recht in mijn decolleté en trok zijn neus op. Of hij was niet erg onder de indruk, óf hij zat in het kamp van Marco. Waarschijnlijk allebei.

Er gingen nog een paar spelden in. 'Oké, deze is klaar. Rose, zo te zien ben jij ook klaar. Sage, bij jou ga ik persoonlijk even ingrijpen. Het bevalt me helemaal niet zoals die rits zit, en ik weet hoe ik dat moet herstellen. Marie, haal eens een badjas voor Megan en Rose. Op de veranda staat wat te drinken. Sage, één beweging en je krijgt de doodstraf.'

'Maak je maar geen zorgen,' zei Sage tegen hem. 'Rose, Megan, ik kom ook zo buiten. Niet alle champagne opdrinken, hoor!'

Rose en ik trokken onze badjas aan en liepen Daniels veranda op. Zoals Sage al had voorspeld had hij een fles van hun favoriete Taittinger koud gezet. Een statige vrouw van de Bahama's zette een schaal rauwkost en plakjes tropisch fruit voor ons neer.

Ik bedankte haar, nam een slokje champagne en hield mijn gezicht in de zon. 'Heb je Thom gisteravond nog gezien?'

Ze schudde haar hoofd. 'Hij had weer een cateringklus. Ik heb hem sinds het kerstavondbal niet meer gezien, en dat was toch al zo vreemd. Ik heb hem nauwelijks kunnen spreken. Hij was er, ik was er, maar toch konden we niet bij elkaar zijn. Wat een tragiek!'

Dit was een beetje té veel *Romeo en Julia*, zelfs voor mij, terwijl ik toch verzot ben op tragische liefdesgeschiedenissen. 'Waarom eigenlijk niet? Hij had het vast leuk gevonden om je te spreken.'

'Al mijn vrienden waren er,' wierp Rose tegen. 'Zo eenvoudig ligt dat niet.'

Ik dronk nog wat champagne en zag hoe de zon op haar haar glinsterde, in haar glanzende ogen, op haar gebeeldhouwde jukbeenderen en het kuiltje in haar fraaie kin. Ze fonkelde van schoonheid. 'Wat is het ergste wat er kan gebeuren als Thom en jij er gewoon voor uitkomen dat jullie iets met elkaar hebben?' vroeg ik. 'Je hoeft het niet eens te zeggen. Je hoeft je er alleen maar naar te gedragen.'

'Dat meen je niet.'

'Ga er nou eens van uit dat ik het wel meen,' zei ik droogjes.

Haar ogen schoten naar Daniels atelier, alsof ze zeker wilde weten dat Sage niet de veranda op kwam. 'Nou, om te beginnen zou Sage het meteen de nek omdraaien.'

'Kom op nou, Rose. Wat zou ze dan kunnen doen? Ze zal een tijdje tegen je tekeergaan. Wat dan nog?'

Ze dronk haar glas champagne leeg en zette het glas op een bijzettafeltje. Toen keek ze zwijgend uit over zee. Ik moest denken aan de eerste keer dat we op Les Anges met elkaar gesproken hadden, na het bezoek van Zenith en het mislukte plan van Sage om financieel onafhankelijk te worden. We zaten een tijdje zwijgend bij elkaar. De kabbelende golven onder ons waren het enige geluid. Toen begon ze zo zachtjes te praten dat ik haar nauwelijks verstond, terwijl ze nog steeds voor zich uit staarde.

'Ik herinner me de vlucht van Boston naar Palm Beach, nadat onze ouders waren overleden. We zaten in het oude vliegtuig van oma. De stewardess bracht ons een ijscoupe, alsof we ons daardoor beter zouden voelen. Ik weet nog dat ik toekeek terwijl het ijs smolt.'

Ze sloeg haar armen om haar ranke bovenlichaam. 'Ik weet nog dat ik dacht dat ik eigenlijk iets moest voelen, maar ik voelde helemaal niets. Ik was niet bang. Niet verdrietig. Gewoon... niets. Toen startte de piloot de motoren en plotseling was het allemaal echt. En toen... toen legde Sage haar hand in de mijne en zei: "Zolang we elkaar maar hebben zijn we geen weeskinderen."'

Rose draaide zich om en keek me aan. Haar ogen stonden glazig van de niet-geplengde tranen.

Wauw. Het enige wat ik kon denken was: wie was ik om haar hierover de les te lezen? Zo'n drama had ik nog nooit meegemaakt. Mijn zus was niet de enige die ik op de wereld had. Ik pakte haar hand en kneep erin. 'Ik geloof dat ik het wel begrijp, Rose.'

'Jeetje. Worden we intiem?' Sage stond achter ons, met haar handen in haar zij. Haar toon was zonder meer vals.

Rose trok snel haar hand terug, alsof we betrapt waren op overspel. 'Ben je klaar met Daniel?' vroeg ze aan haar zus.

'Nee, ik ben naar buiten gekomen om jullie zevendehemelmoment mee te maken.' Sage trok haar riem strak en nam een forse slok champagne, zo uit de fles. 'Nou, wat is er dan zo ontroerend?'

Rose wierp me een waarschuwende blik toe. Ze had me blijkbaar niet zoveel over haar zus mogen vertellen.

'Iets persoonlijks,' zei ik.

'Ooo. Zijn we een beetje aangebrand?' Op Sage' gezicht stond alleen maar minachting te lezen. Waar was het meisje dat voor het kerstbal zo aardig tegen me was geweest? Toen draaide

Sage zich om naar haar zus. 'Je denkt toch niet echt dat het haar allemaal iets interesseert, hè?'

'Nou, eigenlijk wel, ja,' zei Rose, terwijl ze haar bruine besproete schouders rechtte.

'Wat ben je toch dom, Rose,' zei Sage op medelijdende toon tegen haar zus. 'Ze is alleen maar in het geld geïnteresseerd dat oma haar heeft beloofd als wij op Duke worden aangenomen.'

Rose keek niet-begrijpend. 'Waar heb je het over? Megan is rijk, hoor.'

'Ze heeft me verteld dat haar moeder haar toelage heeft gestopt omdat ze enorm over de schreef is gegaan, en ze krijgt haar trust pas als ze een jaar of dertig is.'

Dat was helemaal niet waar, dat had ik niet tegen Sage gezegd. Maar ik had ook niets gedaan om haar van die gedachte af te brengen toen ze 'het eenmaal doorhad'.

Rose stapte moeiteloos over deze onthulling heen – godzijdank – en trok zich niet terug. 'Nou, dat zijn haar zaken, niet de onze. Als jij dit verkloot, zijn wíj hier degenen die geld nodig hebben.'

Sage stond zo abrupt op dat ze haar stoel bijna omvergooide. 'Zal ik jou eens wat vertellen, Rose? Je hebt gelijk. Als ik dit verkloot, kun jij dat examen nog zo goed maken, maar dan krijg je toch geen geld. Dus mijn advies luidt: je kunt beter met mij aanpappen dan met haar. Want op dit moment kun je mijn rug op.'

Ze liep met twee treden tegelijk de trap naar het strand af en rende toen weg.

Ik draaide me om naar Rose. Ze zag er doodongelukkig uit.

'Rustig maar, liefje,' zei ik, en ik gaf een klopje op haar hand. 'Ze draait gewoon door van die geldkwestie.' Ik boog me naar voren, pakte de schaal met fruit en hield haar die voor. 'Je moet wat eten...'

'Je begrijpt het niet, Megan.' Rose stond op. 'Zij is de enige die ik heb.'

En toen keek ik hoe ze de trap af rende en het strand op ging, haar zus achterna.

Zevenentwintig

De dramatische ondergang van twee liefdesrelaties op
één dag

- vindt alleen plaats in een film
- vindt alleen plaats in Palm Beach
- vindt alleen plaats bij klootzakken
- vindt alleen plaats bij ernstige misverstanden
- overleef je alleen met alcohol

Sage, die zich tijdens de passessie tegen haar zus keerde, had
voer voor mijn redactionele saga over alles en nog wat in Palm
Beach moeten zijn. Ik had aan mijn computer moeten zitten en
mijn verrukkelijke herinneringen er woord voor woord in moeten rammen. Ik had me gemotiveerd moeten voelen. Maar ik
was alleen maar verdrietig. Niet alleen over Sage, maar ook over
mezelf.

Wie was ik in 's hemelsnaam geworden als ik bereid was om
van de ellende van twee meisjes te profiteren die nog steeds ge-
bukt gingen onder de dood van hun ouders? Hoe kon het dat ik
omwille van mijn verhaal uit eigenbelang tegen zo veel mensen
gelogen had? Sage had tenminste nog een excuus: haar emotionele groei was gestopt op het moment dat dat vliegtuig in zee
was gestort. Maar ik had een volstrekt normale opvoeding gehad – afgezien van mijn door composthopen geobsedeerde
ouders – en ik zou volwassen moeten zijn. Wat was mijn excuus

dan? Zeker als je bedacht dat ik soms het gevoel had dat mijn rol ten aanzien van hen nog het meest in de buurt kwam van die van een adoptiefmoeder.

Die gedachte speelde door mijn hoofd toen ik die avond ging slapen, en toen James de volgende ochtend belde dacht ik dat nog steeds. Er was een of andere crisis bij *East Coast*. Hij moest die middag terug naar New York. Konden we nog even samen iets drinken voordat hij naar het vliegveld ging?

We troffen elkaar op het terras voor Le Palais d'Or – het gouden paleis – aan Worth Avenue, een restaurant met veel verguldsel. Ik had kleren aan waarin ik nog kon ademen ook: een grijze krijtstreepbroek van Chloë en een zwart vestje over een zachtgrijs T-shirt van Imitation of Christ. Ook uit de koffer van Marco. Hij was een travestiet met smaak. Echt een fantastische vent, een geweldige vriend. En ook iemand die ik in mijn verhaal kon gebruiken.

James was er al. Hij stond op om me te omhelzen, maar het voelde ongemakkelijk aan. Ik ging tegenover hem zitten. Hij bestelde een bloody Mary voor ons, en pakte toen over de tafel heen mijn handen vast.

'Wat is het voor crisis?' vroeg ik.

Hij ging achteruitzitten en haalde een hand door zijn haar. 'Vertel mij eens waarom iedereen denkt dat hij een verhaal kan schrijven. We hebben weer een verhaal van een songwriter gekregen. Slechter kan het niet. Hopeloos. Dus nu moet ik een ándere songwriter zien te vinden die volgende week een verhaal inlevert.'

'Jimmy Buffet kan wel schrijven,' opperde ik.

'Het moet iemand zijn die frisser en jonger is dan Jezus.' Hij zuchtte.

De serveerster, de bekende blonde Palm Beach-lolly met perfecte highlights in haar haar, zette onze drankjes en een mandje vers brood op tafel. James nam een slok. Ik ook, gewoon om iets te doen te hebben.

'Nou, hoe vind je dat het gaat?' vroeg hij op een gegeven moment.

Hoezo? Merkte hij ook dat het niet helemaal lekker liep?

'Met je artikel,' drong hij aan. 'Je zult toch onderhand wel heel wat materiaal hebben. Je moet waarschijnlijk maar eens gaan bedenken in wat voor vorm je het wilt gieten en er alvast een versie uit knallen. De rest van het materiaal kun je er wel in zetten als je thuiskomt en dan...'

'Nee,' zei ik abrupt.

Hij glimlachte. 'Wil je een beetje improviseren? Gevaarlijk leven. Je weet dat je er op de lange duur meer aan hebt als je een opzet maakt en...'

'Dat bedoel ik niet, James. Ik bedoel: nee, ik ga dat stuk niet schrijven.' Verdomd, ik draaide me bijna om om te kijken wie dat gezegd had. Maar toen de woorden mijn mond uit waren, wist ik dat dat het enige juiste was.

Hij begon snuivend te lachen. 'Nee. Kom op, Megan, even serieus...'

'Ik ben serieus.'

'Tja.' Hij vouwde zijn handen en legde ze op tafel. 'Mag ik je iets vragen?'

'Tuurlijk.' Ik boog me naar voren.

'Ben je niet goed wijs geworden?'

'Ik ben gesteld op ze,' zei ik tam. 'Op de tweeling, bedoel ik.'

'Je bent gesteld op ze.' Hij keek me aan alsof er zojuist een derde oog op mijn wang was verschenen. 'Je gaat niet over ze schrijven omdat je op ze gesteld bent?'

'Iets in die geest, ja.'

Hij schudde zijn hoofd, sloeg zijn armen over elkaar en keek me aan alsof ik een vreemde was. 'Jezus, Megan, je bent journalist. Althans, dat dácht ik.'

'Ik bén ook journalist,' verdedigde ik mezelf. 'Je zou mijn aantekeningen eens moeten zien. Je zou eens moeten weten wat ik allemaal heb moeten doorstaan om te krijgen wat ik nu heb. Toen ik hier net was en ik de kok over de tweeling probeerde uit te horen, zei hij – ongelogen, letterlijk: 'Ze zijn beschadigd.'

'Goed materiaal,' moest James toegeven.

'Nee! Snap je het dan niet? Hoe kan ik nou profiteren van twee pubers die hun ouders hebben verloren en daar nooit overheen zijn gekomen? Wat voor mens ben ik dan?'

De serveerster kwam terug en vroeg of we nog iets wilden. Ik wuifde haar weg en James legde zijn hoofd in zijn handen.

'Als jouw geniale inzicht nu luidt dat de Baker-tweeling beschadigd is door de dood van hun ouders – wat nou niet bepaald een wereldschokkende mededeling is – dan moet je een manier zoeken om dat op te schrijven en interessant te maken. Maar je gaat nu niet de grootste kans van je leven verknallen omdat je medelijden met die arme rijke meisjes hebt.'

Ik keek hem recht aan, echt recht in zijn ogen. 'Ik weet precies wat hier gaande is.'

'Ik ben benieuwd.'

'Moet je jezelf nu eens zien.' Hij wees naar me.

Ik keek omlaag en toen weer naar hem.

'Dat haar, die make-up, je kleren,' somde hij op. 'Megan, je bent hun kloon geworden.'

'Doe niet zo bespottelijk.'

'Nee, als je er goed over nadenkt is het volkomen logisch,' zei hij zelfverzekerd. 'Het is het Stockholm-syndroom, waarbij een gijzelaar zich met zijn gijzelnemers identificeert. In jouw geval is het het Palm Beach-syndroom, waarbij de schrijver zich met haar onderwerpen identificeert.'

'Alleen maar omdat ik er anders uitzie...'

'Je bent veranderd.' James greep de tafelrand beet en boog

zich met een felle blik naar voren. 'Het meisje dat ik kende was een échte schrijver. Designeronzin interesseerde haar geen bal. En ze zou zich nooit ofte nimmer door haar gevoelens in de weg hebben laten zitten als ze met een stuk bezig was.'

'Dat doe ik ook niet, ik...'

De zin zou nooit afgemaakt worden, want op dat moment zag ik Will aan de overkant van Worth Avenue lopen.

Ik heb de kracht van het gebed niet zo hoog zitten, maar ik bad dat hij ons niet zou zien.

Maar toen bleef Will staan en zag ik dat hij zijn ogen af-schermde om naar de overkant te kijken. Toen schermde James zíjn ogen af om te zien naar wie ik keek.

Het duurde niet lang, voor geen van beiden. Will liep meteen verder, met een stram en bozig lichaam, en James draaide zich weer naar mij om. 'Neuk je met hem?' beet hij me toe.

Telt in gedachten ook?

'Nee.' Dat was de waarheid. Ik had hem zelfs nog nooit ge-zoend.

'Jezus.'

'Er is niks gebeurd, James,' hield ik vol. 'Helemaal niets.'

Hij stond op. 'Je kunt maar beter orde op zaken stellen, Me-gan. Je gaat binnenkort naar huis. Dan is deze droom achter de rug. En dan? Denk je dat de uitgeefwereld van New York steil achterover zal vallen van dat "privélerares" op je cv?'

We wisten allebei wat daar het antwoord op was.

Ik pakte zijn hand. 'Ik weet dat je boos bent. En misschien ben ik ook wel niet goed wijs. Maar...'

'Je blijft er toch bij,' maakte hij mijn zin voor me af.

'Ja, ik denk van wel.'

'Zal ik jou eens wat zeggen, Megan? Volgens mij heb jij hier niet al te veel nagedacht. Over werk. Over ons.' Hij smeet een paar biljetten op tafel. 'Misschien moeten we maar even adempauze nemen tot je weer in New York bent. Het is nogal vreemd om een gijzelaar als vriendin te hebben.'

Ik wilde mijn excuses maken, zeggen dat hij gelijk had, dat ik verkeerd zat en dat ik natuurlijk mijn stuk zou schrijven. Maar ik kon het niet. En ik deed het niet.

Ik keek alleen maar toe hoe James in zijn Volvo stapte en wegreed.

Een paar minuten lang keek ik naar de plek waar James' auto net nog had gestaan en ik wilde ontzettend graag dat ik met iemand kon praten. Een echte vriend of vriendin. Toen kwamen mijn voeten in beweging en gingen in de richting van de Phillips-galerie, bijna zonder dat ik er erg in had.

Binnen stond Giselle met een jonge vrouw te praten met een minuscuul oranje geruit rokje aan en een man die twee keer zo oud was als zij en wiens haartransplantaties nog niet helemaal gepakt hadden.

'Hallo, Megan,' begroette Giselle me nadat het slecht bij elkaar passende stel vertrokken was. 'Will is achter. Klop maar aan.'

Dat deed ik. Zonder ook maar te vragen wie het was riep hij: 'Binnen.'

'Hallo.'

Zijn kantoor was klein en had geen ramen, en overal lagen open kunstboeken. Ik keek even naar het Excel-document op zijn computer. Dat zei me niks. Uit de snelle blik die hij mijn kant op wierp alvorens zijn aandacht weer op zijn werk te richten maakte ik op dat ik hem ook niets zei.

'Hallo,' zei ik nog maar eens. 'Kunnen we even praten?'

Hij keek me koeltjes aan. 'Ik heb het nogal druk.'

'Jij bent in deze stad de enige die ik een vriend zou kunnen noemen,' zei ik, en dat meende ik. 'Dus als je alsjeblieft vijf minuten...'

Hij deed zijn laptop dicht en gebaarde naar een klapstoel. Toen sloeg hij zijn armen over elkaar. 'Nou?'

'Nou... ik heb je daarnet gezien,' bekende ik. 'Ik bedoel, ik weet dat jij mij daarnet gezien hebt.'

'Met de jongen die je vaag van Yale kende. Ontluikende vriendschap?'

'Het... ligt nogal ingewikkeld.' Eigenlijk wilde ik gewoon alles uitleggen, maar hoe moest ik dat doen? Hij zou me verachten. De tweeling zou me verachten. Iedereen zou me verachten. Dan zou ik het echt helemaal verkloot hebben.

Hij fronste zijn wenkbrauwen en schudde zijn hoofd. 'Wat is er toch met je, Megan? Dat zou ik wel eens willen weten. Elke keer dat ik denk dat ik de echte Megan leer kennen...'

'En jijzelf dan?' beet ik terug, want, oké, ik voelde me defensief en ik was behoorlijk bont en blauw geslagen. 'Het ene moment ben je de playboy van de westkust, het volgende moment de gevoelige kunstkenner.'

Er trilde een spiertje in zijn wang. Ik had een gevoelige snaar geraakt.

'Klaar?' vroeg hij.

'Ik wil helemaal geen ruzie met je, Will.' Ik hoorde de ergernis in mijn stem. 'Er valt helemaal nergens ruzie over te maken.'

'Je hebt gelijk. Er valt nergens ruzie over te maken.' Hij stond op en deed in één vloeiende beweging zijn deur open. 'Tot kijk, Megan.'

Achtentwintig

Beroemdheden op een galafeest vullen de ruimte; er passen er 0,6 op één vierkante meter. Hoeveel beroemde mannen en vrouwen zijn er aanwezig op een feest in een landhuis van 12 000 vierkante meter?

- 600
- 900
- 1500
- 2400

Jij weet het, ik weet het, je hoeft niet aan Yale gestudeerd te hebben om het te weten: de beroemdste regel van Scott Fitzgerald uit *The Great Gatsby* luidt: 'Rijke mensen zijn heel anders dan jij en ik.'

Ernest Hemingway zou daarop geantwoord hebben: 'Ja. Ze hebben meer geld.'

Toe nou, zeg. Dit had hij moeten zeggen: 'Ja. Ze geven grotere en leukere feesten.'

Ik dacht dat ik op het Rood-witte Galabal en het kerstbal in het Norton Museum al gezien had wat extravagantie was. Maar vergeleken met wat zich in Les Anges zou voordoen was dat allemaal ezeltje-prik. Ik ontdekte in rap tempo dat niemand Laurel Limoges naar de kroon kan steken.

De aankomst van agenten van de geheime dienst op het landgoed, twee dagen van tevoren, die een commandopost en een beveiligingsgrens kwamen instellen, had een aanwijzing moeten zijn. Ik zat met Marco te lunchen, die net met Keith terug was uit New Jersey. Hij had wittetruffelrisotto voor ons gemaakt – de verrukkelijkheid noch het caloriegehalte zijn in woorden te vatten – en ik zei voor de grap: 'Wie komt er dan, de president?'

'De voormalige, lieveling.' Hij schonk me nog eens mij. 'Twee stuks.'

Hij vertelde me ook dat de topmannen van diverse bedrijven die in de *Fortune 100* staan, een handjevol staatshoofden en een duizelingwekkend scala aan film-, mode- en sportsterren zouden komen. 'Nou, ben je klaar voor je debuutoptreden?'

'Voor mijn wat?'

'Hij bedoelt de modeshow,' legde Keith uit. 'Elke mooie vrouw moet minstens één keer in haar leven in een waanzinnige modeshow gelopen hebben.'

Ik zag plotseling voor me hoe de risotto in bobbelige lagen op mijn heupen bleef zitten. 'Ik ben veel dikker dan de andere modellen.'

'Dat past in de trend, liefje,' stelde Keith me gerust. 'Een paar jaar geleden had je de heroïnelook, weet je nog?' Hij huiverde. 'Moeders uit Palm Beach die er als uitgewrongen pubers uit probeerden te zien. Het was net een griezelshow.'

Marco klonk met zijn wijnglas tegen het mijne. 'Proost, schat. Je bent een beeld van een vrouw, niks meer aan doen.'

'Maar... ik heb geen idee hoe dat moet, een show lopen,' protesteerde ik.

'Schouders naar achteren, lange hals, hoofd hoog,' instrueerde Keith me.

'En schrijden natuurlijk,' voegde Marco eraan toe. 'Maar dat kan iedereen.'

Ik trok wit weg. 'Ik... ik weet niet hoe dat moet, schrijden.'

'*America's Next Top Model?*' vroeg Marco. 'Ik ken wel een stuk of tien travo's die tig keer beter over een catwalk lopen dan die meiden.' Hij stond op, zette een hand in zijn zij en deed een vlekkeloos catwalkloopje. 'Het gaat om de rechte lijn, liefje,' legde hij uit terwijl hij naar de andere kant van de keuken liep, waar hij zich naar ons omdraaide. 'Alsof je over een strak gespannen koord loopt. Zo.' Hij draaide weer terug. Hij maakte een zwierig gebaar, waarmee hij bedoelde dat ik het ook eens moest proberen.

Ik waagde een poging. Ik voelde me bespottelijk. Ik verloor mijn evenwicht. 'O, erg aantrekkelijk,' mopperde ik.

'Nou, om te beginnen mag je niet naar je voeten kijken. Hoofd omhoog. Schouders naar achteren. De wereld ligt aan je voeten! Probeer nog maar eens.'

Hoofd omhoog. Schouders naar achteren. De wereld ligt aan mijn voeten. Ik loop weer de keuken door. Hooguit een geringe verbetering.

'Het meest sexy deel van je lichaam is dit,' zei hij, en hij wees naar zijn hoofd. 'Als je dat onthoudt, volgt de rest vanzelf.'

Terwijl in de dagen daarna de voorbereidingen in volle gang waren oefende ik in mijn kamer mijn modellenloopje. Ik voelde me elke keer weer net een onbeholpen ezel.

De tweede aanwijzing dat Laurel Limoges niet naar de kroon te steken was, was het niet-geringe leger aan werkmensen dat in de dagen voor het feest op het landgoed arriveerde. Her en der werden tenten opgezet. Een voor de catering, een als kleedruimte voor de modeshow, een met airconditioning en klamboes, voor het geval het een warme, vochtige avond zou zijn, en een waar de veiling voor het goede doel gehouden zou worden.

Toen hij net stond, wandelde ik door de veilingtent. Het scala aan spullen was genoeg om een warenhuis mee te vullen. Er waren dozen wijn bij, bontjassen, cruisetochten, prachtige diamanten oorbellen van Tiffany's, een figurantenrolletje in *Grey's Anatomy*... en dat was nog maar één gangpad. Voor de veiling van de jurken die we tijdens de modeshow zouden dragen stonden paspoppen klaar met de foto van de jurk op posterformaat er ingelijst tegenaan gezet. Het openingsbod voor elke jurk bedroeg vijfduizend dollar.

Met alles was rekening gehouden. In zee waren tijdelijke aanlegplaatsen afgezonken, zodat de gasten per boot konden komen. Om het verkeer binnen de perken te houden was er aan de crème de la crème van de jetset van Palm Beach een beperkt aantal parkeervergunningen uitgegeven, én aan de grootste aandeelhouder van een bedrijf dat Laurel wilde overnemen. Voor de rest reden er limousines van Breakers, Mar-a-Lago, Bath & Tennis, het Colony Hotel en het Ritz-Carlton heen en weer. Er was een helipad en er stond een helikopter paraat, voor het geval al het blote vel rond het zwembad van de tweeling een hoogbejaarde inwoner van Palm Beach een beetje te veel werd.

En de derde aanwijzing dat het oudjaarsfeest van Laurel dé gebeurtenis van Het Seizoen was, zag ik met eigen ogen.

Ik ging om kwart over negen naar beneden en toen was het feest al in volle gang. Het wemelde van de mooie en beroemde en mooie en niet zo beroemde feestgangers. Ik baande me een weg over de paden die vol stonden met feestende mensen en ik keek of ik Will zag. We hadden elkaar sinds de galerie niet meer gesproken. Misschien kwam hij niet eens. Ik ging wel opzij voor iemand voor wie ik als aan de grond genageld bleef staan – de man die ik als dé president beschouwde, passeerde me met zijn dochter, voorafgegaan en gevolgd door twee agenten van de geheime dienst.

En dan durven ze nog te beweren dat er geen Democraten naar Palm Beach gaan.

In de modetent was het al aardig vol, hoewel het nog drie

kwartier duurde voor de modellen hun haar en make-up hadden laten doen. *Scoop* had uitgebreid over de modewereld van New York bericht, dus niet alles kwam me even onbekend voor. Je kwam via een trapje op het plankier, en de ingang was afgeschermd met rozefluwelen gordijnen. Links daarvan stonden de rekken met jurken, bewaakt door een mollige vrouw in beveiligingsuniform. Er waren in totaal zestien modellen – de tweeling en ik zaten in groep 3. Ik zag Faith Hill, die haar valse wimpers liet vastlijmen, Kate Bosworth onder de droogkap en Julie Delphy die zachtjes Frans praatte in haar mobiele telefoon.

En met hen samen moest ik een modeshow lopen. Ik. Megan Smith. O, god.

Ik liep naar het kledingrek, glimlachte naar de beveiligingsmedewerkster – ze glimlachte niet terug – en zocht mijn jurken. Ze waren groter dan de andere; dat zag ik zelfs nu ze nog aan hun rozefluwelen hangertjes hingen.

Was ik niet goed bij mijn hoofd? Waarom had ik de risotto van Marco gegeten? En als de jurken nu eens niet meer pasten? Ik pakte het hangertje uit het rek en hield de eerste van de twee jurken tegen me aan, alsof ik door er alleen maar naar te kijken op de een of andere manier kon zien of ik de rits dicht zou kunnen krijgen.

'Als dat jouw jurk is, wat zul je er dan prachtig uitzien!'

Toen ik die stem hoorde, draaide ik me als door een wesp gestoken om. Ik kende die...

Lily. Ze had een antracietgrijze zijden lange strakke jurk aan met blote schouders, en haar haar zat in een eenvoudige, elegante staart. 'Anna Sui.' Ze draaide voor me rond. 'Om je vingers bij af te likken, toch?'

Ik vloog haar in de armen. Wat heerlijk dat ze er was! 'O mijn god, waarom heb je niet verteld dat je kwam?'

'Een van de modellen heeft vanochtend griep gekregen en ze

moesten iemand hebben die precies haar maten had. En dat was ik! Ik wilde je verrassen.' Toen ze zich uit mijn omhelzing had losgemaakt, bekeek ze me eens goed. 'Jezus, Megan. Je bent beeldschoon.'

Ik voelde mijn gezicht warm worden, maar nu eens van blijdschap. 'Echt waar?'

'Je haar, je gezicht, die jurk... prachtig.'

'Ik heb wat dingen veranderd,' gaf ik toe. 'En... ik vind het wel leuk, geloof ik.'

Ze grijnsde en pakte mijn hand. 'Ik ook. Kom, ik wil mijn kleine zusje aan mijn vrienden voorstellen...'

Ik bleef staan. 'Wacht even.'

'Wat is er? Je moet Drew leren kennen; dat is zo'n dolle meid, en...'

'Lily,' fluisterde ik, en eindelijk drong tot me door wat de komst van mijn zus in Palm Beach betekende. 'Luister naar me.'

'Wat is er dan?'

Ik zette een fluisterstem op. 'De meisjes die ik lesgeef weten niet dat jij mijn zus bent.'

'Waarom niet? Wat raar.'

Precies. Ik mocht dan niet echt gelogen hebben over wie ik was en waar ik vandaan kwam, maar ik had elke verkeerde indruk wel in mijn voordeel gebruikt. Bovendien kon ik me niet herinneren of ik überhaupt gezegd had dat ik een zus had. Ik had geen tijd om alles aan Lily uit te leggen, laat staan dat ik van haar kon verwachten dat ze het spel meespeelde. Mensen kennen Lily. Daarom was ze hier ook. Als ik zei dat ze mijn zus was, was het spel uit.

Ik probeerde het zo uit te leggen dat ze geen hekel aan me zou krijgen. Een en al eigenbelang. Maar ik zat er te diep in om er nu nog uit te komen.

'De tweeling heeft als zussen al zo veel met elkaar te stellen dat ik het niet nog ingewikkelder wilde maken,' legde ik uit.

Lily wreef over haar kin, maar knikte uiteindelijk toch. 'O, Megan, ik geloof dat ik het begrijp.'

'Niet helemaal. Ze denken dat ik uit een rijke familie kom.' Oké, die was eruit. Ik was er niet aan gewend om tegen mijn zus te liegen. Gelukkig niet.

Ik wil graag van de gelegenheid gebruikmaken om nog een keer te zeggen dat mijn zus heel aardig is, altijd geweest ook. Zij het een ietsiepietsie uit de hoogte.

Ik wist een knikje te produceren.

'Oké, geen punt, dan ben ik de hele avond Lily Langley. Hoe kennen we elkaar dan?'

Op dat moment zag ik Sage en Suzanne de tent binnenkomen.

O nee. Ik kon niet eens meer nadenken.

Lily moet het afgrijzen van mijn gezicht afgelezen hebben, want ze boog zich naar me toe en pakte mijn arm. 'We hebben allebei een zomercursus Frans gedaan op dezelfde meisjesschool. In Zwitserland.'

'Wát?' Ik keek haar met grote ogen aan.

'Hé, Megan!' riep Suzanne, en toen liep ze recht op mijn zus af. 'Jij bent toch Lily Langley? Ik was met Thanksgiving in New York met mijn ouders, en toen zijn we naar je toneelstuk geweest. Ik vond je echt fantastisch.'

'Dank je wel,' zei Lily. 'Voor welke ontwerper loop jij vanavond?'

'Voor Versace. In haar jurken komen mijn kwaliteiten het best uit. Ik heb al tienduizend dollar voor mijn eerste jurk geboden, zodat niemand anders hem voor mijn neus kan wegkapen.'

Sage tikte met een vinger tegen haar pruilende onderlip en keek van mij naar Lily en weer terug. 'Jeetje, zal ik je eens wat raars vertellen? Jullie lijken op elkaar. En je hebt dezelfde naam als haar zus.'

Ik lachte een beetje te vrolijk. Ik had het dus blijkbaar toch over een zus gehad met de naam...

'O, maar ik ken die Lily ook. Megan heeft het jullie waarschijnlijk al verteld, maar...' Lily boog zich vertrouwelijk naar voren. 'Dat is zo'n loser.'

Negenentwintig

Kies het woord dat het best aansluit bij het
volgende woord:

Roze

- chartreuse
- tepels met rouge erop
- blos
- fuchsia

Ik voelde mijn handen niet. Mijn voeten ook niet. Ofwel ik had
net een verschrikkelijke aandoening aan mijn bloedsomloop
gekregen, ofwel ik was zo zenuwachtig over de catwalk dat er gewoonweg geen bloed meer naar mijn handen en voeten stroomde.

Ik stond backstage tussen de Baker-tweeling in, waar een
aantal grote beeldschermen was neergezet, zodat de modellen
en de assistenten konden volgen wat er aan de andere kant van
het gordijn gebeurde. Op dit moment werd de onderste laag
plastic van de tijdelijke catwalk verwijderd.

Rondom het T-vormige plankier stonden maar twee rijen
stoelen, voor de gasten die op grond van hun leeftijd of status
voor een zitplaats in aanmerking kwamen. Verder stond iedereen – filmsterren naast sportmensen, entertainers en trustfund-
jeugd. Voor Laurel was één speciale stoel gereserveerd – groot,

koninklijk en roze – en toen ze plaatsnam, applaudisseerde het publiek. Ze had een witsatijnen blouse aan met een lage revers-kraag en een lange zwarte rok van chiffon. Ik bekeek haar op het beeldscherm, haar schouders naar achteren en haar hoofd hoog, dé koningin, en ik vroeg me af of ze nog wel eens aan het arme meisje uit Parijs dacht dat ze ooit geweest was.

Toen gingen opeens alle lichten uit die overal op het terrein waren geïnstalleerd en floepte de spotlight op het podium aan. Uit grote speakers aan weerskanten van het podium kwam he-melse instrumentale muziek. Twee assistenten deden de roze-fluwelen gordijnen open, en daar stond het eerste model. Toen het publiek zag wie het was, joelde en applaudisseerde het. Kate Bosworth liep de catwalk op.

'Onze eerste jurk wordt getoond door de actrice Kate Bos-worth. Hij is ontworpen door Vera Wang,' zei een ladyspeaker. 'De doorzichtige zijden chiffon heeft horizontale plooitjes over het lijfje en de rok, en op de schoudernaden zit een ruche van ruwe chiffon.'

Kate bleef voor aan de T staan, met één hand in haar zij, en draaide toen rond en schreed terug, alsof ze haar hele leven niet anders had gedaan.

Het verdoofde gevoel trok nu door naar mijn polsen en en-kels. Dit was bespottelijk! Ik was schrijver, toeschouwer, godnog-aantoe! Wat had ik in zo'n achterlijke modeshow te zoeken? En als er iemand toegeschouwd werd, dan was het wel een model.

'Onze volgende jurk is ontworpen door Ralph Lauren en hij wordt getoond door de nieuwe lieveling van de toneelwereld in New York, Lily Langley.'

Mijn zus kwam meteen toen het gordijn openging naar voren en het publiek applaudisseerde nog harder dan het voor Kate had gedaan; blijkbaar wilde men bewijzen dat men tot de incrowd van New York behoorden. Lily zweefde sierlijk de cat-walk over. Eitje.

De namen werden een voor een afgeroepen en een voor een paradeerden de modellen over de catwalk. Zodra ze eraf kwamen, werden ze meteen door een horde assistenten in hun volgende jurk geholpen. De showmanager zwaaide met drie vingers boven haar hoofd, en dat betekende dat alle modellen van groep 3 klaar moesten gaan staan. Daartoe behoorden de tweeling, Suzanne de Grouchy, Precious en ik.

Ik moest plassen, echt heel nodig.

'Dan nu de mooie jonge vrouwen van Palm Beach...' Rose kwam naast me staan. 'Megan?'

'Ja?'

Ze stopte me zo discreet mogelijk iets in mijn rechterhand. Ik keek omlaag... en voelde de bekende blos vanuit mijn hals naar mijn kaak omhoogkruipen. Ze had me een onderbroekje gegeven. Het was een functioneel, vleeskleurig geval – heel anders dan de roze doorzichtige La Perla die ik aanhad.

'Die jurk is nogal doorzichtig. Sage en ik denken dat je er verstandig aan doet als je deze aantrekt. Als je tenminste geen aandacht op je...'

Ik begreep het. Ik wilde absoluut geen aandacht naar dat ongecoiffeerde lichaamsdeel trekken. Ik trok het broekje in recordtempo aan en bedankte haar in alle toonaarden.

De roze gordijnen gingen uiteen. Sage liep naar voren; ze was duidelijk in haar element. Toen ze het gordijn eenmaal achter zich had gelaten, stak ze een heup naar voren en bracht een hand boven haar hoofd alsof ze wilde zeggen: 'Hallo, wereld! Hier ben ik!'

'De prachtige Sage Baker draagt hier een door Daniel Dennison ontworpen jurk van Chanel. De jurk van Sage is een doorzichtig citroenkleurig stippeltje met daaronder een groenblauwe zijde, die onder de buste gerimpeld is. De zoom en het lijfje zijn niet afgewerkt.'

Sage kreeg een daverend applaus toen ze het plankier af liep. Daarna was Rose aan de beurt. Daarna Suzanne en dan was ik. Ik zag dat Suzanne het decolleté van haar knalroze creatie van Betsy Johnson rechttrok.

'Ik ben bloednerveus,' fluisterde ik tegen haar. 'Heb je nog een wijze raad?'

Ze glimlachte. 'Als je een houding aanneemt, doe dat dan een beetje scheef en zet één hand bóven je heupbeen, met gespreide vingers. Dat maakt je zo vijf kilo lichter.'

Alsof ik me daardoor beter voelde.

Rose was klaar, Suzanne kwam op en daarna was ik. O god. Ik voelde een warme hand op mijn onderarm. Het was Lily, die haar volgende jurk al aanhad, van koperkleurige lovertjes. 'Toi, toi, toi,' fluisterde ze.

Suzanne ging weer af en legde haar hand met gespreide vingers vlak boven haar heupbeen, om mij aan die vijf kilo te herinneren. Daar ging mijn toch al miezerige zelfvertrouwen.

'En dan nu graag uw hartelijk applaus voor een nieuwkomer in onze stad, de prachtige Megan Smith in een jurk van Daniel Dennison!'

De gordijnen gingen open. Felle lampen knalden in mijn gezicht; daar was ik niet op voorbereid geweest. Aanvankelijk kon ik daardoor het publiek niet goed zien, maar misschien was dat maar goed ook. Ik deed niet eens een poging om te doen alsof ik over een gespannen koord schreed, wat er bij de anderen zo gemakkelijk uit had gezien. Ik probeerde alleen maar om mijn evenwicht niet te verliezen op die zeven centimeter hoge hakken van Manolo.

Toen ik bij de T was, kon ik de mensen pas zien die ervoor zaten. Laurel zat naast mijn favoriete ex-president en diens vrouw. Ze glimlachten alle drie naar me. Misschien moeten modellen wel kijken alsof ze in een zee van verveling ronddobberen, maar ik kon toch niets anders doen dan gewoon terug glimlachen?

Ik draaide me om – vijfentwintig meter en dan was ik alweer backstage en had ik het overleefd. Maar toen zag ik Will tussen de hoogwaardigheidsbekleders links van me zitten. In tegenstelling tot de andere bemoedigende gezichten voor me, keek hij ijzig voor zich uit.

Dat was precies de afleiding die ik nodig had. Ik voelde dat mijn enkel begon te draaien en ik hoorde het publiek naar adem happen. Het was aan pure wilskracht te danken dat ik niet viel. Ongelooflijk wat een kracht er van de angst voor publieke vernedering uitgaat.

'Gaat het?' vroeg Rose toen ik door het gordijn gewankeld kwam. Sage stond naast haar en als ik niet beter had geweten zou ik gezegd hebben dat ook zij bezorgd keek. Ze hadden hun tweede jurk al aan – een van blauwgroene zijden chiffon met een strak lijfje en een wijde rok. De jurk van Sage was helemaal bezaaid met fonkelende doodshoofdjes; de jurk van Rose met hartjes en vlinders.

'Ja hoor,' zei ik, en dat was waar, in die zin dat ik nog steeds kon lopen.

Een kleedster maakte voorzichtig de rits van mijn jurk open en een andere kleedster zette zwartfluwelen pumps met open teen van Laboutain voor mijn voeten.

Sage stootte me aan. 'En, vond je het leuk?'

'Nee, ik vond het een verschrikking.'

Sage slaakte een theatrale zucht. 'Je kunt niet je hele leven een slapjanus zijn, Megan. Denk je eens in. Je hebt net je jurk geshowd, samen met een paar van de mooiste en beroemdste vrouwen ter wereld, onder wie ik.'

Daar moest ik om lachen. Een kleine, gedrongen kleedster hield mijn hand vast terwijl ik de nieuwe schoenen aantrok.

'Ken je dat café in New York – hoe het heet ook alweer? –

waar meisjes hun beha uittrekken en op de bar dansen?' vroeg Sage.

'Hogs and Heifers,' zei de kleedster. 'Daar ben ik een keer mijn beha kwijtgeraakt.' Ze liep weg om een ander model te helpen.

'Precies,' zei Sage. 'Zie je wel, zelfs vrouwen als zij gaan daar helemaal los.'

'Wil je daar iets mee zeggen?' vroeg ik, terwijl ik de rok van mijn jurk gladstreek.

'Ja.' Sage pakte me bij mijn schouders. 'Maak je de komende tien minuten nu eens even géén zorgen over de dingen waar je je normaal altijd zorgen over maakt, ga de catwalk op en zorg dat je sexy bent, trut! Je bent een godvergeten topmodel!'

De assistent-showmanager stond verwoed te gebaren dat we in de rij moesten gaan staan voor onze tweede opkomst. Vlak voordat Sage en Rose opgingen – Daniel had bepaald dat ze tegelijkertijd dezelfde jurk zouden showen – veranderde de muziek. Ik hoorde nu Justin Timberlake.

Rose en Sage kwamen op. Ik zag op het beeldscherm hoe ze op de muziek schreden en aan het eind van het plankier handkusjes naar het joelende publiek wierpen.

Plotseling wist ik het. Ik kon opgaan en doen wat ik altijd al deed: naar mezelf kijken in plaats van het moment echt zelf beleven. Maar ik kon ook opgaan en er gewoon van genieten.

Voor ik het wist stond ik weer op de catwalk. De muziek dreunde. Ik gooide mijn schouders naar achteren en stak mijn borst vooruit. Ik deed het strakkekoordloopje, met de ene voet voor de andere, en mijn hoofd hoog. Toen ik omdraaide, liet ik mijn haar rondzwieren en het eerst even sexy voor één oog hangen, waarna ik het weer uit mijn gezicht schudde.

Dertig seconden lang wás ik ook een godvergeten topmodel. Ik kéék niet eens of ik Will zag. Ik was veel te druk bezig met het hele publiek adembenemend als ik was te verleiden. En Sage had gelijk; het was ongelooflijk, fantastisch, iets wat je maar één keer in je leven meemaakt.

Toen ik het podium af kwam, was ik helemaal opgetogen. Rose sloeg haar armen om me heen. 'O mijn god, je was geweldig!'

Ik omhelsde haar ook. 'Ja, hè?' riep ik vrolijk uit.

'Iedereen terug voor het applaus!' riep de manager, en hij maakte grote zwaaiende gebaren met zijn armen.

Eerst werden alle modellen het podium op geloodst; daarna kwamen de ontwerpers. Het publiek stond op en applaudisseerde. Ik stond tussen Sage en Rose in. We sloegen onze armen om elkaars middel en deden een geïmproviseerde cancan. Het publiek juichte.

'En al deze kleren zijn over twintig minuten in de veilingtent te zien, dames en heren. Gelukkig nieuwjaar voor iedereen!'

Backstage gaf ik mijn jurk voorzichtig aan een kleedster, die hem naar de veilingtent zou brengen. Ik trok de lichtroze jurk tot over de knie weer aan die ik daarstraks ook had gedragen, en voelde me nog steeds in juichstemming. Ik, Megan Smith, had een modeshow gelopen met rijke, beroemde en beruchte mensen en ik kon het navertellen. Lily kwam naar me toe gerend.

'Nou, was dat leuk of niet?' riep ze blij uit.

'Ik vond het enig!' zei ik, en ik omhelsde haar. 'Kom, dan gaan we verder feesten.'

Het eerste wat ik zag toen we de tent uit kwamen, was de tweeling die met Will stond te lachen. Hij keek me heel even aan, maar keek toen weer naar Sage en Rose. Nou, ik liet mijn stemming toch mooi niet door hem verpesten.

'Wie is die jongen bij de Baker-tweeling?' vroeg Lily, en ze pakte mijn arm.

'Will Phillips. Hij woont hiernaast.'

'Lekker ding,' zei Lily. 'Toch?'

Ach, de ironie.

'Hij kan ermee door.'

'Heeft hij een vriendin?' vroeg ze.

De ironie wist van geen ophouden.

'Niet dat ik weet.'

'Mooi.' Ze trok aan mijn hand. 'Stel me eens aan hem voor.'

We gingen bij het drietal staan en ik stelde Will snel voor aan Lily Langley, die mij nog kende van onze *séjour linguistique* in Zwitserland.

'Speel je nu in New York?' vroeg Will. 'Mijn moeder woont daar. De volgende keer dat ik bij haar ben, kom ik misschien naar je stuk kijken.'

'Als het dan nog speelt,' zei Lily.

Verdomme. Die twee stonden precies te kletsen als twee mensen die elf op de schoonheidsschaal van tien scoorden – wat ze ook daadwerkelijk waren.

'Ik heb dat stuk in *Entertainment Tonight* over je gelezen,' kwam Rose tussenbeide. 'Je bent ook gecast voor de filmversie van dat toneelstuk, hè?'

Lily glimlachte. 'Gecast is een te groot woord. Maar ik weet dat ze mij voor die rol op het oog hebben. Ik hoef alleen Natalie Portman nog te verslaan.' Lily rolde met haar ogen. 'Alsof dat ooit zal gebeuren.'

'Die is ontzettend overschat,' zei Sage uit de hoogte.

'Dus jullie kennen elkaar nog van vroeger?' merkte Will op, terwijl hij van Lily naar mij keek. Vanaf het moment dat ik als onderwerp ter sprake kwam, klonk hij stijfjes. 'Wat is de wereld klein.'

Lily keek hem flirterig aan. 'Zo te horen weet je meer over mij dan ik over jou. Megan zei dat je hiernaast woonde.'

'Meer heeft ze niet gezegd?' vroeg Rose, en ze keek me aan alsof ik gek geworden was.

'En dat we bevriend zijn,' voegde ik eraan toe. Ik realiseerde me dat mijn stem net zo gespannen klonk als die van Will.

'Nou, dan hoop ik dat wij ook vrienden kunnen worden,' zei Lily tegen Will. 'Misschien zie ik je straks nog.'

'Ja,' zei hij met nog een snelle blik op mij. 'Dat lijkt me leuk.'

'Lekkere vent,' merkte Lily op toen Will en de tweeling naar de bar liepen om nog wat te drinken te halen.

Ik wist alleen maar een heel zwak 'ja' te produceren.

Dertig

Veronica heeft elke twee maanden een nieuw vriendje. Haar jongere zus Alexandra heeft elke vijf maanden een nieuw vriendje. Als we ervan uitgaan dat Veronica en Alexandra steeds in dit tempo van vriendje wisselen, met hoeveel jongens heeft Veronica dan na tien jaar méér gezoend dan Alexandra?

- 46
- 27
- 59
- 34
- zak in de stront, jaloerse koe

Ik liep met Lily naar de tent waar gegeten kon worden. Deze was in drie verschillende cateringgedeelten verdeeld. Je had een Franse afdeling voor de culi's, een biologisch-vegetarische voor de Hollywood-types, en een Braziliaanse *churrasco* voor de Atkins-types, waar allerlei soorten vlees op open vuur geroosterd werd. De geuren wenkten me. Plotseling had ik vreselijke honger.

'Jij bent toch Lily Langley, hè?' Net toen we de tent binnenliepen, pakte een graatmagere vrouw van in de zestig gehuld in zijde met zuurstokstrepen Lily's rechterhand. 'Kind, je bent een geschenk voor het Amerikaanse toneel!'

'Dank u wel. Dit is mijn zu... mijn vriendin, Megan Smi...'

'Leuk om kennis met je te maken,' kwinkeleerde ze, maar ze liep al langs ons heen, terwijl ze keek of ze nog meer belangrijke mensen zag.

'Kies een rij,' zei Lily. Ik wees naar het vlees. Net toen we daarnaartoe wilden lopen kwam een van Lily's vriendinnen, ook een actrice, uit New York naar ons toe en pakte haar bij de arm. 'Lily, Dominick Dunne houdt audiëntie bij de veilingtent. Hij wil kennis met je maken.'

Lily keek aarzelend naar mij.

'Ga maar,' zei ik. 'Je kunt straks ook nog iets eten.'

Ze omhelsde me snel en fluisterde: 'Ik bel je na twaalven en dan spreken we af op het strand.'

Eerlijk gezegd was het een stuk eenvoudiger nu ze er niet meer bij was. Doen alsof je zus je zus niet is was een nieuw dieptepunt, zelfs voor mij. Ik kreeg een paar sappig uitziende plakken gegrilde biefstuk en at die staand in een hoek op, terwijl ik de optocht voorbij zag trekken. Ik zag een model van de modeshow met haar vriend. Hij was beeldschoon, maar zelfs op haar fluwelen ballerina's was ze nog tien centimeter langer dan hij. Verder zag ik een echtpaar van in de negentig heen en weer wiegen op de bigbandmuziek die uit de speakers klonk. De enige die ik echt wilde zien – Will – wilde mij niet zien.

Op het pad van de tennisbanen naar de zee passeerde ik tientallen mensen, van wie ik de meesten niet kende. Ik hoorde een paar opmerkingen in de trant van 'goed gedaan, die modeshow' en 'fantastische jurk!', maar degene in mij die met een publiek had geflirt terwijl ik in een unieke jurk van tienduizend dollar liep, had zich al in haar schulp teruggetrokken.

Toen ik bijna bij de veranda van de tweeling was – de rotswand bevond zich daar vlak achter – zag ik Sage het trapje naar het strand af lopen. Ze liep naar haar vrienden toe die aan de bar in de buurt van het podium stonden. Plotseling vloog Thom, die zijn dekknechttenue van de *Heavenly* aanhad, het trapje met drie treden tegelijk op, sloeg van achteren zijn armen om haar heen en plantte een wellustige kus in haar nek.

Sage gilde het uit. Toen draaide ze zich om. 'Wat bezielt jou in godsnaam?'

Thom wankelde. De kus was duidelijk voor haar zus bedoeld geweest. 'Sage! Shit! O, het spijt me,' fluisterde Thom.

Ik zag dat Rose en het vaste clubje – Suzanne, Precious, Dionne – op het gegil van Sage af kwamen rennen.

'Het spijt me ontzettend, Sage,' haastte Thom zich uit te leggen. 'Ik dacht dat je Rose was.'

'Rose? Dacht je dat ik Rose was? Wat is dat nou voor kutsmoes?' Voor de gedachtesprong die ze nu moest maken kwamen alle lessen van de afgelopen tijd haar goed van pas. Haar mond viel open. 'O mijn god. Rose, doe jij het met de dekknecht?' Ze gooide haar hoofd in haar nek en lachte luid. 'Jezus, wat een zielige vertoning.'

Ik keek naar Rose, wier gezicht een tint rood was gekleurd die normaal gesproken alleen aan mij voorbehouden is.

'Hé, niet om het een of ander, Sage,' zei Thom, 'maar wat Rose doet en met wie ze het doet gaat jou niets aan.'

'Moet je eens even luisteren, bloedzuiger. Alles wat mijn zus doet gaat mij aan. Heb jij onder werktijd met mijn zus geneukt?'

'Daar geef ik niet eens antwoord op,' antwoordde hij, en hij keek oprecht beledigd.

Sage schonk hem een dodelijke glimlach. 'Ik maak je kapot.'

'Ga je gang, Sage,' moedigde Thom haar aan, en hij stak zijn hand naar Rose uit. 'Kom, Rose. We gaan weg.'

Met alles in mij wat nog steeds in liefde geloofde – als het niet voor mezelf was, dan zeker voor haar – hoopte ik dat Rose zijn hand zou pakken. Kom op, dacht ik. Kom op nou. Pak die hand en loop weg. Alsjeblieft, Rose. Pak zijn hand.

Maar nee, ze deed een stap achteruit. 'Ik weet niet waar je het over hebt.'

En dat was dat. Thom schudde zijn hoofd en kon zijn ogen niet van haar afhouden. 'Dat is toch niet te...' maar hij maakte zijn zin niet af. Toen hij moederziel alleen wegliep, kon ik me maar al te goed voorstellen hoe verraden hij zich moest voelen.

'Wat heb je gedaan, Rose? Je tieten laten zien, en toen is hij verliefd op je geworden of zo?' vroeg Precious. 'Wat een zielige vertoning!'

Rose glimlachte en excuseerde zich. Ik ging achter haar aan in de hoop dat de anderen me niet zagen, maar ik kon haar op het strand vol feestgangers niet vinden. Pas toen ik bij het dunne touw op het strand kwam dat de scheidslijn aangaf tussen Les Anges en het landgoed van de familie Phillips, Barbados, zag ik Rose bij het water in het zand zitten.

Ik plofte naast haar neer, maar zei niets. Ze gooide een paar steentjes met een boogje in de golven. Ik ook. Toen liet ze een paar steentjes over het water ketsen.

'Je hebt een hekel aan me,' zei ze op een gegeven moment.

'Nee.'

'Ik heb een hekel aan mezelf. Ik kan gewoonweg niet geloven dat ik het met Thom zo verpest heb.'

'Misschien is het nog niet te laat,' probeerde ik. 'Je kunt toch je excuses aanbieden?'

'Hoe zou ik dat moeten doen?' vroeg ze, terwijl ze een wat grotere steen in het water gooide.

'Leg je armen om hem heen, zeg dat je tijdelijk aan verstands-verbijstering leed en vraag of hij wil dat je een billboard aan Worth Avenue ophangt met daarop de mededeling dat het dik aan is tussen jullie,' adviseerde ik.

Ze keek me scheef aan. 'Billboards zijn verboden op Worth Avenue.'

Ik glimlachte en streek haar haar naar achteren. Ze kwam tegen me aan geleund zitten, bijna zoals een kind tegen zijn moeder aan staat. 'Je vindt er wel iets op,' zei ik. 'Een vliegtuigje met een tekst erachteraan?'

'Dat is een idee.'

We liepen met onze schoenen in de hand zwijgend terug door de golven. Toen we onder aan de trap gekomen waren, leek het wel of alle feestgangers zich op het strand hadden verzameld om de laatste seconden van het jaar af te tellen.

'Tien, negen, acht...' Er kwamen steeds meer mensen bij, die aftelden naar twaalf uur.

'Vijf, vier, drie, twee, een. Gelukkig nieuwjaar!'

Toen barstte onder oorverdovend kabaal een schitterend vuurwerk aan de hemel los, met de ene kleur na de andere, waarbij robijnrood overging in smaragdgroen en daarna in zilver en goud. Het strand lichtte op van het gloeiende spektakel aan de hemel. Ik keek om me heen naar de mensen die naar de lucht stonden te kijken, naar alle stellen die elkaar omhelsden om het nieuwe jaar te verwelkomen.

Op dat moment zag ik Lily, in de armen van Will, en hij kuste haar zoals ik gehoopt had dat hij mij zou kussen. Dat deed pijn. Het jaar was verpest, en het was nog maar een paar seconden oud.

Eenendertig

Kies het woord of de frase die het volgende woord
het best omschrijft:

Epifanie

- een plotseling en betekenisvol inzicht
- het nieuwe parfum van Britney Spears
- eeuwigheid
- sarcasme
- eindelijk je streefgewicht bereiken!

Oh what a tangled web we weave, when first we practice to deceive!
Zo is het maar net.

De meeste mensen denken dat William Shakespeare voor deze kernachtige waarheid verantwoordelijk is, maar in werkelijkheid was het sir Walter Scott. Als iemand (ik in dit geval) de
vleesgeworden definitie van zo'n citaat wordt, weet ze in elk geval wie er verantwoordelijk voor is.

Het was een eenvoudig geval van anesthesie in Palm Beach-
stijl. Toen ik Lily aan de mond van Will geklonken had gezien,
liep ik wankel naar de eerste de beste bar, pakte een fles Cristal
en bracht het eerste half uur van het nieuwe jaar door met de
fles aan mijn mond, verstopt op mijn kamer.

Lily belde me rond half een, en toen had ik 'm al aardig om.
Ik zei dat ik me niet lekker voelde – en dat was ook waar, zij het

niet om lichamelijke reden – en dat ik naar bed ging. Ze wilde naar me toe komen om afscheid te nemen, aangezien ze de volgende ochtend al heel vroeg terug naar New York vloog. Ik wimpelde haar af. Ik wilde naar bed. Ze moest maar gewoon op het feest blijven. Een leuke avond hebben. Met Will blijven zoenen.

Oké, dat laatste zei ik er niet bij.

Ik heb zelf nooit zo in karma geloofd. Als de verdrietige vrouw in het nieuws God dankt omdat hij haar, haar gezin en haar huis tijdens de verschrikkelijke wervelstorm heeft gespaard, dan vraag ik me altijd af hoe het met het gezin dat naast haar woonde zit, dat alles is kwijtgeraakt. Was God dan heel erg boos op die mensen? Dat hele gedoe van 'je krijgt wat je verdient' is gewoon een manier om dingen die nergens op slaan nog ergens op te laten slaan. Slechte mensen overkomen goede dingen. Goede mensen overkomen slechte dingen. Zo werkt het nu eenmaal.

Maar als ik wel in karma geloofde, zou ik zeggen dat het mijn verdiende loon was om te zien hoe mijn zus met Will zoende. Ik kon het Lily niet kwalijk nemen. Zij kon niet weten wat ik voor Will voelde. En ik kon het Will ook niet kwalijk nemen, want er was nog zoiets als een vriendje dat ik voor hem verborgen had gehouden. Ik kon het alleen mezelf maar kwalijk nemen.

Ik dronk de fles leeg en viel in slaap. Ik was urenlang onder zeil. Ik keek met half dichtgeknepen ogen naar de verlichte wijzers van de klok op het nachtkastje. Het was even na vijven. Ik ging rechtop zitten. Ik had het gevoel alsof er een heel voetbalteam in mijn hoofd sprintjes trok. Ik deed het licht aan. Mijn sloop van uitermate fijn geweven Egyptische katoen was nu versierd met een Jackson-Pollockachtige impressie van mascara, lippenstift en kwijl.

Weinig dingen zijn erger dan een champagnekater om half

zes 's ochtends. Een van die dingen is de genoemde champagne-kater gecombineerd met een verschrikkelijke herinnering aan wat überhaupt de aanleiding was geweest om het op een zuipen te zetten. De gedachte aan Will die dingen met Lily deed die ik hem in gedachten met mij had zien doen, was genoeg om me naar de wc te doen rennen en mijn maag leeg te kotsen. Gek genoeg is kotsen in een landhuis nadat je een fles Cristal soldaat hebt gemaakt net zo smerig als kotsen in een flatje op vierhoog in East Village nadat je te veel ice-teas hebt gedronken – iets wat ik een keer had meegemaakt tijdens een asfaltstrandfeestje op ons dak, ter gelegenheid van Charma's verjaardag. Dat was de enige andere keer dat ik van zo dichtbij zo'n persoonlijk bezoek-je aan de porseleinen troon had gebracht.

Ik nam een douche, poetste mijn tanden, voelde me maar een fractie menselijker, en besloot het balkon op te gaan voor een frisse neus. De schijnwerpers bij het zwembad waren nog aan, hoewel het feest allang afgelopen was. Maar mijn oog viel op heel iets anders. Op Sage en Rose. Die elkaar in de haren zaten. En niet zo'n beetje ook.

'Waarom verpest jij altijd alles voor me, Sage?'

'Ik weet niet waar je het over hebt,' antwoordde Sage. Sage trok onderwijl haar kleren uit.

'Over Thom!'

'Wie is dat in godsnaam, Thom?' vroeg ze, en ze trok haar hemdje uit. Toen lachte ze minachtend. 'Bedoel je die dek-knecht?'

'Hij is niet alleen maar dekknecht,' zei Rose tegen haar zus.

'O mijn god! Je vindt hem nog echt leuk ook!' Sage ging aan de ondiepe kant het zwembad in. 'Nou, kijk naar jezelf; jíj hebt hem weg laten lopen. O mijn god. Wat is dit lekker. Pak eens wat champagne uit de cabana.'

Rose verroerde zich niet. 'Hoe is het nou, Sage?' Haar stem

klonk nu zacht. Ik moest moeite doen om haar te verstaan.

Sage gleed het water in, pakte een drijvende donut en draaide zich op haar rug. 'Hoe is wát?'

'Om jou te zijn. Om alles altijd zo zeker te weten.'

'Fantastisch, Rose.'

Sage trok zichzelf aan de andere kant van het zwembad omhoog en ging daar zitten. Ze zag er zo volmaakt uit als een mens er, enkel in jeugd, goede genen en tepelpiercings gekleed, maar uit kon zien. 'Misschien heb je gewoon een slechte smaak qua mannen, Rose. Is dat wel eens in je opgekomen?'

'O, dus ik zou meer zoals jij moeten zijn? Gewoon neuken met wie ik wil en me van niks en niemand iets aantrekken?'

'Klets maar raak.' Sage stond op en liep naar een stapel donzige, supergrote roze-en-blauwgroene handdoeken. 'Ga die champagne nou halen, Rose. Ik meen het.'

'Soms ben je echt onuitstaanbaar.' Ik hoorde hoe gespannen Rose' stem klonk. Ze stond op het punt in tranen uit te barsten.

'Boehoe, wat ben je zielig,' jouwde Sage haar uit.

'Ik háát je!' Deze getergde kreet kwam uit de grond van haar hart.

'Alsof mij dat iets kan schelen,' zei Sage spottend.

'Jongens, ophouden nou!' Nog voor ik goed nagedacht had of ik wel moest ingrijpen, had ik het al geroepen.

Ze keken omhoog naar het balkon, geschrokken dat ik hen had gehoord. Ik trok een badjas aan en rende de trap af. Toen ik beneden aankwam, zat Rose alleen aan een tafeltje en Sage zat, met een grote handdoek om zich heen, de champagne te drinken die ze uit de cabana had gehaald.

'Ga weg,' zei Sage tegen me.

Ik sloeg geen acht op haar en ging op de punt van haar ligstoel zitten. 'Je bent van slag en daardoor zeg je dingen die je niet meent.'

Sage liet de champagnefles op haar buik balanceren en keek me langs de fles heen aan. 'Heb je dat op Yale geleerd?'

'Nee,' antwoordde ik. 'Dat heb ik van mijn ouders geleerd. Desondanks heb ik zelf heel veel fouten gemaakt...' Ik zweeg. Dit ging niet over mij. 'Misschien had Rose je over Thom moeten vertellen, maar je moet goed begrijpen waarom ze dat niet heeft gedaan. Ze hecht heel erg aan jouw mening.'

'Wat een onzin,' mompelde Sage.

Ik keek naar Rose, die er het zwijgen toe deed. Ze zat met haar hoofd omlaag en had haar armen om zichzelf heen geslagen alsof ze haar eigen pijn letterlijk kon indammen.

Ik draaide me weer om naar Sage. 'Rose heeft me een verhaal verteld. Over de dag waarop jullie na de dood van jullie ouders uit New York zijn vertrokken. Over hoe bang ze in het vliegtuig was. Weet je hoe ze daardoorheen gekomen is, Sage? Door jou.'

Sage glimlachte op een manier die niet grappig was. 'Dat weet ik. Ik heb het haar aan jou horen vertellen. Toen jullie op de Bahama's op het dek zaten.' Sage draaide zich naar Rose toe. 'Dat had je haar niet mogen vertellen. Daar had je het recht niet toe.'

Rose knikte zwijgend.

'Wat ben je toch een trut,' zei Sage op haar bekende bijtende toon. Toen zweeg ze.

Ik keek naar het water en probeerde mijn benevelde brein helder te krijgen en te bedenken wat ik nog meer kon zeggen. Toen hoorde ik gesnuf.

'Hoe denk je dat ik erdoorheen gekomen ben, Rose?' vroeg Sage met tranen in haar stem aan haar zus. Ze zette de champagnefles neer en ging zitten, terwijl ze haar benen naar Rose toe zwaaide. 'Denk je dat ik alleen maar voor jóú je hand heb vastgehouden?'

Ik zag het besef op Rose' gezicht dagen. 'Maar je leek helemaal niet bang.'

'Niet verder vertellen.' Sage pakte de hand van haar zus, net zoals ze jaren geleden had gedaan. 'Ik... ik wil je gewoon niet aan iemand kwijtraken, oké?'

Rose snufte luidruchtig en knikte.

Ik stond op. 'Ik ga naar het strand, naar de zonsopgang kijken. Jullie moeten even alleen zijn.'

Ik liep het stenen trapje af en het plankier naar de tijdelijke aanlegsteiger over. Ik liep helemaal tot het eind. Even later hoorde ik twee paar voetstappen: de tweeling kwam bij me staan. Zo stonden we een hele tijd zwijgend bij elkaar, terwijl de eerste banen daglicht de hemel doorboorden.

'Sage?' zei Rose op vragende toon.

'Ja?'

'Zolang we elkaar hebben zijn we geen wees.'

Ze huilden. Ik huilde. De zon kwam voor ons allemaal op en allemaal huilden we.

Toen we eindelijk weer naar binnen gingen, omhelsde ik hen allebei en ging toen naar mijn kamer. Ik moest nog één ding doen. Mijn iBook stond aan. Ik klikte op de map TWEELING, de map waarin de aantekeningen zaten die ik zo keurig voor mijn artikel had bijgehouden. Ik kon heel veel dingen schrijven als ik dat wilde, want eindelijk wist ik hoe het in elkaar stak.

Elke keer dat het erop leek dat Rose en ik beter contact kregen, ging Sage door het lint. Dat was op de Bahama's gebeurd, dat was op de veranda bij het zwembad gebeurd toen Sage o zo volwassen het potlood naar haar zus had gegooid en het was – zij het heel kort – gebeurd toen het tot Sage doordrong dat Rose meer wist over mijn uitstapje naar Clewiston met Will dan zij. Rose vertelde me dat Sage aan al haar vriendjes een hekel had. Al had Rose het met Orlando Bloom plus de bankrekening van Bill Gates aangelegd, dan nog zou Sage zo hebben gereageerd. Het was een eenvoudig sommetje: Rose + wie dan ook = de kans op Sage zonder Rose.

Wat een onzin allemaal, enkel en alleen om je onzekerheid te verbloemen, mijmerde ik. Maar misschien krijg je dat nu eenmaal als je zo jong bent als je ouders overlijden en je alleen nog maar je zus en je bravoure over hebt om je door de angstige momenten heen te helpen.

Ik klikte de map TWEELING aan en hield mijn vinger boven het toetsenbord. Toen drukte ik op DELETE.

Tweeëndertig

Soms is een beetje (b) chantage de enige manier om een (c) belangwekkend doel te (d) bereiken. (e) geen fouten.

'Nummer acht,' las ik de tweeling voor. 'Wie wil nummer acht?'

In een poging om hun hersenen eens flink te stimuleren hadden we besloten een andere studieomgeving te kiezen en waren we 's ochtends in mijn werkkamer gaan zitten, en dus niet op de veranda bij het zwembad. Ik lag op de bank. Zij zaten op de vloer, die al bezaaid lag met papieren, boeken, rekenmachines, schrijfblokken, half leeggegeten zakjes magnetronpopcorn en half leeggedronken flessen water.

De lange dag die in de eindeloze oudjaarsnacht was uitgemond, lag nu al een week achter ons. De tweeling had er met geen woord tegenover mij over gerept. Als ze er al met elkaar over gesproken hadden, dan in elk geval zonder mij daar iets van te laten weten. Maar één ding was zeker: ze waren veel aardiger tegen elkaar. Sage maakte veel minder vaak hatelijke opmerkingen. Rose keek niet de hele tijd naar Sage om haar goedkeuring te krijgen.

Ik was trots op hen en ik was heel tevreden over de manier waarop ik hen geholpen had. Je raadt natuurlijk al dat dit alles, met mijn gevoeligheid en volwassenheid en zo, precies was wat ik nodig had om de telefoon te pakken en mijn zus te bellen. Maar dat deed ik niet.

Het is echt véél gemakkelijker om namens andere mensen verstandig en volwassen te zijn.

Rose belde Thom om haar excuses aan te bieden. Toen hij niet opnam, liet ze een welgemeende boodschap op zijn voice-mail achter. Toen hij niet terugbelde, schreef ze hem een brief (slakkenpost, hoor – misschien wel voor het eerst in haar leven), die ik voor haar had moeten lezen, zodat er geen gênante fouten in zouden staan. 'Psychisch' had ze verkeerd gespeld en 'kwaad-spreken' had ze verkeerd gebruikt, maar verder was het een ge-voelige en zelfbewuste brief.

Ik hoopte maar dat haar inspanningen niet voor niets zouden zijn. Thom nam volstrekte radiostilte in acht. Tuurlijk, Rose wist dat ze zo naar de *Heavenly* kon gaan om hem onder vier ogen te spreken, maar vooruitgang stond niet gelijk aan een per-soonsverandering. Ik kon het haar niet kwalijk nemen. Zag je mij al naar Barbados gaan voor een fijne confrontatie met Will? Laat me niet lachen.

'Ik lees het wel,' bood Rose aan. Ze pakte het examenboekje, waarin we met grammatica bezig waren. 'Sommige Italianen vinden Amerikanen te dik, spilziek en dat ze geen verstand heb-ben van internationale politiek.'

'Wie wil de grammatica in dit deel van de zin corrigeren?' vroeg ik. '"Te dik, spilziek en dat ze geen verstand hebben"?'

Rose wees op het rijtje antwoorden. 'Ik zou zeggen E: "te dik, spilziek en niet op de hoogte van". Dat is zo'n parallelstructuur waar Megan het vorige week over had.'

'Kut,' zei Sage.

'Jammer dat ze jou daar niet op testen,' zei Rose lachend. In plaats van kwaad te worden wist Sage tot mijn verbazing een lachje te produceren.

'Kijk er straks nog maar eens naar; de volgende keer begrijp je het wel,' sprak ik Sage bemoedigend toe.

Ik hoopte dat mijn bezorgdheid niet aan mijn stem te horen was. We hadden nog maar een week te gaan voor het examen was, en 'de volgende keer' begon een beetje krap te worden. Hun intellectuele vooruitgang was op het slechtst denkbare punt gestagneerd: net onder de score die ze moesten halen om op Duke aangenomen te worden. Ze waren enorm vooruitgegaan, maar het was nog steeds niet genoeg en ik wist echt niet wat ik verder nog kon doen.

Rose gaf toe dat ze in de stress was over het examen; Sage niet. Maar ik zag wel dat ze op haar nagels, die normaal gesproken perfect verzorgd waren, gebeten had, tot bloedens toe. Ze hield haar vingers de laatste tijd naar binnen gevouwen, zodat niemand het zou zien.

'Oké,' zei ik tegen de meisjes. 'Laten we de eerste som van het volgende hoofdstuk maar proberen. Rose, wil jij een poging wagen?'

'Mijn hersenen werken gewoon niet,' mopperde Rose, terwijl ze de som probeerde te begrijpen.

'Je kunt het; ik wéét gewoon dat je het kunt,' moedigde Sage haar aan.

Nou, dan wist ten minste één iemand van ons het. Het was geweldig om hen zo samen te zien werken, maar met de kwaliteit van Sage aan de ene kant en de kwantiteit van Rose aan de andere verdween mijn optimisme als een strandnevel in de brandende zon.

Rose tikte met haar knokkels tegen haar voorhoofd. 'Ik kan me gewoon niet concentreren!' klaagde ze. 'Ik moet de hele tijd aan Thom denken.'

'Schatje, zo blind kan liefde nou ook weer niet zijn,' merkte Sage op. 'Jij zegt steeds dat ik die vierentachtig miljoen niet naar de klote moet helpen. Neem dat advies dan zelf eens ter harte.'

'Ik weet het,' beaamde Rose. 'Maar dat is moeilijk, hoor. Ik moet even pauzeren.' Ze trok het nieuwste nummer van *Scoop* onder haar boeken vandaan. Ik verwachtte min of meer dat er een foto van Lily Langley en haar 'nieuwe geheimzinnige speeltje' in zou staan, of hoe mijn vervangster Will ook had willen noemen.

'Rose, leg dat blad weg,' zei ik vriendelijk. 'We hebben nog een week. Als je om zeven uur opstaat en tot half twaalf 's avonds doorwerkt, is dat zestien uur per dag. Keer zeven, minus korte pauzes om te eten en te plassen. En dat verdeeld onder wiskunde, leervakken en taal.'

De meisjes kreunden eenstemmig.

'Oké, we weten dat jíj dat examen niet voor ons zult doen,' zei Sage voor zich uit. 'Maar Ari misschien? Echt, die gast is gewoon een wandelend vat vol hersencellen.'

'Zelfs Keith kan Ari niet zo aankleden dat hij voor jullie kan doorgaan,' zei ik. 'Als je nu eens zou besluiten je er helemaal voor in te zetten en alles te doen wat ik zeg, en alleen maar wat ik zeg, in de belangrijkste week van je leven?' Ik keek naar Rose. 'En jij ook.'

Toen ik klein was, was mijn vader een keer in juni met Lily en mij naar Mount Washington gegaan. Hij was skiër en wij snowboarders en hij wilde dat we met hem naar Tuckerman's Ravine liepen – waar nog veel sneeuw lag – en daar afdaalden, terwijl hij ons op ski's zou volgen. Er gaat geen lift omhoog naar Tuckerman's. Om boven te komen moet je klimmen. Zowel Lily als ik was aan het eind van ons Latijn toen we aan de laatste paar honderd meter begonnen. Ik was tien jaar.

Lily hield het voor gezien. Ze gooide haar board én zichzelf in de sneeuw. Maar ik deed precies wat mijn vader zei en ik luisterde naar elke aanwijzing. Toen stond ik boven, na de laatste steile klim. Boven bond ik mijn board onder en nam ik die eerste alle rede tartende duik over de rand van de rotswand.

En toen vloog ik. Binnen dertig seconden was ik met vlijm-scherpe bochten aanbeland op de plek waar Lily nog steeds lag te wachten.

'Je hebt het gedaan,' zei ze vol bewondering.

'Ik heb alleen maar gedaan wat papa zei,' zei ik.

Waarom moest ik daar nu aan denken? Ik dacht altijd dat Lily alles beter deed dan ik. Maar toen op Tuckerman's had zíj opgegeven en ik was doorgegaan. Het geheugen kan heel selectief zijn.

Sage keek plotseling sluw uit haar ogen. 'Weet je wat, Megan? Als jij iets voor ons doet, doen wij iets voor...'

'O nee, vergeet het maar! Die ken ik al, weet je nog? Naakt zwemmen?'

'Nou, wat wij willen is eigenlijk een kwestie van...' Sage boog zich naar Rose toe en fluisterde haar iets in het oor.

Rose grijnsde en knikte toen. 'Sage heeft gelijk. Er moet iets gebeuren. Met dat haar.'

Dit was wel het laatste wat ik verwacht had. 'Maar Keith heeft het geknipt!' protesteerde ik. 'Dé Keith!'

De zusjes keken elkaar eens aan. Sage sloeg haar armen over elkaar. 'Nou, laat ik het dan anders zeggen, Megan. Weet je nog die modeshow? Dat Rose je een onderbroek heeft geleend?'

'Je bent, in één woord, zwaarbehaard.'

Ik moest lachen.

'Ik zou maar niet lachen als ik jou was,' zei Sage nuffig. 'Dat is alleen maar een pluspunt als het op je hoofd zit.'

Ik bloosde, uiteraard. 'Zo erg is het toch ook weer niet?'

'Neem me niet kwalijk,' zei Rose vlak. 'Naakt zwemmen? Je stond op twintig meter afstand.'

Sage maakte een hakbeweging ter hoogte van haar midden-rif. 'Taille.' Nog een hakbeweging, vijf centimeter lager. 'Struik-gewas.'

'Dat is natuurkunde!' protesteerde ik. 'Water vergroot uit!'

'Weet je nog die cadeaubon die ik je gegeven heb voor het kuuroord in Breakers?' vroeg Sage ongewoon vriendelijk. 'Dat was niet zomaar. Het is hoog tijd dat je die gaat gebruiken.' Ze keek nadrukkelijk naar mijn kruis.

'En dan hebben we het dus niet alleen over je bikinilijn,' voegde Rose eraan toe. 'En niet over een streepje.'

Dat kon dus alleen maar betekenen... Ik was met stomheid geslagen. 'Nee. O nee...'

'O ja,' zei Sage opgewekt.

'Als je dat doet, doen wij wat jij wilt,' zei Rose.

Sage knikte. 'De komende zeven dagen, vierentwintig uur per dag.'

Zeven weken geleden hadden ze me ook een voorstel gedaan en dat gebruikt om me te vernederen. Nu deden ze me er weer een. Maar dit keer was het anders. Zíj waren anders. Misschien was ik ook wel anders.

Ik weet niet hoe ik keek, maar ze vatten het op als een 'ja'.

Drie minuten later was de afspraak gemaakt. Een uur later lag ik in het kuuroord van Breakers op Jinessa's tafel. Een uur en vijf minuten later zwaaide Jinessa met een schaar en hield ik mijn ogen stijf dicht, alsof mijn leven ervan afhing. Tien minuten daarna kwam een spatel met vloeibaar gemaakte was gevaarlijk dicht bij een plek waar maar weinig mensen – onder wie geen vrouwen, tenzij ik mezelf meerekende – ooit eerder waren geweest.

Ik heb gehoord dat bevallen verschrikkelijk pijn doet. Maar ik durf echt te betwijfelen of het pijnlijker is dan wat in het aanbod van het kuuroord zo fijntjes – maar correct – als de Roze Overgave wordt omschreven.

Drieëndertig

Kies de definitie die het volgende woord het best omschrijft:

Accolade

- straf
- charme
- verbazing
- lof
- OMG, het allerbeste nieuws dat ik ooit heb gehoord!

'Stipt om zeven uur, graag, Megan,' had de Schedel monotoon gezegd toen hij me had laten weten dat Laurel met me wilde dineren.

Meneer Anderson sprak nu al acht weken op dezelfde sonore toon; maar er was vooruitgang geboekt: hij had me nu eindelijk bij mijn voornaam genoemd.

Daar moest ik om glimlachen, net als om het feit dat de tweeling woord had gehouden. De afgelopen week hadden ze zich Yale waardig betoond – als het niet qua prestaties was, dan toch zeker wel qua inzet. Ik probeerde het draaglijk te maken, maar dat studeren voor een examen kan heel afstompend werken. Toch hadden ze maar weinig valse opmerkingen en gekreun laten horen. Ze hadden een afspraak gemaakt en daar hielden ze zich aan.

Elke keer dat ik me uitkleedde moest ik aan mijn deel van die afspraak denken. De prachtige strings van La Perla die de tweeling in mijn kamer hadden laten bezorgen toen ik door Jinessa onder handen genomen werd, waren zo beeldig dat alles wat erin ging vanzelf in een kunstwerk veranderde. Niet dat iemand momenteel mijn kunst bewonderde. Ik had niks meer van James gehoord en ook niet van Will. Dat bracht me natuurlijk de eeuwenoude filosofische vraag in herinnering: is kunst nog wel kunst als hij door niemand gezien wordt? Of iets in die trant.

Maar goed, terug naar de tweeling. Elke dag werkten we 's ochtends drie uur, 's middags vier en 's avond drie. Hun examenuitslagen bevonden zich in de lage – héél lage – regionen van wat voor Duke vereist was. Maar ze zaten binnen de norm. Ze hadden me niet gelukkiger kunnen maken.

Op de ochtend van de laatste dag voor het officiële examen hadden we een repetitie gehouden. Toen zei ik dat ze echt niet beter voorbereid hadden kunnen zijn; ze moesten het examen die middag maar even vergeten en gaan doen wat ze het liefst deden: shoppen. Er zijn maar weinig dingen in het leven die de Baker-tweeling leuker vindt dan Worth Avenue en hun geliefde zwarte Amex-kaart zonder limiet.

Ziezo. Wat moest ik aan naar het etentje met Laurel? Ik keek naar mijn aanzienlijke verzameling designerkrijgertjes van Marco. Ik wist inmiddels dat perzikkleur me het best stond, want daardoor lichtte het groen in mijn hazelnootbruine ogen op, en dat ik van beige flets werd. Ik koos voor een eenvoudig perzikkleurig katoenen jurkje van Vera Wang met empiretaille dat niet te druk of te laag uitgesneden was – maar ja, dat zijn haar kleren dan ook nooit. Dat wist ik inmiddels ook. Ik ging lekker lang in bad, waste en straightte mijn haar en bracht wat subtiele en flatteuze make-up op.

Precies om zeven uur was ik bij het hoofdgebouw. De Schedel stond me al op te wachten. 'Goedenavond, Megan. Wat zie je er mooi uit. Loop maar achter mij aan, als je wilt.' Dat 'wat zie je er mooi uit' uit de mond van de Schedel was zo ongeveer het equivalent van 'jezus, meid, wat zie jij er hitsig uit'.

Ik dacht dat hij me naar de officiële eetzaal op de begane grond zou brengen, maar hij ging naar beneden, naar de wijnkelder.

'Eh... madame zei toch dat het om een etentje ging?'

'Ja. Deze kant op, graag.'

Aan de andere kant van de wijnkelder deed hij de deur open naar een vertrek waarvan ik het bestaan niet kende. Daarin stond één enkele tafel die uit een reusachtig blok graniet was gehouwen. De acht stoelen eromheen waren van ruw hout. Op de muren zag ik fresco's van landelijke tafereeltjes op het Franse platteland.

Aan het hoofd van een tafel die voor twee personen was gedekt zat Laurel met een glas wijn in haar hand. Ze zag eruit zoals vrouwen van haar leeftijd zich alleen maar in hun dromen konden voorstellen. Ze had een strakke goudkleurig-met-zwarte jurk van glanzend linnen aan. Haar haar zat in een Franse wrong uit haar gezicht, dat door kunstig geschikte lokken omlijst werd. Haar blauwe ogen met de lange donkere wimpers leken nog groter dan anders. Laurel was wederom een wandelende reclame voor haar eigen producten.

Ze gebaarde naar de lege plaats aan tafel en meneer Anderson vertrok. 'Ga zitten.'

Ik ging zitten.

'Ook een glas?' Ze wees op een karaf wijn en schonk toen mijn waterglas vol. Dat was vreemd. Ze was dé marktleider in kristal. Waarom dronken we dan uit waterglazen? Ik zag dat de aardewerken borden die voor ons stonden eerder functioneel dan elegant waren.

Laurel vlocht haar vingers ineen. 'Ik heb vandaag de laatste toetsen van de tweeling bekeken en ze zijn ontzettend vooruitgegaan.'

Ik glimlachte. 'Inderdaad.'

Ze nam een slokje wijn. 'Ik moet bekennen, Megan, dat er momenten zijn geweest dat ik eraan getwijfeld heb of jij tegen deze taak opgewassen was. Maar ik heb ongelijk gekregen.'

Complimentjes van de Schedel én van Laurel, en dat op één avond? Ofwel dit werd een veelbewogen avond, ofwel de apocalyps was nabij.

'Dank u. Fijn dat u dat vindt.'

'Ik weet niet of mijn kleindochters het morgen goed zullen doen,' ging ze verder, 'maar ik weet wel dat Debra Wurtzel me de juiste weg heeft gewezen toen ze me jou aanbeval.' Laurel hief haar glas. 'Op jou, Megan Smith. Je hebt hier in twee maanden tijd enorm veel bereikt. Gefeliciteerd. *A ta santé.*'

Ik klonk mijn glas tegen dat van Laurel, geschrokken dat ze 'ta santé' had gezegd in plaats van het meer formele en afstandelijke 'votre santé'. Ik nam een slokje. Het was een aardse en scherpe wijn, heel anders dan de oude bordeaux die ze altijd graag dronk.

'Om u de waarheid te zeggen, madame Limoges, heb ik ook veel geleerd sinds ik hier ben.'

Laurels ogen twinkelden. 'Je hebt je eigen schoonheid wat meer leren waarderen, denk ik?' Ik had geen idee wat ik daarop moest zeggen. Ze gaf me een klopje op mijn hand. 'Schoonheid is een geschenk, kind. Daar hoor je van te genieten.' Ze schudde haar servet uit en legde het op haar schoot. 'Goed, Megan, dan zullen we maar eens kijken of je ook geleerd hebt om van de beste maaltijd die Marco kan klaarmaken te genieten.'

'En die ik kan opdienen,' viel Marco haar vanuit de deuropening bij. 'Want ik ben je *garçon* voor vanavond, schat. En mag ik daaraan toevoegen dat ik niet al te best reageer als iemand mijn aandacht probeert te trekken door met zijn vingers te knippen?'

'Dat had je gedroomd.' Ik knipoogde naar hem. Als ik iemand zou missen was hij het wel.

'Het menu, Marco?' informeerde Laurel.

'Helemaal *campagne*. U begint met een pâté de foie gras. Het hoofdgerecht is cassoulet, gevolgd door een boerensalade met jong groen, bloemen, geitenkaas en pijnboompitten. De wijn is een echte Franse *pinard*, zoals de boeren die graag drinken. En als nagerecht mijn *petites* donuts.'

Laurel boog zich vertrouwelijk naar voren. 'Die mag hij van mij niet al te vaak maken. Ze zijn zo verrukkelijk dat ik er gewoonweg geen weerstand aan kan bieden.'

'Ze zijn allemaal op een andere manier gevuld: hazelnoot-crème, bittere chocola met sinaasappelschil, Grand Marnier enzovoort.' Marco kuste zijn vingertoppen en vertrok toen om de eerste gang te halen.

'De tweeling eet het nagerecht met ons mee.' Laurel brak een stukje stokbrood af.

'Dat hebben ze niet gezegd.'

'Ik heb meneer Anderson gevraagd ze te halen. Maar ik wilde eerst met jou praten.' Ze zweeg, alsof ze na moest denken over wat ze precies wilde zeggen. 'Zes weken geleden heb ik, laten we zeggen, voor mijn kleindochters een uitdaging in het leven geroepen. Nu jouw werk erop zit, wil je daar misschien nog wat dingen over vragen.'

Eens een journalist, altijd een journalist. Ze stond op het punt om me een primeur te onthullen. Ik voelde het gewoonweg. Nou, ik mocht dat artikel dan niet gaan schrijven, maar nu zou in elk geval mijn nieuwsgierigheid tevredengesteld worden.

Marco kwam binnen met de foie gras. Laurel smeerde wat op

een stukje stokbrood, wachtte tot hij weg was en praatte toen verder.

'Het ergste wat er in je leven kan gebeuren is dat je kind eerder sterft dan jijzelf,' ging Laurel verder. 'Jij kunt het je niet voorstellen en ik hoop dat je het nooit zult meemaken. Twee jaar voordat ik mijn dochter verloor, is mijn man na een plotselinge *crise cardiaque* overleden.' Ze zuchtte. 'Een mens verandert door verlies. Dat weet jij niet, en dat kun je ook niet weten, tenzij je het zelf hebt moeten meemaken.'

Ik knikte en wachtte tot ze verder sprak.

'Toen de tweeling bij mij kwam, was ik er niet echt klaar voor om de zorg voor hen op me te nemen, vrees ik. Ik zat zelf nog tot over mijn oren in mijn verdriet.' Ze haalde haast onmerkbaar haar schouders op. 'Er zijn veel dingen waar ik spijt van heb. Maar we kunnen het niet overdoen. We kunnen alleen maar vooruit.' Ze nam een flinke slok wijn. 'Toen ik eenmaal wél klaar voor hen was, hadden ze een muur om zich heen opgetrokken waarvan ik niet wist hoe ik die moest beklimmen. Toen zag ik dat afgrijselijke tijdschriftartikel over hen. Ik kon niet langer om de waarheid heen, namelijk wat er van hen geworden was – het resultaat van mijn nalatigheid.'

Ze keek in haar glas, alsof de wijn een soort orakel was. 'Daarom heb ik deze uitda... deze test bedacht, waarbij ze niks aan hun mooie toetje hadden en waarbij ze van elkaar op aan zouden moeten kunnen. Ik hoopte en bad dat ze hierdoor weer de meisjes zouden worden die ze waren geweest als hun leven niet zo'n grote tragedie had gekend. En zo kwam ik bij jou.'

De schrijver in mij popelde om alle vragen te stellen die in me opkwamen. Om te beginnen: was het nooit in haar opgekomen dat de meisjes en zij prachtig materiaal voor een gezinstherapeut waren? Waarom was haar verdriet een excuus om haar eigen kleindochters te verwaarlozen? En dan deze: toen ze eenmaal had ingezien dat ze het niet goed had gedaan, waarom had ze hun dan niet gewoon de waarheid verteld?

Moest je mij horen! Uitgerekend ík presteerde het om me af te vragen waarom iemand de waarheid niet sprak. Ik zal even wachten, dan kunnen jullie het rustig op een schateren zetten.

Maar het enige wat ik vroeg was dit: 'Wilde u dat Sage en Rose een hekel aan u zouden krijgen?'

'Nee. Maar als ze een hekel aan me moesten hebben om te leren van zichzelf en van elkaar te houden, dan heb ik daar vrede mee.'

Marco kwam terug, nam de borden van het voorgerecht af en zette geurende borden voor ons neer met een cassoulet die me het water in de mond deed lopen. Onder het eten vertelde Laurel over haar jeugd – er was een oom geweest die in de Morvan had gewoond, tussen Autun en Nevers, en die voor de Charolais-koeien van een rijke grondbezitter zorgde. Zijn baas had hem als beloning een stenen huisje gegeven, waarvan de keuken heel erg op dit vertrek leek.

'Dus heb ik die keuken hier nagemaakt. Daarom drinken we deze boerenwijn en eten we deze cassoulet. Zijn recept. In dit vertrek laat ik zelden gasten toe.'

Ik glimlachte. 'Dank u wel, madame.' Ik wist niet goed wat ik anders moest zeggen.

'Goed, Megan. Wat ga je doen als je terug bent in New York?'

Als ze nou echt mijn eetlust wilde bederven... Ik legde mijn vork neer en veegde mijn mond met het grofkatoenen servet af. Ik hoopte dat de tweeling op Duke aangenomen zou worden en mijn studieschuld verleden tijd zou zijn. Dat wist ik pas als de uitslag van het toelatingsexamen twee weken later online doorgegeven zou worden. Verder had ik geen flauw idee.

'Een baan zoeken, neem ik aan.'

'Iets in de trant van wat je hiervoor bij het tijdschrift van Debra hebt gedaan?' Ze glimlachte, en ik realiseerde me dat Debra haar wel iets verteld moest hebben over de klik tussen *Scoop* en mij. Die er namelijk niet was.

'Ik hoop eigenlijk op iets... met wat meer inhoud,' opperde ik.

'Misschien kan ik je helpen je verheven ambities te realiseren. Ik ken allerlei mensen in de uitgeefwereld. Sommigen werken bij... tijdschriften met inhoud. Ik kan wel een paar telefoontjes voor je plegen. Maar voorlopig' – ze stak haar hand in een zak van haar jurk en haalde er een kleine envelop uit – 'is dit voor jou.'

Ik maakte de envelop open. Daarin zat een cheque voor vijfenzeventigduizend dollar. 'Je bonus,' legde Laurel uit. 'Je hebt hard gewerkt, Megan. Je hebt de meisjes klaargestoomd. Dat was het enige wat je moest doen.'

Ik staarde naar het bedrag. Nu moest ik natuurlijk bezwaar aantekenen, zeggen dat ik het pas verdiend had als de tweeling ook daadwerkelijk op Duke werd aangenomen.

O, toe nou zeg, natúúrlijk nam ik het aan. Wat dacht je dan, dat ik een heilige was of zo? 'Ik wilde je nog iets ter overweging meegeven,' zei Laurel. 'In het Frans klinkt het logischer dan in het Engels, als je het niet erg vindt. *Tu es une jeune femme très débrouillarde.*'

Ik bloosde. In het Frans is het woord *débrouillard* ongeveer het grootste compliment dat je kunt krijgen. Het is een combinatie van slim, nadenkend, praktisch... en vooral vindingrijk.

'Dank u wel. Ontzettend aardig van u.'

'Toen ik net in Parijs begonnen was, had ik het heel zwaar. Er waren maar weinig salons die de nieuwe schoonheidsproducten van een Frans meisje met een adres in het *dix-huitième arrondissement* wilden proberen. Die producten mengde ik in de wastafel van de gezamenlijke badkamer van ons gebouw – hoewel ik daar eigenlijk geen gebruik van mocht maken. Elke stuiver die ik wist los te krijgen, door bedelen, lenen of stelen, stak ik erin.' Ze vlocht haar elegante vingers in elkaar. 'Dus zo nu en dan was het mijn plicht om – hoe zeg je dat in het Engels? – de waarheid wat mooier te maken. Een gulle gever kocht een dure jurk voor me en die droeg ik als ik winkels langsging, zodat ze zouden denken dat ik een meisje uit gegoede kringen was. Het was een middel om mijn doel te bereiken.'

Ze keek me met twinkelende ogen aan. En toen... wist ik dat ze het wist.

'Het spijt me,' wist ik nog uit te brengen.

Ze maakte een wegwuivend gebaar met haar hand. 'Dat verhaal over Main Line, Philadelphia, was jouw middel om een doel te bereiken,' zei ze met een glimlachje. 'Op een bepaalde manier imiteerde je mij, zonder het zelf te weten.'

'Ik zal de meisjes de waarheid vertellen,' bood ik aan. 'Nadat ze morgen het examen hebben gemaakt.'

Laurel knikte. 'Dat lijkt me het juiste moment.'

Ik keek weer naar de cheque die ik in mijn hand had. 'Wat ontzettend aardig van u...'

'Wat is er aardig?' vroeg Sage. Ze stond samen met Rose in de deuropening.

'*Mon dieu!*' riep Laurel uit. 'Rose, wat heb je gedaan?'

Rose grijnsde en draaide toen rond. 'Vind je het mooi?'

Ze had haar prachtige haar afgeknipt. Ze had nu een kort koppie met een springerige pony die de aandacht op haar gigantische ogen vestigde.

'Geweldig!' riep ik uit, niet alleen omdat ik dat echt vond, maar ook omdat ik aan de twinkeling in Rose' ogen zag dat ze er zelf heel blij mee was. Ze leek helemaal niet meer op een imitatie van Sage. Ze zag eruit als zichzelf.

'Het... het is een afscheid,' zei Sage.

'Jean Seberg. *À bout de souffle*,' vond Laurel, terwijl Marco een kan koffie en een schaal met zijn minuscule donutjes binnenbracht. 'Een film met Belmondo. Die moeten jullie een keer zien. Ja, Rose, ik vind het heel mooi. Ga zitten, meisjes. Het is tijd voor het nagerecht. En het is tijd dat ik jullie feliciteer; jullie hebben hard gewerkt.'

Sage keek haar oma aan alsof er net hoorntjes op haar hoofd waren verschenen. 'Zei je net iets aardigs tegen ons?'

'Ja, Sage,' bevestigde Laurel. 'Dat deed ik inderdaad. Ik vind dat jullie heel hard gewerkt hebben. Maar wat nog belangrijker is, is dat júllie nu inzien dat júllie in staat zijn om heel hard te werken. En als je hard werkt, oogst je succes. Dat is de reden waarom jullie, of jullie morgen nu slagen of niet...'

'We het geld toch krijgen!' gilde Sage. Ze sprong op en maakte een vreugdedansje. 'Ik ben jarig, ik ben jarig... Niet echt, maar we vieren het toch...'

Laurel stak haar hand op. 'Nee. Niks motiveert zo goed als motivatie. Ga zitten.'

Sage viel neer op haar stoel.

'Jullie moeten morgen nog steeds zo goed mogelijk je best doen,' verkondigde Laurel. 'Ik heb Megans studieschuld voldaan. In z'n geheel. Ik geloof dat we het er met z'n drieën wel over eens kunnen zijn dat ze dat ruimschoots verdiend heeft. Toch?'

'Ja,' beaamde Rose.

'Zonder meer,' gaf Sage toe.

'Mooi zo,' zei Laurel goedkeurend. 'Meisjes, jullie oma is trots op jullie. Megan, volgens mij heb je gedaan wat je kon.'

'Ik vind van niet,' zei Rose zacht. 'Ze kan nog iets doen, als ze echt wil.'

Laurel fronste haar voorhoofd. 'Wat dan?'

Ik zag dat Rose tranen in haar met kohl omrande ogen had

staan. 'Ze zou morgen niet terug naar New York kunnen gaan. Ze zou hier kunnen blijven.'

'Iedereen moet verder, liefje,' legde Laurel uit. Het brak mijn hart. 'Megan. Jullie. Zelfs ik.' Ze trok haar wenkbrauwen naar me op. 'Zullen we dan maar een kleine toost uitbrengen? Met iets speciaals?'

'Iets kleins dan,' waarschuwde ik haar. 'Iets heel kleins.'

'Een vingerhoedje. Ik heb in mijn kantoor cognac van mijn oudoom. Eau de Morvan. Alleen voor heel speciale gelegenheden. Ik haal hem even.'

Ze liep weg, waardoor ik met de tweeling alleen bleef. Ik kende haar inmiddels goed genoeg om te weten dat ze wel tien hielenlikkers had kunnen roepen om die cognac voor haar te halen. Ze haalde hem zelf, zodat ik met Sage en Rose alleen kon zijn.

'Ik wilde alleen maar zeggen...' begon ik.

'Als je het maar niet waagt om iets over woordenschat te zeggen,' waarschuwde Sage me.

'Nee, tuurlijk niet. Jullie zijn er klaar voor. Er wordt niet meer gewerkt.'

'Vind je mijn haar echt leuk?' vroeg Rose.

'Ja, echt heel leuk,' verzekerde ik haar.

Sage haalde haar nieuwe telefoontje uit de achterzak van haar spijkerbroek. 'Nu we het er toch over hebben: geef me het nummer eens van je ouders in Gladwyne.'

Ik nam een grote slok van de boerse rode wijn om tijd te winnen. Het nummer van mijn ouders in Philadelphia? Ik wist het kengetal van Philadelphia niet eens.

'Waarom?' vroeg ik, en ik probeerde nonchalant te klinken. 'Je hebt mijn mobiele nummer toch?'

'Voor het geval je verhuist of naar Europa gaat of zo,' legde Sage uit. 'Je ouders weten in elk geval altijd waar je bent. Nou, wat is het nummer?'

Dit was zo'n moment waarop je je hele leven aan je voorbij ziet trekken. En toen werd ik gered door het lot.

'O, shit, hij is niet opgeladen,' mopperde Sage. 'Nou, help me herinneren dat ik het nog van je krijg.'

'Prima,' zei ik snel. Morgen, hield ik mezelf voor. Morgen, na het examen. Dan vertel je ze de waarheid.

Toen Laurel terugkwam met de eau de Morvan, voelde ik me slap van opluchting.

'Op morgen,' toostte ze.

Ik had vijfenzeventigduizend dollar in mijn zak, wat me een heerlijk gevoel gaf, maar daaronder knaagde iets. Acht korte weken geleden had ik een hekel aan deze meisjes gehad, en met recht. Maar die hekel was allang verdwenen. Ze waren volkomen anders dan ik op het eerste gezicht had gedacht, maar ik was ook een heel ander iemand dan zij dachten te weten. Hoe was het zo gekomen dat zij de moed hadden weten op te brengen om eerlijk tegenover elkaar en mij te zijn, terwijl ik nog steeds lichtjaren verwijderd was van eerlijkheid tegenover hén?

'Op morgen,' zei ik instemmend. Die twee woorden hadden nu een bijzondere betekenis. Meteen nadat de tweeling het schoolexamen had afgelegd zou ik hun alles vertellen. 'Proost.'

Vierendertig

Kies het item dat het best overeenkomt met het volgende woordpaar:

Maanlicht: champagne

- aardbeien: champagne
- puppy's: schattig
- one-night-stand: tequila
- zonnebaden: rimpels
- mascara: wimpers

Nog één avond in het paradijs. Nog één wandeling over het strand.

Het koele zand kwam tussen mijn blote tenen omhoog. Ik keek naar het uitgestrekte donkerpaarse vlak – de oceaan onder een piezeltje maan. Nadat ik me aan de donutjes van Marco te goed had gedaan – en neem van mij aan dat niemand van vlees en bloed, zelfs de Baker-tweeling niet, daar weerstand aan kon bieden – waren we met z'n drieën terug naar hun huis gewandeld. Ik controleerde twee keer of hun wekker goed stond, maakte nog een grapje dat ik ze lekker zou komen instoppen en gaf hun toen allebei een dikke knuffel. De volgende ochtend zouden we samen ontbijten en zou ik hen naar het examengebouw in West Palm brengen. Ik probeerde er maar niet aan te denken of ze een hekel aan me zouden hebben of niet als ik hun de waarheid vertelde. Ik hield me hieraan vast: als ik eenmaal de kans had gehad om het uit te leggen, zouden ze het vast wel begrijpen.

Het was een koele avond en er stond een briesje. Ik trok mijn spijkerjasje van True Religion wat dichter om me heen en keek toe hoe de golven op het strand sloegen. Als ik eenmaal weer terug was in het beton van New York, zou ik me dan de kleuren nog voor de geest kunnen halen, die verkwikkende prikkeling van de zoute lucht opnieuw kunnen voelen en me de krachtige geuren van de bloemen kunnen herinneren waarvan de lucht op Les Anges doortrokken was? Zou ik mijn ogen dicht kunnen doen en dan voor me zien hoe een cruiseschip eruitzag, daar op zee, met een silhouet van lichtjes? Zou ik me de flarden van het orkestje op dat schip kunnen herinneren, dat muziek uit vervlogen tijden speelde, die helemaal tot op het strand te horen was?

Dit zou allemaal uit mijn leven verdwijnen, met ingang van morgenavond. Palm Beach was niet mijn thuis – verder van mijn thuis kon bijna niet – maar toch vond ik het jammer om hier weg te gaan. Waarom moest je voor alles wat je in het leven vergaarde ook iets kwijtraken?

Ik merkte dat ik in zuidelijke richting liep, de kant van Barbados op. Ik kon niet echt zeggen dat ik Will was kwijtgeraakt, want die had ik nooit echt gehad. Wat ik die dag aan het Okeechobeemeer voor hem voelde – had gevoeld – leek nu heel lang geleden en heel ver weg, als iets uit een droom.

Ik stak het scheepstouw over dat het terrein van Les Anges van dat van de familie van Will scheidde. In de verte, misschien driehonderd meter voor me, zag ik een gebouwtje dat ik nog nooit eerder gezien had, verlicht met gaslampen. Verder was er niemand op het strand, dus ik besloot te gaan kijken wat het was. Toen ik dichterbij kwam, zag ik dat het een open hut met rieten dak was, met een bar en een paar tafeltjes die her en der verspreid over een plankenvloer stonden. Wat Palm Beachers allemaal niet deden om een omgeving te creëren waarin het bruto nationaal product niet gelijkstond aan het fortuin van één familie uit Palm Beach, was gewoonweg te zot voor woorden.

Ik begon 'One Love, One Heart' van Bob Marley te neuriën. 'Verkeerde eiland.'

Ik draaide me om en zag tot mijn verrassing dat Will over het zand aangelopen kwam, met een zwarte smoking aan, maar dan zonder das, en met de boord van zijn witte hemd open. Hij zag eruit als zo'n ratpacklid uit de jaren zestig, Frank Sinatra of Dean Martin – zangers aan wie mijn opstandige ouders een hekel hadden. Zijn saffierkleurige ogen lichtten op in de schijnwerpers.

'Overdreven Caribisch hier, hè?' zei hij nonchalant, alsof we zo'n beetje bevriend waren en elkaar toevallig tegen het lijf waren gelopen. 'Een ideetje van mijn stiefmoeder. Mijn vader en zij zijn, je raadt het al, op huwelijksreis naar Barbados geweest. Ik denk dat ze hun hotel niet uit zijn geweest en niks van het eiland hebben gezien, maar het gaat om het idee.' Hij ging op een van de barkrukken zitten, met zijn handen diep in de zakken van zijn broek. 'Hallo dan maar.'

'Hallo. Lang niet gezien.'

Ik kreunde. Had ik net 'lang niet gezien' gezegd? Ik? De spitsvondigheid in eigen persoon? 'Heerlijk, een man die in smoking over het strand loopt,' voegde ik eraan toe. Zo. Dat was beter.

'Mijn vader geeft een feest voor klanten. Black tie. Een heel suf stelletje.' Hij glimlachte bijna, maar niet blij.

'Niet bepaald de cliëntèle van Hanan?'

Will lachte. 'Mijn vader gaat nog liever dood dan dat hij het werk van Hanan tentoon zou stellen.'

Ik stak een teen in het zand. 'Maar je hebt wel tegen haar gezegd dat jij het zou doen. Ze rekent op je.'

Will fronste zijn wenkbrauwen. 'Dat is nooit verstandig.' Hij ging achter de bar. 'Wil je een Red Stripe?'

'We zijn toch op Barbados? Iemand heeft hier problemen met geografie.'

'Dat zal mijn stiefmoeder wel weer zijn. Dat is niet haar sterke kant. Dat geldt wel voor meer dingen.'

Hij pakte twee biertjes uit een kleine koelkast, gaf mij er een en klonk zijn flesje tegen het mijne. We namen allebei een flinke slok. Will leunde met zijn elleboog op de bar. 'Ik wou eigenlijk even naar jou toe komen.'

Oké, ik geef het toe: mijn hart sprong op. 'Leuk.'

'Om de tweeling succes te wensen voor morgen,' verduidelijkte hij.

Ai.

'We zijn net terug uit Londen,' legde hij uit. 'Daar waren we voor de winterveilingen. Sotheby's, Christie's. Daarna naar Tajan in Parijs.'

'Leuk leven heb jij.'

'Iemand moet het toch doen.' Hij nam nog een grote slok. 'Dus ik vroeg me af hoe het met ze ging, of ze klaar zijn voor het examen.'

Ik ging met mijn duimnagel langs het bierflesje. 'Ik zal eerlijk zijn: ik weet het niet. Maar één ding is zeker: ze hebben er keihard voor gewerkt.'

'Nou, dat is dan voor het eerst.'

'En wat nog veel indrukwekkender is: Laurel heeft me betaald.'

'Wauw. Dat mag wel op de voorpagina van de *Shiny Sheet*.'

Will kwam achter de bar vandaan. 'Zullen we een eindje lopen?'

'Prima.'

We liepen naar de waterkant, in stilte. Er zat me iets dwars wat hij gezegd had. 'Waarom zei je daarnet dat het niet verstandig is om op jou te rekenen?'

'Van tijd tot tijd krijg ik visioenen van onafhankelijkheid – mijn eigen galerie opzetten, het soort kunst brengen dat ik mooi vind...' Hij haalde zijn schouders op. 'Maar laten we eerlijk zijn, Megan. Ik ben een kind van rijke ouders dat nog nooit ergens hard zijn best voor heeft moeten doen. Dus waarom zou ik me druk maken?'

'Om te bewijzen dat je niet je vader bent.'

Hij keek even naar me. 'Voor jou?'

'Voor jezelf.'

'Aha.'

We wandelden in stilte verder, terwijl de golven braken op het strand.

'Ik heb een vraag, Megan Smith,' zei Will op een gegeven moment. 'Die ochtend op Worth Avenue. Die jongen in het café. En op het kerstgala. Wie was dat nou echt?'

Een kort redactioneel commentaar: leugens zijn dodelijk vermoeiend.

Plotseling had ik het helemaal gehad met deze ellende. Ik wilde me in het zand laten vallen en slapen. Maar dat zou de zoveelste manier zijn om toch vooral de waarheid niet te hoeven vertellen.

Oké, geen dutje in het zand. Ik vertelde het nu aan Will en morgen aan de tweeling. Maar waar moest ik beginnen?

'Ik kende James op Yale al,' zei ik voorzichtig.

'Ja, zoiets had ik al begrepen.' Ik hoorde aan zijn stem dat Will gespannen was. 'En?'

'En er is een tijd geweest dat we... iets met elkaar hadden.'

'Zoiets had ik ook al begrepen. Maar waarom heb je dat niet gewoon verteld?'

'Dat had ik inderdaad moeten doen,' beaamde ik. 'Toen ik

hier net was, toen de tweeling die stunt met me had uitgehaald... dat naakt zwemmen... toen hád ik me toch een hekel
aan ze! En aan hun vrienden. En jíj was een van die vrienden.'

'Wat heeft dat met die jongen van Yale te maken?'

Ik zuchtte. 'Nou...' Ik liet mijn knokkels kraken – dat doe ik
anders nooit. 'Heb je even? Het is een lang verhaal.'

'Oooké.' Will keek me met gefronste wenkbrauwen aan en
schopte onder het lopen in het zand.

'Al die tijd interesseerde het me niet echt wie jij was of wat je
dacht. Pas toen we naar Hanan gingen... Toen is alles veranderd.'

Hij bleef staan en draaide zich afwachtend naar me toe.

'Want toen zag ik wie je echt was.' Ik bleef ook staan. 'En wie
je echt bent was... is... heel... heel... Ik was bang dat als jij wist...'

In de film is dit het moment waarop de grote bekentenis van
het meisje knarsend tot stilstand komt, de jongen haar naar zich
toe trekt en haar zoent alsof zijn leven ervan afhangt.

Dames en heren, welkom bij mijn filmmoment.

Zijn mond was op de mijne, zijn ene hand zat verstrikt in
mijn haar en met de andere trok hij mij tegen zich aan. Alles wat
ik me ooit had voorgesteld, zelfs mijn badfantasieën, verbleek-
ten bij de ademloze werkelijkheid van zijn mond op de mijne.
Mijn gedachten schoten heel even naar Lily en naar het feit dat
ik hem ook met haar had zien zoenen, maar toen trok hij mijn
jasje uit en mijn T-shirt over mijn hoofd en waren alle gedachten aan alles en iedereen verdwenen. Toen legde hij zijn smokingjasje op het zand en vlijde me erop neer. Even later was ik
naakt en hij naakt en begreep ik al die filmmetaforen over bre-
kende golven.

Ik weet vrijwel zeker dat ik dingen gekreund heb waaruit je
kon opmaken dat ik het echt heel erg lekker vond wat er allemaal gebeurde. En ik was zelfs blij dat ik zo bloot als een baby-

billetje was – en dat Will degene was die nu eindelijk mijn, eh... kunst kon bewonderen.

Seks op het strand bleek echt heel opwindend te zijn. Ik bedoel, dat zand voegt een extra... tactiel element toe waar je niet per se naar op zoek bent, maar ik geloof niet dat wij ons daar allebei iets van aantrokken, want we gingen voor de tweede ronde. Wat zal ik ervan zeggen? Er was een enorme seksuele spanning in mij opgebouwd.

Ik geloof dat we allebei even in slaap zijn gevallen, en dat kan ook niet anders met al die frisse lucht, diep ademhalen en al die aerobics. Ik werd in Wills armen wakker. Hij gaf me een kus op mijn voorhoofd. Toen daalden zijn lippen af. Ik trok hem weer omhoog.

'Laten we naar mijn bed gaan,' fluisterde ik tegen hem. 'Ik smokkel je wel naar binnen.'

'Echt middelbare school,' zei Will plagerig. Hij stond op en hees me overeind. Ik trok mijn T-shirt en spijkerbroek aan, maar propte mijn La Perla in mijn zak. Hand in hand liepen we naar Les Anges. Hij bleef om de paar meter staan om me te zoenen en met die hese stem van hem mijn naam te fluisteren.

We liepen het stenen trapje op, trippelden de veranda over en liepen toen op onze tenen naar de voordeur van het huis van de tweeling. Onderweg naar boven kneep hij op de statige trap nog even in mijn kont. Ik sloeg naar hem en legde een vinger tegen mijn lippen om hem toch vooral tot stilte te manen. Boven aan de trap trok hij me weer tegen zich aan en gaf me nog een zinderende kus.

Er ontsnapte iets aan mijn mond wat het midden hield tussen een kreun en een zucht. Als mijn IQ niet tot ergens onder mijn navel was gedaald, had ik me vermoedelijk geschaamd. Maar dat was wel zo, dus dat deed ik niet.

Ik wilde net wijzen waar mijn kamer was, toen het licht aan-

ging. Daar stonden Sage en Rose, die mij de doorgang blok-
keerden. Ze hadden allebei een joggingpak van Juicy Couture
aan. In hun ogen stond een duistere hardheid te lezen die mij
vertelde dat er iets goed mis was.

'Wat is er aan de hand?' vroeg ik. 'Waarom liggen jullie
niet...'

'Hoe kón je dat doen?' vroeg Rose, en onder het bruin zag
haar gezicht grauw.

'We weten alles.' Sage keek me met onverholen haat aan.

Vijfendertig

Kies het woord dat het beste antoniem is voor het volgende woord:

Succes

- mislukking
- verwoesting
- verwoestende mislukking
- al het bovenstaande

Rose keek naar het zand in mijn haar, het zand in Wills haar, de string van La Perla die uit de zak van mijn spijkerbroek stak, en trok de overduidelijke conclusie. 'Jullie hebben het op het strand gedaan.'

Will en ik stonden daar maar. De zichtbare bewijzen waren nogal moeilijk te ontkennen.

'Wil je weten met wie je net genaaid hebt?' vroeg Sage fel aan Will. 'Of moet ik zeggen: door wie je genaaid wordt?'

Op dat moment zag ik dat er een snoertje uit de linkerhand van Sage hing.

Mijn flashdrive. O god. Mijn flashdrive. Hoe kon ik zo stom geweest zijn? Ik had al mijn aantekeningen over Palm Beach van mijn computer gewist nadat we op de ochtend van nieuwjaarsdag naar de zonsopgang hadden gekeken. Ik had zelfs de prullenbak van mijn computer geleegd. Maar ik had niet aan de back-up op mijn flashdrive gedacht. Ze hadden alle aantekeningen gelezen die ik in de loop van zes weken hier in Palm Beach had gemaakt.

'Waar heeft ze het over?' vroeg Will aan mij.

Sage glimlachte kil en liet de flashdrive ronddraaien. 'Vertel jij het hem, Megan? Of zullen wij het doen?'

Ik wilde kotsen, weglopen of op mijn knieën neervallen en om genade smeken. Maar dat kon natuurlijk allemaal niet. Dus stond ik daar maar, terwijl de tweeling van wal stak en vertelde hoe ze het ontdekt hadden.

Ze legden uit dat ze, toen ik weg was gegaan om langs het strand te wandelen, van de zenuwen de slaap niet hadden kunnen vatten. Dus waren ze naar mijn kamer gegaan, gewoon om wat te praten. Aangezien ik er niet was, hadden ze besloten nog een paar oefeningen voor het examen te maken, gewoon zomaar.

'We zetten je iBook aan om een paar voorbeelden te zoeken,' zei Rose. 'We konden geen documenten vinden, en toen zagen we dit.'

Sage hield mijn flashdrive omhoog. 'Dus die hebben we ingeschakeld, en wat denk je dat we toen zagen, Will?' vroeg ze. 'Documenten. Met onze naam erop.'

'En jouw naam ook, Will,' voegde Rose eraan toe.

Voor het eerst keek ik nu ook naar hem. Zijn gezicht was verscheurd van de emoties, en ik begreep ze allemaal. Argwaan. Twijfel. De hoop dat het niet waar was. De angst dat het wel waar was.

'Vraag haar maar wat er in die documenten staat,' spoorde Sage hem aan.

'Dat hoef je niet te vragen, Will. Dat vertel ik je zo wel.' Mijn knieën voelden slap aan, maar ik ging door. 'Het zijn aantekeningen. Voor een artikel dat ik wilde schrijven over Palm Beach.

Maar ik ben van gedachten veranderd en heb besloten om het niet te schrijven. Ik heb de aantekeningen van mijn harde schijf gewist. Ik denk dat ik vergeten ben om ook de back-up te wissen.'

Ik zag de verwarring op het gezicht van Will overgaan in woede. 'Denk je nou echt dat we dat geloven, Megan? Iemand die zo slim is als jij die haar back-up "vergeet" te wissen?'

'Toch is het waar,' hield ik vol.

'Waar? Jezus, Megan.' Sage lachte bitter. 'Je hebt net gedaan of je onze privélerares was, of je onze vriendin was, terwijl het al die tijd één grote truc was om ons in een artikel de nek om te draaien.'

'En weet je wat ze over jou schreef, Will?' vroeg Rose met een kille woede. 'Dat je een zielige voormalige corpsbal bent die met middelbare scholieres omgaat. Dat wat andere mensen officieel aanranding noemen, voor jou een gelukkige bijkomstigheid is.'

'Heb je dat echt geschreven?' vroeg hij.

'Ik kan het uitleggen,' zei ik, op de aloude manier van iemand die op heterdaad betrapt is. 'Die aantekeningen heb ik gemaakt vóórdat ik je had leren kennen; ik was gewoon gemeen omdat ik boos was... dat heb ik je net op het strand ook al gezegd.' Ik draaide me weer om naar de tweeling. 'Toen ik hier net was, was ik echt niemand anders dan jullie privélerares. Ik had geen andere agenda.'

'O, doe me een lol,' zei Sage spottend. 'Wie ben je nou echt? Hoe heet je? En ga me nou niet vertellen dat je Megan Smith heet.'

'Ik heet wél Megan Smith,' zei ik ongelukkig.

'Ja hoor,' zei Sage. 'Geloof je het zelf? En waar kom je dan echt vandaan, Megan Smith?'

Ik slikte. 'Ik ben opgegroeid in Concord, New Hampshire. Ik ben naar een gewone openbare school geweest. Mijn vader is hoogleraar aan de University of New Hampshire. Mijn moeder is verpleegkundige.'

'Dus je komt helemaal niet uit Philadelphia?' constateerde Will. Toen vloekte hij zachtjes. 'Ik wist wel dat er iets niet klopte.'

'Ik heb nooit gezegd dat ik uit Philadelphia kwam,' merkte ik op in een matte poging om mezelf te verklaren. Ik draaide me om naar de tweeling. 'Jullie hebben me gegoogeld en besloten dat ik een of ander rijk meisje uit Philadelphia moest zijn. Oké, ik heb jullie in die waan gelaten. Maar als ik dat niet gedaan had, zouden jullie nooit met me aan de slag zijn gegaan.'

'Maar toen we eenmaal goed bezig waren heb je het niet rechtgezet, of wel soms?' Sage zette me voor het blok.

'Nee,' zei ik bedrukt. 'Dat heb ik inderdaad niet gedaan.'

'Niet eens toen je zogenaamd al je aantekeningen had gewist?'

Ik schudde mijn hoofd. Ik kon niet om de feiten heen. Ik keek even snel naar de tweeling. Het huilen stond Rose nader dan het lachen. Sage was daarentegen bereid tot moord.

'Megan, één ding begrijp ik niet,' mompelde Rose.

'Wat dan?'

'Als jij niet dat meisje uit Philadelphia bent, en je bent niet rijk – hoe kom je dan aan al die kleren?'

'Van Marco. Die heeft me geholpen.'

'Daar hebben we het met oma nog wel over,' zei Sage snuffend, met half dichtgeknepen ogen.

Het had geen zin om haar te vertellen dat oma het allang wist. Daar kwam ze snel genoeg achter.

'Waarom heb je het gedaan?' vroeg Will verbijsterd. 'Waarom heb je overal over gelogen?'

'Ik heb geprobeerd het je te vertellen... op het strand. Dat was wat ik je probeerde te zeggen voordat we... je weet wel.' Ik schudde mijn hoofd en probeerde mijn tijdelijke afdwaling naar de strandextase uit mijn hoofd te bannen. 'Toen ik hier net was, wist ik niet eens waaróm ik hier was. Maar die eerste avond, toen ze die streek met me hadden uitgehaald...'

'Wacht even,' beval Will. 'Ga je de tweeling hier nu de schuld van geven?'

'Nee,' bekende ik. 'Ik bedoel... ja, ik heb die research gedaan. Ja, ik heb aantekeningen gemaakt. Maar...'

'Je hebt je bedacht en gaat het stuk toch maar niet schrijven,' maakte Rose mijn zin op spottend zangerige toon voor me af.

'Het is de waarheid, Rose,' hield ik vol, en ik hoorde dat mijn stem beefde. 'En ik zou willen... ik zou willen dat jullie diep in je hart zouden weten dat je me moet geloven.'

Sage trok een verontwaardigd gezicht. 'Waarom zouden we? Je hebt overal over gelogen.'

'Omdat... omdat je op mijn iBook zult zien dat de documenten weg zijn. Ik heb al twee weken geen enkele aantekening gemaakt!'

'Ze heeft ons gebruikt, Rose,' besloot Sage. 'En ze wilde er nog geld mee verdienen ook.'

'Maar al die uren die ik met jullie gewerkt heb dan?' zei ik. 'Die waren toch echt?'

'Dat had iedereen kunnen doen,' zei Rose vlak. Ze pakte de flashdrive van haar zus aan en wierp me die toe. 'Ik vertróúwde je.'

Wat moest ik zeggen? 'Het spijt me echt ontzettend.'

Ik wilde haar hand pakken, maar ze trok hem weg. 'Dan ben je bij mij aan het verkeerde adres,' beet ze me toe.

'Megan?' vroeg Will, terwijl hij op de binnenkant van zijn wang beet. 'Die jongen, hè? James? Was die hier ook bij betrokken?'

Hij zag het antwoord al in mijn ogen.

'Godsamme,' mompelde hij, meer tegen zichzelf dan tegen mij. 'Wel dus.'

'Wie is James?' vroeg Sage streng.

'Vraag maar aan je privélerares,' zei Will.

Ik kon niks doen, zeggen of uitleggen; ze zouden het toch nooit alle drie begrijpen. Het was een verloren zaak. Maar ik wilde niet dat de meisjes zichzelf nog meer verdriet deden dan ik hun al had gedaan.

'Het spijt me ontzettend als ik jullie verdriet heb gedaan,' zei ik tegen de tweeling. 'Zorg er nou alsjeblieft voor dat je dat examen morgen niet verpest doordat jullie een hekel aan me hebben.'

'Alsof jou dat iets interesseert,' snoof Rose. 'Er staat toch binnenkort wel een stuk over ons in dat ellendige *Scoop*.'

Ik vroeg me heel even af wat ze nog meer over me wisten. Hadden ze ook al de link met *Scoop* gelegd? 'Ik weet dat jullie me niet geloven, Rose, maar ik geef wél om jullie. Heel erg. En Will...'

Hij schudde zijn hoofd. 'Megan – als je tenminste echt zo heet – doe maar niet. Wat je ook wilde zeggen... doe maar niet.'

Hij draaide zich om en liep de trap af. Het kwam niet eens in me op om achter hem aan te gaan.

'Wij gaan nu naar onze kamer,' zei Rose. 'Als we morgenochtend opstaan, zou ik je ten zeerste willen aanraden om hier dan niet meer te zijn.'

Dat was dat. Ik ging mijn kamer in en deed de deur achter me dicht. Verdoofd belde ik een taxi om naar het vliegveld te gaan, trok de lelijke Century 21-outfit nummer twee aan en pakte mijn tas. Daar was ik zo klaar mee, aangezien ik alleen maar de spullen mee terugnam naar New York waarmee ik gekomen was. Al het andere – de kleren van Marco en de meisjes, de make-up, de spullen, de blingbling, zelfs de stylingtang – legde ik netjes op een stapel op bed. Daarbovenop legde ik de cheque van Laurel, het bankpasje voor de rekening die Laurel voor me had geopend en mijn flashdrive.

Ik liet ook nog een met de hand geschreven briefje aan Marco achter. Hij was een vriend voor me geweest, op het moment waarop ik die heel hard nodig had. Wat had ik gedaan? Ik had hem gebruikt. 'Het spijt me' leek me bij lange na niet genoeg, maar ik zei het toch maar.

Toen liep ik, met precies dezelfde kleren aan als waarin ik op Les Anges was aangekomen en met dezelfde rugzak om mijn schouder, naar de poort voor de taxi. Ik stopte alleen even om mijn briefje onder de deur van Marco's huis door te schuiven. Ik liet alles wat ik in Palm Beach gevonden had achter me – alles, dus ook mijn hart.

Zesendertig

Serendipiteit is een concept dat misschien (a) vaag en theoretisch lijkt, maar (b) dat in het leven van de (c) meeste mensen daadwerkelijk een rol speelt. (d) geen fouten.

Ik stak mijn handen in mijn zakken, want het was gemeen koud, en ik liep de trap op van de metrohalte Astor Place van lijn 6.

De avond ervoor was de ergste avond van mijn leven geweest. Half New York in mijn kruis laten kijken en uit mijn flat gerookt worden haalden het er niet bij. Ik had tot tien over zes 's ochtends ineengedoken op het vliegveld van Palm Beach gezeten. Toen had ik eindelijk een vliegtuig naar La Guardia gekregen en daarna zat ik in een helse bus ingeklemd tussen een huilende baby en een jongen die de regels van de hygiëne tartte. Dat deed me denken aan een van de eerste woordenschatlessen met de meisjes – een gedachte waar ik eerst om moest glimlachen, maar waar vervolgens mijn kin van ging trillen.

In de rugleuning van mijn stoel zat een tv-schermpje, maar ik kon er niet naar kijken. Ik kon alleen maar denken aan de puinhoop die ik van mijn leven had gemaakt, en dat niet alleen, maar ook van het leven van een heleboel andere mensen. Ik hoopte dat Rose en Sage in de examenruimte in West Palm waren. Ik hoopte met heel mijn hart dat ze de gebeurtenissen van gisteravond van zich af hadden kunnen zetten en hun best zouden doen.

Het weer in New York was grijs en het was tien graden kouder dan in Palm Beach. Ik ondernam de massale oversteek naar East Village, omringd door de bleke gezichten van drommen kantoormensen die niet veel zon te zien kregen. Toen ik op de bovenste tree van station Astor Place aankwam, trof de sneeuwstorm die woedde sinds ik geland was me als een verwijtende klap in mijn gezicht. IJskoude wind beet in mijn wangen, schuin vallende sneeuw verzamelde zich op mijn wimpers. Ik had geen handschoenen, laarzen, sjaal, muts of jas. Toen ik twee maanden geleden in allerijl uit New York was vertrokken had ik er geen moment bij stilgestaan dat ik hartje winter zou terugkomen.

Een man van middelbare leeftijd met een lange jas aan rende naar de metrotrap toe en duwde me opzij; ik gleed uit op de spekgladde stoep. Ik viel met een dreun op de grond en kwam met mijn kont in zo'n sneeuw/derrie/hondenpispoel terecht, hét kenmerk van winter in New York.

Welkom thuis.

Door- en doornat zeulde ik klappertandend langs de goedkoop-chique winkels en restaurants van St. Mark's Place. Toen ik bij East 7th Street kwam en mezelf in mijn oude huis binnenliet, begonnen de klokken van de St.-Stanislauskerk te luiden. Het rook er niet meer naar rook, maar naar de inheemse gerechten van de bewoners: gevulde kool van de Poolse dame op de begane grond, *kimchi* van het Koreaanse stel op de eerste verdieping, zelfgemaakte borsjtsj van de tweede en echte *cheeba* van de rasta op de derde.

Eindelijk stond ik voor mijn deur. En dat was maar goed ook. Mijn kont was in een ijssculptuur opgevroren.

Vanaf La Guardia had ik Charma gebeld om te zeggen dat ik

een beetje vroeg thuiskwam. Er was niet opgenomen, dus ik dacht dat ze er misschien niet was en dat ze op een van haar kindertheatertournees was. Maar toen ik de drie sloten had opengemaakt en de deur opendeed, zag ik Charma... heel erg bloot en heel erg verstrengeld met de jongen van het T-shirt van Wolfmother uit het park, van die zondag van naar mijn gevoel heel lang geleden, toen ik mijn rugzak was kwijtgeraakt.

Ik liep stommelend de gang weer in en deed de deur met een klap dicht. 'O god. Het spijt me ontzettend!' riep ik door de deur. 'Ik kom straks wel terug.'

'Nee, wacht, niet weggaan! We kleden ons wel aan!' riep Charma terug.

Ik had het zo koud en voelde me zo ongelukkig dat ik wachtte. Een paar tellen later deed Charma met een groene badjas aan de deur open. Achter haar zag ik Wolfmother die met moeite zijn spijkerbroek dichtritste. Mijn onverwachte entree had zijn enthousiasme blijkbaar nog niet doen afnemen.

'Het spijt me ontzettend!' herhaalde ik, en ik liep de flat binnen.

Charma moest lachen. 'Waarom heb je geen jas aan? Trek iets anders aan, dan zet ik thee.' Ze liep snel weg om water op te zetten. Ik ging de badkamer in en diepte mijn andere Century 21-outfit uit mijn rugzak op, blij dat die droog was, maar wel depri dat ik die moest aantrekken. Ik hing mijn kleren over de stang van het douchegordijn.

'Dat is beter,' zei Charma goedkeurend toen ik weer naar buiten kwam. Ze omhelsde me stevig. 'Welkom thuis! Megan, dit is Gary Carner. Gary, dit is mijn huisgenoot Megan.'

Hij grijnsde en wees naar me. 'Dus jij bent degene die mij Wolfmother noemt? Vanwege het T-shirt dat ik aanhad op de dag dat ik Charma leerde kennen?'

'Klopt,' gaf ik toe. 'Ik heb gebeld om te zeggen dat ik vroeg zou zijn,' zei ik tegen Charma. 'Ik denk dat ik had moeten...'

'Maakt niet uit,' onderbrak Wolfmother me. 'We lieten de natuur alleen maar zijn loop.'

Charma glimlachte liefdevol naar Wolfmother en zette in de keuken water op. Ik liep door de flat waarvan ik de vier muren heel goed kende, maar waarvan de meubels volkomen nieuw voor me waren. Weg waren de aftandse op straat gevonden spullen, vervangen door jaren-zestigmeubels die vroeger van de oma van Charma waren geweest. Er was nog een verrassing: wat vóór de brand de slaapkamer van Charma was geweest, was nu verdeeld in twee kleinere ruimten met een wegklapbare scheidingswand. In elk kamertje stond een hoogslaper. Het was wel duidelijk welk bed voor mij was: het bed dat niet bezaaid lag met kleren en flesjes massagolie.

'Vind je het leuk?' vroeg Charma, en ze gaf me een beker.

Na mijn appartement in het landhuis van de tweeling leken dit wel gevangeniscellen. Nee, wacht: doodskisten.

'Hartstikke leuk,' antwoordde ik, terwijl ik mijn ontsteltenis probeerde te verbergen.

'Charma gaat ontzettend tekeer in bed,' zei Wolfmother. 'Ik denk niet dat je veel aan zo'n wandje hebt. Misschien moet je je iPod maar wat harder zetten.'

'Gaan jullie nooit naar jouw huis?' vroeg ik zo nonchalant mogelijk, terwijl ik een slokje thee nam.

'Ik had mot met mijn huisgenoot,' legde Wolfmother uit. 'Dus meestal chillen we hier.'

We gingen naar de keuken en namen plaats aan de nieuwe – althans, voor mij nieuwe – erwtjesgroene formica tafel.

'Hoe komt het dat je zo vroeg bent?' vroeg Charma zich af. 'Ik dacht dat je morgen pas kwam.'

'Ik dacht eerlijk gezegd dat ik morgen ook niet zou komen,' bekende ik.

'Hoe dat zo?'

Misschien had ik Charma wel verteld wat er gebeurd was als Wolfmother alias Gary alias Mister Mededeelzaam niet in zijn kruis had zitten krabben – een kruis dat ik nu al een keer te vaak gezien had.

'Er waren problemen. Dus ben ik naar huis gegaan. Punt uit.'

Charma keek me eens doordringend aan. 'Wat bedoel je met "problemen"? Krijg je dat geld nog als de tweeling op Duke worden aangenomen?'

'Alsof dat zal gebeuren!' kwam Wolfmother grinnikend tussenbeide. 'Charma heeft me over je baan verteld en ik heb dat stuk in *Vanity Fair* gezien. Ik heb me doodgelachen.'

'Nou,' zei ik, terwijl ik mijn handen aan de beker warmde, 'misschien lukt het ze wel.'

'Volgens mij is een bepaald IQ wel vereist,' meende Wolfmother.

'Megs, je hebt nog geen antwoord gegeven op mijn vraag,' zei Charma. 'Krijg je dat geld nog of niet?'

Ik schudde mijn hoofd.

'Ho eens even. Wát zeg je me nou?' riep Charma uit. 'Ze hebben je al dat werk laten doen en toen hebben ze je genaaid?'

'Nee, schat, ik heb jóú genaaid.' Wolfmother boog zich naar Charma toe, kuste haar en glimlachte toen naar mij. 'Charma geeft gisteren haar G-plek gevonden. Dat is toch moorddadig?'

Moorddadig? Ik geloof dat ík moorddadig werd.

'Wauw,' zei ik maar.

'Heb je het aan zien komen?' vroeg Charma. Ze wees naar Wolfmother. 'En zeg nou niet dat je míj zag komen,' giechelde ze.

'In de verste verte niet. Ik bedoel...' Ik nam een slokje thee. 'In het begin was het een drama. Ze hebben me alleen maar beledigd. Ik heb een grote make-over ondergaan om maar vooral in het plaatje te passen. In Palm Beach ben je óf een haar-make-up-designerklerendiva, óf je bent de betaalde assistent. Het is een hele subcultuur waar ik het bestaan niet van wist.'

'Heerlijk, die elitaire kutzooi!' kraaide Wolfmother. 'Vertel eens wat meer.'

'Noem maar een slechte eigenschap en de jeugd van Palm Beach heeft hem,' probeerde ik.

'Ben je nog uit geweest met die gasten?' informeerde Wolfmother.

'Ik ben de afgelopen zes weken naar drie liefdadigheidsfeesten geweest en ik heb er twee keer zoveel overgeslagen.' Ik schudde mijn hoofd, zo krankzinnig vond ik de hele situatie.

'En je hebt een heleboel van die kids persoonlijk leren kennen?' vroeg hij.

'Beter dan ik ooit had kunnen denken.'

Wolfmother krabde aan de stoppels op zijn kin en keek me doordringend aan. 'Charma heeft verteld dat je voor je naar Florida ging voor *Scoop* werkte.'

'Mm-mm.'

'Maar je hebt toch wel serieuzere stukken geschreven?'

'Toen ik op Yale zat.' Ik gaapte en realiseerde me hoe moe ik was.

'Heeft Charma je verteld wat voor werk ik doe?'

Ik dronk mijn thee op en stond op om mijn beker in de gootsteen te zetten. 'Nee.'

'Ik ben tijdschriftredacteur. Bij *Rockit*. Grappig dat ik je nooit in het gebouw heb gezien.'

Mijn vermoeidheid verdween als sneeuw voor de zon. Was Wolfmother redacteur bij hét tijdschrift waarvoor ik wilde schrijven? Als hij me de kans zou geven om te laten zien wat ik kon, mochten Charma en hij het voor mijn part de hele nacht doen, elke nacht, en dan zou ik hun als een eenkoppig publiek toejuichen.

Ik probeerde mijn hoofd koel te houden. Aan de buitenkant dan. 'Fantastisch blad.'

'Ik zou wel eens willen zien wat jij over je ervaringen daar te vertellen hebt,' zei hij. 'Als dat je wat lijkt.'

O mijn god. Of dat me wat leek? Ik had genoeg materiaal voor vijf stukken.

'Absoluut.'

'Je weet hoe ons credo luidt, hè? Niks achterhouden. Alles vertellen. Hoe saillanter, hoe beter – seks, drugs en rock-'n-roll. Als het goed is, kan ik er een hoofdartikel van maken. Wat zullen we zeggen: tien- à twaalfduizend woorden?'

Tien- à twaalfduizend woorden? Dat was gigantisch. Een gigantische doorbraak.

'Ja, interessant,' mijmerde ik, alsof het niks bijzonders was en ik elke dag een aanbod kreeg om een hoofdartikel voor *Rockit* te schrijven.

'Ga ervoor, Megan,' drong Charma aan. 'Dat is nou precies het soort artikel dat je altijd al hebt willen schrijven.'

Wolfmother en Charma besloten te gaan ontbijten in restaurant Tver aan East 10th Street, maar ik sloeg het aanbod af om mee te gaan. Het enige wat ik wilde was een warm bad. Maar verdomme, er was geen warm water. Dus probeerde ik te gaan slapen, maar ik was zo uitgeput dat het onbegonnen werk was. Ik was gewend geraakt aan het geluid van de oceaan en de vogels in de palmbomen, niet aan het geraas en geronk van de vuilniswagens en aan de ambulances die om de paar minuten met gillende sirenes over First Avenue in noordelijke richting reden.

Maar ik werd voornamelijk door het geraas in mijn hoofd wakker gehouden. Ik had geen baan en geen geld. Wolfmother had me zojuist een reddingsboei toe geworpen. Welke gek zou die niet vastgrijpen?

Ik pakte mijn iBook, duwde twee kussens in mijn rug en zette het ding aan. Mijn flashdrive had ik niet meer, maar ik wist dat ik die niet nodig had. Alles wat ik me moest herinneren zat in mijn hoofd. Ik opende een nieuw document en begon te typen:

De magische datum
Door Megan Smith

Zevenendertig

Als een serveerster zes uur per dag werkt, tegen een salaris van 2,10 dollar per uur, plus fooien, en als haar fooien gemiddeld op 11 dollar per uur uitkomen, hoeveel verdient ze dan op een gemiddelde avond?

- 78,60 dollar
- 67,80 dollar
- 76,80 dollar
- 68,70 dollar
- Wat maakt het uit? Haar huur kan ze er toch niet van betalen.

'Wil je jus op je *kasha varonishka's*?' vroeg ik aan de jongen met de blauwe mohawk. Hij had een wollen zwarte trui aan met gaten erin en daaronder een nethemd. Ik zag dat er op zijn adamsappel een tatoeage van een schedeltje stond. Hij was in gezelschap van een meisje met een kaalgeschoren hoofd en met grote schijven in haar oorlellen, waardoor die de afmetingen van een dessertbordje hadden aangenomen.

'Ja, graag,' antwoordde Mohawk, en hij nam een slok van de zwarte koffie die ik hem en het oorlelmeisje al had gebracht.

'En twee wodka's,' voegde het oorlelmeisje eraan toe. 'Voor ons allebei.'

Ze zaten in een van de acht zitjes voor twee personen, waaruit mijn wijk bestond sinds ik als serveerster was komen werken bij Tver, het Russische lowbudgetrestaurant met bar aan East 10th Street vlak bij Avenue B, twee dagen nadat ik uit Florida was teruggekomen. Dit was mijn derde dag en ik hoopte maar dat Vadim, de eigenaar, me snel naar de grotere tafels zou doorschuiven. Serveersters leven van hun fooien. Meer klanten stond gelijk aan meer geld en dat had ik – zonder het bankpasje van Laurel – hard nodig.

Blut was nog zacht uitgedrukt voor mijn huidige situatie. Bij aankomst had ik een paar honderd dollar van mijn onkostenvergoeding bij me gehad. Een deel van dat geld had ik gebruikt om goedkope make-up bij Duane Reade te kopen en bijna net zulke goedkope kleren bij de tweedehandswinkel bij mij in de straat. Je staat er nog versteld van wat voor beeldschone dingen sommige mensen weggooien.

Ik wist Vadim ervan te overtuigen dat ik niet zo'n hippie van in de twintig uit East Village was die al snel niet meer kwam opdagen, dus dezelfde dag dat ik solliciteerde bood hij me al een baan aan. De culinaire normen van zijn restaurant waren jammer genoeg in het Sovjet-tijdperk blijven steken en we moesten de allerlelijkste zwart-met-witte serveerstersuniformpjes ter wereld aan. Als je ook maar iets van heupen had, en die had ik dankzij Marco zeker, dan werden die door de glanzende stof alleen nog maar uitvergroot.

'Stoli?' vroeg ik aan het oorlelmeisje, met mijn pen in de aanslag boven mijn opschrijfboekje. Vadim had zijn serveersters de opdracht gegeven om altijd te vragen of de klanten het duurste drankmerk wilden. Dat wilden ze nooit.

Mohawk keek me aan alsof ik gek was. 'Als we Stoli wilden, zouden we niet híér eten, of wel soms?'

'Huismerk,' zei ik bevestigend, en ik schreef het op. 'Een ogenblikje.'

'En breng nog wat zuur mee,' riep Mohawk me na, waarna

hij in zijn linkerneusgat op zoek naar de schat ging.

Ik onderdrukte de neiging om te kotsen. 'Komt in orde.'

Ik wist dat ik van geluk mocht spreken dat ik deze baan ge-kregen had, want ik had helemaal geen ervaring. Mijn dienst liep van vier uur 's middags tot twaalf uur 's nachts en het was bijna altijd druk. Aangezien Tver een van de weinige restaurants in East Village was waar je voor minder dan twintig dollar kon eten en drinken, was het heel populair. Ik moest mijn drankbe-stelling boven het algehele geroezemoes en de oude hits van Blondie die uit de luidsprekers schetterden uit tegen Vitaly roe-pen, de oudste zoon van Vadim. Toen ging ik naar de keuken en leverde de bestelling voor het eten in bij Boris, de neef van de eigenaar. Tver was echt een familiebedrijf.

Ik hield een glas onder de cola-lighttap, vulde het voor de helft en dronk het snel leeg, voordat ik weer tegen de vlakte sloeg. Mijn voeten klopten van de pijn en ik had het gevoel alsof iemand een hete haardpook tegen mijn onderrug hield. Ik had nooit geweten dat bedienen zo'n zware baan was. Ik had spijt van mijn besluit om in Palm Beach niks aan sport te doen; ik torste vermoedelijk vijf kilo met me mee van al dat lekkere eten van Marco.

Ik legde mijn hand op mijn onderrug, drukte en bukte me toen om de vloer met mijn handpalmen aan te raken. Boris keek me vuil aan. Hij deed altijd alleen maar aardig tegen de Russische serveersters die drie keer zo snel en vier keer zo effi-ciënt werkten als ik.

Goed, terug. Dit was mijn laatste tafeltje en dan kwam James. Ik had hem eerder op de dag gebeld en gevraagd of hij om half een in de bar kon zijn. Mijn dienst was om twaalf uur afgelopen, maar dan moest ik nog de schaaltjes met zuur, het zout en peper, de flessen ketchup en mosterd bijvullen, maar ook de bar van nieuwe schijfjes citroen en limoen en van olijven voorzien. Meestal deed ik dat allemaal heel vlug, om maar zo snel mogelijk naar huis te kunnen en in te storten.

Maar vanavond zou ik James zien, die ik sinds ik vier dagen geleden in New York terug was gekomen niet meer had gezien of zelfs maar gesproken. Ik had hem op zijn werk opgebeld. En ik moet bekennen dat hij niet al te blij had geklonken toen hij hoorde dat ik het was. Ik had stiekem het vermoeden dat James-en-Megan hun langste tijd gehad hadden, en dat ging niet alleen van mij uit. Ik had er geen hartzeer van. Hij was goed voor me geweest, en ik hoopte dat ik goed voor hem was geweest, op een bepaald moment in ons leven. Het is wel moeilijk om verder te gaan, zelfs als je weet dat dat het enige juiste is.

Ik bracht Mohawk en het oorlelmeisje hun drank en hun schaaltje zuur, en daarna hun eten. Toen bracht ik een in leer gekleed bejaard homostel dat blijkbaar onderweg van West Street naar het centrum was verdwaald, hun plakken maanzaadcake en koffie. Ze hadden allebei precies hetzelfde voorhoofd waarop een niet-aflatende verbazing te lezen stond. Ik wist inmiddels, met dank aan Marco, dat dit het gevolg van een slecht uitgevoerde voorhoofdlift was.

Ik ging verder met mijn andere werkzaamheden, maar bleef in de gaten houden of James er al was. Wat is het leven toch grappig. Een jaar geleden had ik vol spanning en blijdschap zelfs naar hem uitgekeken. Nu voelde ik alleen maar schroom.

Ik was net klaar met de olijven toen James binnenkwam. Hij was op het slechte weer gekleed: muts, handschoenen, dikke kasjmieren jas. Heel even voelde ik een golf liefde. Maar het was net als fantoompijn: iets wat er niet meer was.

'Godver, wat is het koud buiten.'

'Hé, ik moet alleen mijn laatste twee tafeltjes de rekening nog even brengen,' zei ik. 'Ik ben zo klaar.'

Hij liep naar de bar, bestelde een whisky met ijs en keek toe terwijl ik mijn werk afmaakte. Oké, ik heb dus een ego – ik vond het verschrikkelijk om dat uniform te moeten dragen. Ik mocht dan niet meer verliefd op hem zijn, ik wilde nog steeds dat zijn laatste gedachte over mij zou zijn: god, wat ziet ze er lekker uit, en niet: god, wat een reet heeft ze in die jurk.

Ik was eindelijk klaar en ging op de barkruk naast James zitten. Vitaly keek mijn kant op. 'Hetzelfde, Megan?' vroeg hij.

Ik knikte. Aan het eind van mijn dienst op de eerste avond dat ik hier werkte had ik een flirtini gevraagd en Vitaly had me uitdrukkingsloos aangekeken. Zijn Engels was na slechts twee jaar in Amerika nog steeds niet al te best, maar verder had nog nooit iemand sinds het bestaan van dit restaurant een flirtini besteld, en vermoedelijk zou dat – op mij na dan – ook nooit meer gebeuren. Ik had gezegd wat er allemaal in zat en hij had een extra grote voor me gemaakt en het teveel in een ander cocktailglas geschonken. Hij nam een slok en zei dat hij het 'taxi-bien' vond – althans, zo klonk het. De volgende dag kwam ik erachter dat dat in het Russisch 'zo-zo' betekent. In het Russisch is 'zo-zo' een heel compliment.

'Zo... van Yale de bediening in,' zei James, al was dat al zonneklaar.

'En ik barst van de pijn in mijn rug. Ik had nooit kunnen denken dat neerwaartse mobiliteit zo'n pijn kan doen.'

Hij moest er niet om lachen. Hij keek alleen maar verdrietig.

Ik dronk de helft van mijn flirtini in één slok op. Het deed me denken aan de allereerste die ik gedronken had, op het Rood-witte Bal. 'Ik weet dat we in Palm Beach vervelend uit elkaar gegaan zijn,' begon ik, 'en ik heb er veel over nagedacht...'

'Wacht, heel even...' Hij dronk zijn glas leeg. 'Ik weet niet hoe ik het moet zeggen, dus ik zeg het maar gewoon zoals het is. Ik heb iemand anders.'

Ho eens even, íémand anders? Heather-anders? 'Heather?'

vroeg ik, terwijl ik mijn afkeer bij de gedachte alleen al niet eens probeerde te verbergen. 'Ik wist wel dat ze nog steeds op je aasde...'

'Heather is het niet.' Hij glimlachte. 'Maar je hebt wel gelijk. Toen ze terugkwam van de Turks en Caicoseilanden heeft ze gezegd dat jij iets had met die Will en dat ze het me gewoon móést vertellen, als vriendin.'

Ik kromp ineen op mijn kruk. Het was veel gemakkelijker geweest als ik gerechtvaardigde verontwaardiging had kunnen oproepen.

'En toen probeerde ze me te zoenen.'

O. Ik voelde mijn verontwaardiging oplaaien. Hoe durfde ze mijn vriendje – min of meer dan – te zoenen?

'Maar ik had al iemand anders leren kennen. Op het oudjaarsfeest van *East Coast*,' legde James uit.

'Een schrijfster zeker,' zei ik maar meteen, en ik voelde me weer inzakken. Een betere schrijfster dan ik en ongetwijfeld een kloon van Heather – lang, blond, sportief en met rondingen, in bezit van de PEN/Faulkner-onderscheiding. Zo'n schrijfster wier uitgever Annie Leibowitz inhuurt om de omslagfoto te maken en die foto dan opblaast, zodat hij het hele achterplat van haar roman in beslag neemt. Het soort schrijfster dat de ouders van James vreugdetranen zal doen plengen – omdat ze dan van mij verlost zijn.

'Nou, eigenlijk stond ze op dat feest achter de bar.'

Vitaly zette nieuwe drankjes voor ons neer. Ik nam een forse slok van flirtini nummer twee.

'Terwijl ze bezig was met haar uitermate literaire roman?'

'Shoe-Shoe is geen schrijfster. Ze is net klaar met een massagetherapieopleiding.'

'Een schilderes dan?' probeerde ik. 'Actrice? Musicus?'

'Nee.'

James was verliefd geworden op een masseuse. 'Hoe heette ze ook alweer?'

'Shoe-shoe.' Hij nam een slok van zijn tweede whisky. 'Dat spel je als X-I-U X-I-U. Haar echte naam is Emily, maar deze naam heeft ze aangenomen na een reis naar Taiwan van vorig jaar, waardoor haar leven ingrijpend veranderd is. Die naam is in een droom aan haar verschenen. Ze is ontzettend authentiek, Megan.'

En dan denk je nog dat je iemand kent. Ik hoefde me Xiu-Xiu alleen maar voor de geest te halen – de authentieke barkeepster annex masseuse – wanneer ze aan de snobistische moeder van James werd voorgesteld, en ik raakte vervuld van een heliumlicht soort blijdschap.

Ooit had mijn eigen, uitermate briljante moeder me in een zeldzaam openhartig moment verteld dat veel – misschien wel de meeste – mannen die heel intelligent zijn, beweren dat ze een heel intelligente vrouw willen. Uiteindelijk kiezen ze iemand die niet zo bedreigend is. Mijn vader was volgens haar een van de weinige briljante mannen die ook echt een briljante vrouw wilden.

James vermoedelijk niet.

Ik glimlachte naar hem. 'Ik wens jou en Xiu-Xiu het allerbeste.'

'Hartstikke bedankt dat je het zo goed opvat.' Hij kneep in mijn hand. 'En hoe zit het met jou, Megan?'

Ik haalde mijn schouders op. 'Ik rommel maar wat aan, zoals het uitkomt.'

'Is er niemand? Die Will ook niet? Zat Heather ernaast?' zei hij lachend.

Ik dacht maar al te vaak aan Will. Het was net of je telkens met je tong in een gat in je kies voelde, maar geen geld had om naar de tandarts te gaan. Het deed pijn, ik wist dat ik het beter niet kon doen, en toch deed ik het. 'Uitgesloten,' zei ik.

'Jammer.' James dronk zijn glas leeg en veegde zijn mond met een servetje af. 'Ik vind het vreselijk om je hier te zien werken. Je moet echt nog eens goed over dat artikel nadenken.'

'O, dat heb ik gedaan,' verzekerde ik hem.

'Echt?' Hij keek verbaasd en trots tegelijkertijd.

'Ik ga het voor *Rockit* schrijven. Een redacteur is geïnteresseerd. Eind volgende week moet ik het af hebben. Twaalfduizend woorden.'

'Twaalfduizend?' Hij floot zacht. 'Geweldig. Hé, als je wilt dat ik het lees voordat je het inlevert...'

'Nee, dat zit wel snor.'

Hij glimlachte verdrietig, alsof hij zich realiseerde dat het lezen en van commentaar voorzien van elkaars werk nu tot het verleden behoorden. 'Loop je een eindje met me mee?'

Vitaly zei dat de drankjes van het huis waren. Ik bedankte hem, ging de keuken in om uit te klokken en stak mijn armen toen in een dik donsjack, te klein om dichtgeritst te krijgen, dat ik van Charma had geleend. Ik zag eruit als een Michelin-mannetje in travestie. We liepen samen over Avenue A naar East 7th Street en daarna naar mijn huis. Ik keek omhoog naar de brandtrap en herinnerde me dat ik nog geen negen weken geleden mijn hele hebben en houden aan de halve buurt had laten zien. Het leek wel een eeuwigheid geleden.

'Goed. Is je flat nu weer op orde?' vroeg hij.

'Helemaal als nieuw.'

'Nou...' Hij spreidde zijn armen en ik verdween erin. Heel even wilde ik blijven, daar waar het lange tijd veilig en goed geweest was. Maar dingen veranderen. Ik verlangde naar die veiligheid, maar ik wist dat ik daar niet meer thuishoorde.

'Veel geluk met Xiu-Xiu. Met alles,' zei ik, en ik meende het.

'Jij ook, Megan. Ik hou *Rockit* in de gaten of ik je stuk zie.'

Ik glimlachte. 'Ik ook.'

Het was koud en het was donker. Maar ik bleef nog een hele tijd op de stoep staan en keek hem na.

Achtendertig

Schrijf een opstel waarin je de volgende stelling verdedigt of aanvalt: broers en zussen maken altijd ruzie. Dat is biologisch zo bepaald; ze strijden om de aandacht en liefde van hun ouders. Gezinsleden moeten de ruzies gewoon toelaten, want die vormen een normaal en heel begrijpelijk fenomeen.

De volgende dag sprak ik tijdens een korte, maar veelbeteke-nende vlaag van verstandsverbijstering met mijn zus af in haar supertrendy sportschool aan de Upper West Side. Ik had nog overwogen haar een kaartje te sturen om te vertellen dat ik het licht had gezien en in een ashram in Kathmandu verbleef, maar met een poststempel uit Manhattan en het feit dat we dezelfde ouders hebben en zo, dacht ik dat ze toch wel zou begrijpen dat ik weer in New York was.

Waar moest ik tegenover haar beginnen? 'Ik ben ontslagen uit mijn baan in Palm Beach.' Dat is nog eens een lekkere bin-nenkomer. Of wat dacht je van: 'Even uit nieuwsgierigheid, hoor, maar die jongen die je op oudjaarsavond hebt ontmoet, heeft die nog iets anders bij je gezoend dan alleen je lippen?' Ik kon net zo goed in mijn kist gaan liggen en haar de spijkers en de hamer aanreiken.

Het voelde in veel te veel opzichten aan als vanouds. Lily was meteen nadat ze aan Brown was afgestudeerd gaan acteren en modellenwerk gaan doen. Ze kreeg elke jongen die ze hebben wilde. En dan ik. Zelfs met mijn diploma van Yale was de baan bij *Scoop* het beste wat ik had kunnen krijgen, en daar was ik nog ontslagen ook. Mijn tweede baan in Palm Beach? Ook uit ontslagen. De eerste man van wiens kussen mijn tenen waren gaan krullen – Will dus – had me min of meer ook ontslagen.

Als je nou de oude zussenrivaliteit op de spits wilt drijven...

Lily's dag begon ermee dat ze naar Power Play ging, een kleine, maar uitermate hippe sportschool aan de Upper West Side, specifiek ontworpen voor mensen die geen zin hadden om tijdens hun sportuurtje 's ochtends met het gepeupel geconfronteerd te worden. Daarna ging ze lunchen met vrienden in een natuurvoedingsrestaurant waar ze taugébonen als een hoofdgerecht beschouwden. Daarna ging ze naar een acteerles of naar een film en 's avonds moest ze dan optreden, gevolgd door een borrel of een lichte maaltijd met ongeacht welke beroemdheid *du jour* die toevallig die avond naar het theater was gegaan om haar adembenemende spel te bewonderen.

Aangezien ik om vier uur in Tver moest beginnen, dacht ik dat ik met een afspraak om elf uur in haar sportschool genoeg tijd had om me door twintig minuten lichte marteling te worstelen, waarna ik kon vertrekken om een lunch te gebruiken die vooral uit twee groepen voedingsstoffen bestond – vet en suiker – en ik mijn serveersterskostuum voor mijn avondvoorstelling kon aantrekken.

Ik was eerder dan Lily in Power Play en wachtte op haar in de veel te dure kantine. De meeste mensen trekken zomaar wat aan als ze naar de sportschool gaan. Ik had een afspraak met Lily, dus ik had dé conditioner gevonden die je in je haar moest laten zitten, waardoor mijn glanzende lange krullen in het gareel bleven. Ik had het hele circus van de tweeling doorlopen met mijn make-up van de drogist. Het was geen Stila of Nars, maar l'Oreal en Maybelline bleken zo slecht nog niet. Ik had een grijze broek van Ralph Lauren aan die tot net over mijn taille kwam (twaalf dollar in de tweedehandswinkel, doordat er in het weefsel van de rechteromslag een oneffenheid zat) en een heel strak wit T-shirt (Fruit of the Loom voor mannen) met daaroverheen een vervilt geruit jasje met heel grote fluwelen knopen (het merk was eruit getrokken, maar waarschijnlijk van Chanel, voor achttien dollar).

Lily arriveerde, keek me vreemd aan, grijnsde toen en omhelsde me. Ze had een bezoekerspasje voor me geregeld en we kleedden ons om in de verrassend spartaanse kleedkamer. Ze informeerde natuurlijk naar Palm Beach. Ik had niet veel te vertellen en hield voor me dat ik ontslagen was – een detail immers. Ze vroeg zich af wanneer de tweeling de uitslag van hun examen zou krijgen. Ik zei dat dat over een week was. Ze zei dat ze voor ons zou duimen.

Power Play bestond maar uit twee zalen – een voor de cardio, een voor training met gewichten. Geen hippe steplesjes, geen hatha-yoga, geen kickboksen à la Billy Blanks. Daarvoor in ruil kregen de leden exclusiviteit, geen aangaperij en geen rijen bij de apparaten. We begonnen op een tredmolen. Ik zag dat Lily die van haar zo instelde dat de snelheid en het verval geleidelijk zouden oplopen van een voorzichtige warming-up tot een behoorlijk zware training.

Als zij dat kon, kon ik het ook.

Tien minuten later kwam ze net lekker in haar ritme, maar ik stond al te puffen en te hijgen als een stoommachine.

'Ga dan wat langzamer,' raadde ze me boven de technopop die uit de luidsprekers schalde heen aan.

'Nee, het gaat prima!' Het kostte me moeite om daadwerkelijk woorden te vormen.

Na iets van twaalf minuten liep het verval op naar Mont Blanc-hoogte, terwijl het rubber zo ongeveer met de snelheid waarop Lance Armstrong een tijdrit rijdt onder mijn sport-schoenen schoot. Ik pakte de zijstangen beet en hield me er uit alle macht aan vast. Ik had het gevoel alsof ik een een-op-eengevecht met een reus leverde, met een metalen sumoworstelaar.

'Megan, ga nou langzamer!'

'Nee, het gaat best,' hield ik vol.

'Maar je hebt helemaal geen conditie,' wierp ze tegen.

Nou, dat was natuurlijk dé manier om ervoor te zorgen dat ik níét langzamer ging. Als een krankzinnige zwoegde ik voort.

Plotseling stond er een vent met bicepsen ter grootte van de borsten van Suzanne de Grouchy voor mijn apparaat, die zijn handen aan zijn mond zette en brulde: 'Mevrouw! U gaat buiten uw norm!' Hij had het T-shirt van een officiële Power Play-trainer aan, met een naambordje waarop te lezen was dat hij GE-RALD heette. Zonder op mijn instemming te wachten boog hij zich over mijn apparaat en drukte op de knop voor een nood-stop. De knop deed wat hij moest doen. De tredmolen kwam abrupt tot stilstand.

'Als u een afspraak met een van onze trainers wilt maken, kan dat bij de balie,' zei Gerald. 'Ik raad het u ten zeerste aan.'

'Ik moet wat water,' mompelde ik tegen Lily. Met een rood gezicht, zowel van de inspanning als van de schaamte, liep ik rechtstreeks naar de kleedkamer.

'Megan!' Lily kwam achter me aan.

'Ik wil het niet horen.' Ik duwde de deur van de kleedkamer open, liep naar het fonteintje en dronk daar gulzig.

Plotseling werd het me allemaal te veel: hoe ik uit Palm Beach was vertrokken, dat ik geen cent te makken had, dat het uit was met James, dat ik als serveerster moest werken, dat ik het op het strand gedaan had met de jongen op wie ik smoorverliefd was, om vervolgens meteen door hem aan de dijk gezet te worden – een jongen met wie Lily op oudjaarsavond ook nog gezoend had. Nog meer bewijs dat ik me nooit met mijn zus zou kunnen meten. Terwijl ik dronk vulden mijn ogen zich met tranen.

Toen voelde ik de hand van mijn zus op mijn schouder. 'Wat is er?' vroeg ze.

'Van alles.' Ik stond op en veegde de tranen met de onderkant van mijn T-shirt van mijn wangen.

Ze legde haar arm om me heen. 'Kom mee.'

We liepen naar de andere kant van de kleedkamer, waar een paar modern uitziende banken stonden en een tafel met extra verfrissingen – sapjes, flessen water, gebak. Lily schonk voor ons allebei een glas cafeïnevrij ijsthee met muntsmaak in, maar we namen ook wat van de suikervrije veganistische koekjes.

'Oké, vertel op,' beval Lily toen we een van de banken in beslag hadden genomen.

Het kostte me te veel moeite om alles opgepot te houden. En dus kwam de waarheid naar buiten – in elk geval voor een deel. Ik vertelde haar over het stuk dat ik had willen schrijven en dat de tweeling daarachter was gekomen. En dat de tweeling mij voor iemand anders was gaan aanzien dan ik was. Toen ik mijn verhaal gedaan had, moest ik bijna glimlachen. Ik nam een slokje muntthee, die wat mij betreft vergezeld had moeten gaan van een stuk echte goede bittere chocola.

'Weet je wat grappig is – en dan bedoel ik "ironisch", dus niet echt om te lachen,' zei ik, om het gesprek weer terug te voeren op wat er zojuist in de sportzaal was gebeurd. 'Het gezelschap van de tweeling heeft me op een bepaalde vreemde manier het gevoel gegeven dat ik weer helemaal het gewone, mollige zusje was.'

'Dus zo zie jij jezelf?'

'Nee, ik zwak mijn volmaaktheid een beetje af in de hoop dat jouw ego er niet te erg door beschadigd raakt,' zei ik met bijtende spot, aangezien de waarheid gewoonweg te zeer in het oog sprong. 'Je kunt je niet voorstellen hoe ellendig het was om in de schaduw van de mooie, lieve, getalenteerde Lily op te groeien.'

Lily keek ongemakkelijk en streek een pluk haar achter haar oor. 'Daar heb ik me achter verstopt.'

'Waarachter?'

'Achter het mooie zusje,' zei ze zacht. 'Jij was het slimme zusje. Ik het mooie.'

O nee, daar kwam ze niet mee weg.

'Lily, je hebt aan Brown gestudeerd...'

'En daar heb ik me voor uit de naad moeten werken, omdat ik wilde dat papa en mama ook eens een keer net zo over mijn intelligentie spraken als over die van jou.'

'Met andere woorden, mooier, leuker en getalenteerder zijn dan ik was niet genoeg voor je,' vertaalde ik maar even voor het gemak. 'Je moest me dus in álles de baas zijn?'

'Kijk naar je eigen, zus,' zei Lily.

God, was dat echt zo? Ja. Intelligentie was de enige categorie waarin ik gewonnen had. 'Nou, we zijn wel een wandelend cliché, hè?' zei ik peinzend.

'Een zittend cliché,' corrigeerde ze me. 'Maar, Megan, heb je onlangs nog in de spiegel gekeken? Ik bedoel, écht goed gekeken?' Ze zette haar glas ijsthee op een bijzettafeltje naast een waaier van exemplaren van het tijdschrift *Fitness*. 'Toen ik vandaag binnenkwam en je in de kantine zag zitten, bedacht ik weer hoe mooi je bent.'

Ik trok een wenkbrauw op. 'Gaan we nu op de lieve-Lily-toer?'

'Nee, we gaan op de eerlijke-Lily-toer. Er is iets met je gebeurd toen je in Palm Beach was. Afgezien van de ellende, bedoel ik. Je bent mooi, Megan. Dat ben je altijd geweest, je hebt het alleen nooit gezien. En dat zeg ik niet om aardig te doen. Je hebt het hele pakket: slim, getalenteerd én mooi.'

Ik moest er bijna om lachen. 'Weet je hoe vaak ik gewenst heb dat je een kreng was, zodat ik een hekel aan je kon hebben?'

'Grappig. O, dat was ik nog vergeten: grappig. Slim, getalenteerd, mooi en grappig.'

'En blut. Vergeet blut vooral niet. En serveerster. Een blutte serveerster.'

'Je hebt nooit iets van me willen aannemen, Megan, dat weet ik,' begon Lily. 'Maar ik ben je zus. Mag ik je alsjeblieft wat geld lenen? Ik heb het, ik zal het niet missen en jij hebt het nodig.'

Ze had gelijk. Een lening van haar aannemen betekende dat ik op een bepaalde manier bij haar in het krijt stond. Maar werd het niet hoog tijd dat ik volwassen werd en toegaf dat liefde bepaalde verantwoordelijkheden met zich meebracht? Bijvoorbeeld dat je hulp moet accepteren als je die nodig hebt, net zoals je die moet geven als iemand die van jou nodig heeft? Bijvoorbeeld dat je volkomen eerlijk moet zijn?

Mijn hemel. Wat een ellende, dat volwassen zijn.

Ik schraapte mijn keel. 'Er is nog iets in Palm Beach gebeurd wat ik je niet heb verteld.'

'Wat dan?'

Dit was het allermoeilijkste. 'Die jongen aan wie ik je met oudjaar heb voorgesteld, hè? Will Phillips, de buurman van de tweeling? Wij... hadden bijna iets met elkaar, zeg maar...'

Koningin Draaikont slaat weer toe. Ach, kon mij het ook schelen.

'Ik ben stapelverliefd op hem geworden,' flapte ik eruit. 'En toen zag ik dat hij jou met oudjaar kuste, maar hij wist niet dat jij mijn zus was en jij wist niet dat ik hem leuk vond, want ik loog toen tegen iedereen, overal over. Will en ik hebben de laatste avond dat ik in Palm Beach was iets met elkaar gekregen. Hij was bij me toen de tweeling me ter verantwoording riep, dus nu heeft hij net zo'n hekel aan me als zij.' Ik dronk mijn laatste slokje thee op. 'Zo, dat was mijn ranzige bekentenis.'

'Rustig nou maar. Het was maar één kus, om twaalf uur,' verzekerde Lily me. 'Bovendien is hij helemaal niks voor mij.'

'Ja, knap en rijk, dat gaat natuurlijk niet samen in de liefde,' zei ik snedig.

'Het geval wil dat ik wel meer wilde, maar dat hij...' Ze glimlachte. 'Hij zei dat hij eigenlijk verliefd was op iemand anders.'

Op míj? Was hij al die tijd verliefd op mij geweest? Ik wreef over mijn borst, alsof het zou helpen als ik de plek aanraakte die binnen in me brak.

De pijn zou na verloop van tijd wel minder worden, wist ik. Maar ik wist ook dat ik er een litteken aan zou overhouden, een beurse plek in mijn binnenste, die verlangde naar wat had kunnen zijn.

Negenendertig

Kies de definitie die het meest op het volgende woord van toepassing is:

Hippie

- een trendy persoon
- iemand die zijn huishoudgeld aan een navelpiercing uitgeeft
- iemand die niet al te hygiënisch is
- onafhankelijke rockartiest
- te cool voor school

Een stagiaire die in de fase veel-gezichtspiercings-dus-ik-ben-heel-hip was blijven steken, liet me binnen in de vergaderzaal van *Rockit* en zei dat ik moest wachten. Ik trok het donsjack van Charma uit en ging zitten. Het was vreemd om hier te zijn, want het was een exacte replica van de vergaderzaal van *Scoop*, zeven verdiepingen lager: dezelfde standaard zwarte tafel, dezelfde imitatieleren stoelen. Het enige verschil was dat degene die hier de leiding had een voorliefde voor whiteboards had. Er hingen er drie aan de muur, een was op de een of andere manier op het raam bevestigd, waardoor het prachtige uitzicht op de klokkentoren van Metropolitan Life aan de overkant van de straat verpest werd.

Bij *Scoop* had ik, wanneer ik fotobijschriften schreef over de sterren en hun diëten, de sterren en hun vriendjes en de sterren en hun anorexia, erover gedroomd om mijn naam boven een artikel in *Rockit* te zien staan. Nu was ik dan eindelijk niet verder dan het fiat van een redacteur verwijderd van een uitgekomen droom. Woensdag had ik mijn artikel aan Gary gestuurd – nu we zakelijk met elkaar te maken hadden dwong ik mezelf hem niet meer Wolfmother te noemen – en hem gevraagd of we het vrijdag konden bespreken. Ik wist dat dat opdringerig van me was, maar dit was mijn kans.

'Goeiemorgen, Megan.' Gary kwam de kamer binnen. Hij had een blauw hemd met rafelende manchetten aan en een spijkerbroek met de uitgezakte kont die het gevolg is van te veel dragen en niet genoeg wassen.

'Hallo, Gary,' begroette ik hem hoopvol.

Hij gooide de kopij op de vergadertafel en plofte neer in een stoel. 'Ik begrijp er niks van, Megan. Je weet wat we hier bij *Rockit* publiceren. We hebben besproken wat ik wilde, dus je zou moeten weten dat dat dít niet is.'

Ik wist dat ik niet het verhaal had ingeleverd dat hij wilde zien. Maar ik had gehoopt dat het zo goed, zo boeiend geschreven was dat hij het toch zou publiceren. Dáárom had ik om deze bespreking gevraagd.

Het was het verhaal van een onlangs aan Yale afgestudeerde vrouw die tot aan haar nek in de schulden zat en die naar Florida gaat om twee puissant rijke meisjes in iets om te toveren wat voor een studiebol kan doorgaan, maar die gaandeweg zelf veranderingen ondergaat, en wel op een manier die ze nooit voor mogelijk had gehouden.

De rijke meisjes bleken niet op hun achterhoofd gevallen en bleken ook nog gevoel te hebben; ze hadden gewoon gewacht tot er iemand kwam die daar oog voor had. De privélerares, die jarenlang de pest in had gehad dat haar zusje mooier was dan zij, stak er ook iets van op. De tweeling en de mensen om hen heen, met name de kok en diens geliefde, lieten de privélerares zien hoe mooi ze in werkelijkheid was.

Ik had zelfs over de liefde geschreven, waarbij ik nog steeds met J. was, maar deed alsof ik single was. Waarbij ik op W. verliefd werd, die de Palm Beach-versie van de ideale buurjongen vertolkte. Ik was ervan uitgegaan dat hij een oppervlakkige *player* was, omdat hij zo rijk en knap was, en toen bleek dat dat maar één iemand te verwijten viel, en dat was ikzelf.

Dat vertelde ik allemaal aan Gary.

Hij luisterde aandachtig. 'Ga verder,' zei hij met een wuivend handgebaar. 'Ik ben een en al oor.'

'Natuurlijk is er sprake van weerzinwekkende overdaad,' legde ik uit. 'En daar heb ik ook over geschreven – dat heb je gelezen. Maar er zijn ook honderden vrouwen in Afrika die dankzij de stichting van Laurel een bedrijfje hebben kunnen beginnen, kinderen in ziekenhuizen die een kerstcadeautje krijgen. Tientallen miljoenen dollars zijn er met die verschrikkelijk overdadige galafeesten opgehaald. Dat moeten de mensen ook weten.'

Ja, ik wist dat ik geen typisch *Rockit*-stuk over de ranzige onderbuik van de samenleving in deze Verenigde Staten had ingeleverd. Maar ik wist zeker dat zijn lezers het zouden vreten. Ze zouden een kijkje krijgen in de ziel van een meisje uit een stadje in New Hampshire, die van de vooroordelen van de mensen om haar heen had geprofiteerd om een van de meest exclusieve lagen van de samenleving van het land te laten geloven dat zij een van hen was. En terwijl ze daarmee bezig was had ze misschien wel het fortuin van twee partymeisjes uit Palm Beach in veiligheid gesteld.

'Ze zullen ertegen aankijken zoals ik ertegen aan heb gekeken,' zei ik tegen Gary. 'Hun vooroordelen zullen op losse schroeven komen te staan, net als bij mij is gebeurd. We kunnen er over een paar weken nog een vervolg op schrijven, afhankelijk van de vraag of de tweeling op Duke wordt aangenomen of niet.'

Ik moet zeggen, omwille van Charma: hij luisterde wel. Ik haalde diep adem en wachtte zijn oordeel af.

'Sterk beargumenteerd,' zei hij.

Alsjeblieft, alsjeblieft, alsjeblieft...

'Je kunt heel goed schrijven, Megan. Maar het is gewoon niets voor ons.'

Nee. Ik had me er met al mijn gedrevenheid op gestort, maar hij had nee gezegd.

'Ik hoop dat je het ergens anders kunt onderbrengen.' Gary stond op en stak me zijn hand toe. Ik stond op, schudde die, liet mijn afgewezen artikel toen in een map glijden en trok dat ellendige donsjack weer aan.

Hij liep met me mee naar de lift en nam daar afscheid. En dat was dat, zoals dat heet.

Ik drukte op de knop naar beneden en liet mijn voorhoofd tegen de koele wand rusten. Ik was er dichtbij geweest. Héél dichtbij.

De deur ging open. Ik stapte in en drukte op de knop naar omlaag. Ik realiseerde me dat ik geen idee had wat ik de rest van de dag moest doen. Sinds ik terug was uit Palm Beach had ik voortdurend aan dit artikel gesleuteld. Nog nooit waren er twaalfduizend woorden zo zorgvuldig herschreven en geredigeerd. Ik moest pas om vier uur in Tver beginnen. Het was veel te koud om een wandeling te maken. Ik wilde mijn geld niet aan een bioscoop uitgeven.

De lift stopte op de zevende verdieping – een van de twee verdiepingen waar *Scoop* zat.

De deur ging open. Debra Wurtzel, de laatste ter wereld die ik op dat moment wilde zien, stapte de lift in.

En het werd nog veel leuker.

Ze nam me koeltjes op. 'Leuke make-over, Megan. Misschien moet je ook eens aan een setje nieuwe normen en waarden denken.'

Godver. Ze wist het. Nou ja, dat viel ook wel te verwachten. Laurel Limoges was een vriendin van haar.

'Je hebt het gehoord.' Mijn stem klonk hol.

'Natuurlijk heb ik het gehoord. Ik ben een uur lang bezig geweest om Laurel ervan te overtuigen dat ik niets met dat zogenaamde onderzoek van jou te maken had.'

We gingen zwijgend verder naar beneden.

'Ik was niet van plan om het te schrijven,' zei ik toen we uit de lift stapten. Ik wist dat dat net zo leeg klonk als het die laatste avond op Les Anges had geklonken.

'Mm-mm.' Het was wel duidelijk dat ze me niet geloofde. 'En wat brengt je hier in het gebouw?' vroeg ze, terwijl ze haar leren handschoenen tevoorschijn haalde.

'Ik had een bespreking bij *Rockit*.'

Kijk, nu was ze een en al aandacht.

'Had je een sollicitatiegesprek?'

'Nee, ik... ik heb een stuk geschreven. Freelance.'

'Over Palm Beach?' Ze kneep haar ogen samen. 'Je deugt niet, Megan.'

Iedereen heeft zo zijn grenzen. Zelfs ik. 'Je denkt maar wat je wilt, Debra,' zei ik vermoeid. 'Ik heb van het stuk over Palm Beach afgezien omdat het nergens op sloeg, omdat het geen eerlijk beeld gaf. Voor *Rockit* heb ik een stuk geschreven dat over mij ging en over hoe ik in Palm Beach veranderd ben. Dat is allemaal voor honderd procent waar én voor honderd procent eerlijk. Maar het zal je deugd doen om te horen dat *Rockit* er ongeveer net zo veel belangstelling voor had als jij voor mij hebt.'

Ik wilde naar de deur lopen, maar Debra riep me terug. 'Wacht even, Megan.'

Ik draaide me argwanend naar haar om. 'Wat is er?'

'Heb je dat stuk bij je?'

'Ja.'

'Ik wil het graag lezen.' Ze stak haar hand uit.

Ik schudde mijn hoofd. 'Dat lijkt me niet...'

'Megan.' Debra keek me doordringend aan. 'Ik zou zeggen dat je dat na alles wat er gebeurd is wel aan me verschuldigd bent. Bovendien wil ik dat stuk gewoon lezen.'

Ach, kon mij het ook schelen. Ik had het toch niet meer nodig. Ik haalde mijn stuk uit mijn tas en legde het met een klap in haar hand. Ze propte het in dezelfde oversized mosgroene Fendi-tas waar ik Sage ook een keer mee gezien had. Toen liepen we de draaideur door, de bijtende kou van eind januari in.

Debra trok haar ivoorkleurige kasjmieren sjaal wat dichter om haar hals en liep naar de gereedstaande zwarte auto.

'Debra?' riep ik haar na. 'Ik wilde alleen nog zeggen... Als ik je teleurgesteld heb, dan spijt me dat.'

Ze bleef staan en draaide zich om. 'Megan? Heb je daar nog leuke mensen ontmoet?'

'Eigenlijk wel, ja,' bekende ik, ook al was het wel heel vreemd dat zij nu plotseling belangstelling voor mijn privéleven had. 'Maar het is niks geworden. Dat staat allemaal in mijn stuk.'

'Jammer.' Ze klonk teleurgesteld, vreemd genoeg. Toen stak ze haar hand uit naar de kruk van het portier. 'Wat moet ik met dat stuk doen als ik het uit heb?'

'Weggooien, lijkt me.'

'Het ga je goed, Megan.' Ze dook achter in de auto, nog voor de chauffeur uit kon stappen om het portier voor haar open te houden.

Ik liep de kant van Broadway op, naar de r-metro, als de zoveelste werkloze New Yorker die de kou probeerde te trotseren en de dag probeerde door te komen.

Veertig

Kies de definitie die het volgende woord het best omschrijft:

Opgetogenheid

- giechelig zijn
- verrukking
- uitzinnig zijn
- uitgelaten zijn
- zo blij zijn dat je je armen in de lucht wilt gooien, een rondje wilt draaien en wilt zingen, net als Julie Andrews in *The Sound of Music*!

'Wil je een flirtini?' vroeg Vitaly toen ik bezig was de olijven bij te vullen.

Het was de maandagavond na mijn onfortuinlijke dubbele ontmoeting met Gary én Debra. Na onze wederzijdse bekentenissen bij haar op de sportschool had ik Lily nog een paar keer gezien en met haar gesport. Morgen zou ik haar zelfs een nieuwe winterjas voor me laten kopen, maar vanavond... wilde ik alleen nog maar naar bed.

'Nee, ik drink vanavond niet,' zei ik. 'Ik ga naar huis, mijn reservevoeten aantrekken.'

Hij keek me uitdrukkingsloos aan, hetgeen maar weer eens bevestigde dat waardering voor mijn gevoel voor humor pas aan de orde is als je het Engels al goed onder de knie hebt.

Mijn voeten deden pijn en hoewel het mijn hele dienst lang heel druk in Tver was geweest, had ik maar vijfentwintig dollar fooi opgestreken. De hele zelfkant van New York had in mijn gedeelte plaatsgenomen. Aan tafeltje 1 had een alcoholist gezeten die me toen ik zijn rijstpudding voor hem neerzette in mijn kont had geknepen en aan tafeltje 4 een lesbisch stel dat hun bestelling drie keer had gewijzigd zonder daarbij zelfs maar oogcontact met mij te maken. Later op de avond hadden tien meisjes uit New Jersey plaatsgenomen aan tafel 2, 3 en 4, de halve kaart besteld, alles naar binnen geschrokt en toen op een dode kakkerlak onder het slablad van de cheeseburger-speciaal van een van hen gewezen. Uit haar gegrinnik meende ik te kunnen afleiden dat ze dit beestje zelf hadden aangeleverd om maar niet te hoeven betalen. De bewakingscamera van Tver kon mijn vermoeden bevestigen. Vitaly en Vadim zorgden ervoor dat ze toch over de brug kwamen, maar voor mij zat er geen fooi in.

Ik wenste mijn collega's welterusten en liep de frisse, koude avond in. De wandeling terug naar huis bracht de bekende aanblikken en geluiden: jammerende sirenes in de verte, een junk die op de hoek van A en 10th tussen twee vuilnisemmers stond te pissen, een stelletje dat bij mij voor de deur tegen elkaar stond te krijsen. Toen ik mezelf binnenliet en aan de vijf trappen omhoog begon, waren ze nog steeds bezig. Ik had van tevoren gebeld, aangezien Charma en Gary de afgelopen paar avonden bij thuiskomst aan hun kant van de scheidingswand flink bezig waren geweest.

Ik maakte de drie sloten open en liep de keuken vol spulletjes van Charma's oma binnen. Als die oma bij ons op bezoek zou komen, had er zelfgemaakte kippensoep op het fornuis gestaan en niet de champagneglazen en de ongeopende fles Cristal die ik nu zag staan.

Ofwel Charma had een rol in iets belangrijks gekregen, ofwel Gary een enorme salarisverhoging, ofwel...

'Verrassing!'

En daar sprong de Baker-tweeling tevoorschijn. Ze keken me stralend aan. Ze sloegen hun armen om me heen, in één grote groepsomhelzing.

'Wat doen jullie hier? Wanneer... hoe zijn jullie hier gekomen?' ratelde ik.

'Niet jullie, maar wíj...' corrigeerde Rose. 'Wat doen wíj hier? Dat is eerste persoon meervoud. En ik kan het weten, want ik ga in het najaar naar Duke. Dat wilde ik je persoonlijk komen vertellen.'

'O god, is het jullie gelukt?' Ik omhelsde de meisjes nog een keer. De implicaties ontgingen me niet. Als Rose was aangenomen, dan was de tweeling halverwege...

'Ik ben ook aangenomen,' zei Sage laconiek, en toen nam ze mijn serveerstersuniform eens op. 'Heb je dan níks van ons geleerd?'

'Jullie zijn aangenomen! Jullie gaan naar Duke! Jullie krijgen je geld!' Ik danste de keuken rond. 'Ik ben ontzettend blij voor jullie!' En dat was ik ook echt. 'Jullie zijn rijk!'

'En weet je wie er nog meer blij voor me is?' vroeg Rose stralend. 'Thom!' gilde ze, nog voor ik het kon vragen.

Sage glimlachte. 'Ze zijn stapelverliehiefd,' liet ze me weten. 'En ik doe er niet eens krengerig over. Althans, niet waar ze bij zijn. Grapje!'

Rose stak haar tong naar haar zus uit en draaide zich toen naar mij om. 'Hé, wil je niet weten hoe we je gevonden hebben?' vroeg Rose gretig.

'Wat doet dat ertoe? Vertel dat straks maar. Hier met die champagne,' beval Sage.

Sage liet de kurk knallen en schonk vier glazen vol. 'Op onze privélerares, Megan Smith, die het onmogelijke heeft geflikt: ons op Duke aangenomen krijgen en gevoel voor mode ontwikkelen, ook al schijnt ze dat alweer kwijt te zijn geraakt.'

We klonken en dronken. De champagne kwam hard aan, maar wat nog harder aankwam was dat het ernaar uitzag dat ze me vergeven hadden. De vraag was alleen hoe dat kwam.

Maar nog voor ik ernaar kon vragen legde Rose het al uit. 'We hebben je stuk gelezen,' zei ze zacht.

'Welk stu...'

Toen begreep ik het: het stuk dat ik voor *Rockit* had geschreven. Dat ik aan Debra Wurtzel had gegeven. Debra kende Laurel. Debra had het gelezen en daarna aan Laurel gestuurd. Ik was onder de indruk, zo aardig vond ik dat van haar.

'We komen er heel goed af, mag ik wel zeggen,' zei Sage.

'Dus... jullie vergeven me?' vroeg ik aarzelend.

Rose gaf geen antwoord, maar haalde een envelop uit haar achterzak.

'Voor jou.'

Met bonkend hart scheurde ik hem open. Het was een cheque van de Sage en Rose Baker Trust, uitgeschreven aan Megan Smith. Voor honderdvijftigduizend dollar.

'We hebben oma gevraagd hoeveel je had zullen krijgen. En dat hebben we verdubbeld. We vonden dat we wel allebei vijfenzeventigduizend waard waren,' legde Sage uit.

Ik sta niet vaak met mijn mond vol tanden, maar op dat moment was ik echt sprakeloos.

'Omdat je zo goed voor ons bent geweest,' zei Rose eenvoudigweg.

Holy shit! Honderdvijftigduizend ruggen. Daarmee kon ik mijn studieschuld van Yale terugbetalen. Ik kon ophouden bij het restaurant, freelance gaan schrijven en een baan bij een fantastisch tijdschrift proberen te krijgen.

'Ik ben niet armlastig meer en de Baker-tweeling gaat naar de universiteit,' zei ik stomverbaasd.

Sage keek dodelijk geschrokken. 'Naar de universiteit?' huiverde ze. 'God, nee. Dat lijkt me echt oer- en oersaai.'

'Maar het geld dan? Hoe hebben jullie...'

'Megan, Megan, Megan,' zei Sage met een lankmoedige zucht. 'Ik had gedacht dat iemand van Yale de kleine lettertjes wel goed zou lezen. De afspraak was dat Rose en ik het geld zouden krijgen als we op Duke aangenomen werden. Niet als we aan Duke gingen studeren.'

Het was om te gillen. Ze had gelijk. 'Bedoel je dat je je oma te slim af bent geweest?'

'Het is fraai,' zei ze, en ze hief haar champagneglas. 'Nog een toost. Op ons. En vooral op Sage Bakers Seizoen.'

'Wat is dat?' vroeg ik.

Ze spreidde haar handen. 'Het is winter in Palm Beach en de koningin van het eiland loopt al sinds groep 7 Het Seizoen af: gala's, bals, liefdadigheidsdiners van tienduizend dollar per plaats. Maar dit jaar... gaat ze haar eigen seizoen organiseren.' Sage legde haar handen op mijn schouders. 'Ik noem het Sage Stage.' Met haar handen deed ze een krantenkop na. 'Ten gunste van vrouwen die geen werk hebben, die net zijn afgekickt of wat dan ook.'

'Een soort... opvanghuis?' vroeg ik sceptisch.

'Meer de ultieme make-over,' verkondigde Sage. 'Volgende winter te zien op televisie.'

Rose zette haar champagneglas op tafel. 'Nou, ga je ons nog je appartement laten zien?'

'Voor zover er iets te zien valt,' zei ik, en ik gebaarde hun mij te volgen. 'Addison Mizner heeft de smaakvolle woonkamer van tweeënhalf bij drie ontworpen, en de scheidingswand zorgt voor celachtige slaapkamers, een eerbetoon van

Mizner aan gevangeniscomplex Riker's Island, waar...'

Ik bleef staan. Op mijn bed lagen de koffer en kledingzak die Marco me had gegeven op die eerste dag dat hij me met mijn garderobe had geholpen. Ze puilden uit. De meisjes hadden zichzelf blijkbaar al rondgeleid.

'Marco heeft je stuk ook gelezen,' legde Sage uit. 'En hij zei dat je een briefje voor hem had achtergelaten. Hij wil zichzelf graag spelen in de film.'

'Hij zei ook dat hij er niet aan moest denken dat iemand anders deze kleren zou dragen. Dus ga je gang,' zei ze. 'Maak open.'

Ik ritste de kledingzak open. Hij puilde uit van de Chloë en Zac Posen, Vera Wang en Pucci, Gucci en Alaïa. Sommige dingen herkende ik, andere niet.

'Marco's vriend heeft een winkel geopend met de naam Als Mooie Kleren Vervelen,' legde Rose uit. 'Deze heeft hij er voor je uit gekozen.'

Ik was met stomheid geslagen.

'Val nog niet om,' waarschuwde Sage. Ze trok aan mijn linkerschouder, dus ik draaide me om naar de muur – een muur die leeg was geweest sinds ik het ingelijste Woodstock-t-shirt van mijn ouders had verkocht. Nu hing er een prachtig schilderij.

Will en ik stonden erop, in Hanans tuin, in Hanans weergaloze stijl geschilderd. Dat moest ze aan de hand van een van de foto's die ze van ons genomen had gemaakt hebben.

'Will wilde dat jij het kreeg,' zei Rose zacht.

Mijn hart kneep samen.

'Heeft... heeft hij het stuk ook gelezen?' vroeg ik.

'Daarom heeft hij dit met ons meegestuurd,' vertelde Rose, en toen keek ze op haar Hermès-horloge. 'Het is half twee. Als we nu niet weggaan missen we de laatste set.'

'Dan moeten we weg,' beaamde Rose.

'Wiens laatste set?' vroeg ik, terwijl ze terugliepen naar de keuken en hun jas van de haak aan de deur pakten.

'Van Brain Freeze,' legde Rose uit. 'Thom kent de bassist van de middelbare school. Ze spelen vanavond in de Pyramid Club.'

'Dat is vlak om de hoek,' zei ik. 'Ik trek eerst even dit verschrikkelijke uniform uit.' Ik liep al weg, maar Rose hield me tegen.

'Megan... het spijt me, maar we hebben een double date. Ik probeer Sage aan de vriend van Thom te koppelen.'

'Het leek me wel stoer om een muzikant als vriendje te hebben,' verklaarde Sage.

O. Oké. Ik was een beetje teleurgesteld, maar schudde dat gevoel van me af.

'We logeren in het Gansevoort,' zei Rose. 'Ik neem aan dat je morgen niet gaat bedienen?'

We besloten de volgende dag heel laat in de Fatty Crab te lunchen, het Maleisische restaurant in West Village. Ik nam afscheid van de meisjes, omhelsde ze en ging weer aan de groene formica tafel zitten. Toen nam ik een flinke slok Cristal, zo uit de fles. Dat had ik wel verdiend. Wat een ongelooflijke, fantastische wending had alles genomen.

Ik voelde me helemaal giechelig van geluk en van de champagne, liep de badkamer in, zette de douche aan en wilde net dat uniform voor de allerlaatste keer uittrekken toen ik in de gang het brandalarm hoorde.

Het brandalarm. Alweer. Nee, ik meen het. Godverdegodver. Zodra ik die cheque had geïnd verhuisde ik uit dit ellendige brandgevaarlijke East Village-complex.

Maar ik ben niet gek, dus ging ik snel mijn cheque pakken, trok de voordeur open en vloog de trap af. Maar op de derde verdieping riep mijn Servische huisbaas me toe: 'De trap is afgesloten. Ga snel naar het dak, Megan! Loop naar het pand hiernaast!'

Kut! Ik keerde om, rende de steile trap met twee treden tegelijk op en ramde mijn bovenarm tegen de zware metalen deur om hem open te duwen. Ik moest drie keer hard duwen en toen stond ik eindelijk buiten op het...

Zand.

Geen beton. Zand.

Er lag een strand op mijn dak. Her en der stonden strandparasols en ligstoelen en een stuk of wat van die draagbare verwarmingselementen waarmee ze het terras van een café bij heel koud weer nog kunnen verwarmen.

Op een van de stoelen lag Will, met een surfpak aan en een zonnebril op, een longdrink in de hand.

'Flirtini?' Hij stak me het glas toe. 'Als je niet naar Palm Beach kunt komen, dan komt Palm Beach wel naar jou.'

Ik liep naar hem toe en probeerde te bedenken wat ik moest zeggen. 'Eh... geen brand dus?' Iets beters wist ik niet te verzinnen.

'Het was een fluitje van een cent om je huisbaas om te kopen. Hij vond het geen punt om ons in jouw flat binnen te laten en hij keek ook niet op van de ploeg potige kerels die we ingehuurd hadden om het zand naar boven te slepen. Ik zou maar eens verhuizen als ik jou was.'

Ik boog me voorover en kneep hem.

'Au!' Hij trok zijn arm weg.

'Ik moest even zeker weten dat dit echt was.'

Hij wreef over zijn arm. 'Heeft mijn mannelijke kreet je overtuigd?'

Ik grijnsde en ging op de stoel tegenover hem zitten. 'Prachtig schilderij van Hanan.'

'Ja, mooi hè?' zei hij, terwijl hij me de flirtini aangaf. 'Dat was de dag dat ik verliefd op je geworden ben.'

Ik keek naar Will – de sproeten op zijn armen en zijn taps toelopende vingers. Wat was hij toch knap. Ik kon nog steeds niet geloven dat iemand als hij iemand als ik leuk kon vinden. 'Waarom?' hoorde ik mezelf vragen.

Hij zette zijn zonnebril af. 'Omdat je zo jezelf was. Kroezend haar, modder op je gezicht, een beetje raar.'

'Raar?' Ik moest lachen. 'Oké. Voor mij is het toen ook veranderd. Zoals je over Hanans schilderijen praatte, ook al zou je vader ze nooit tentoon willen stellen. Ik hoop nog steeds dat jij dat wel zult doen. Ooit.'

'Nou, stap één is dat ik hierheen verhuis,' zei hij.

Ho eens even, had hij net gezegd dat hij... 'Kun je dat even herhalen?'

'Hierheen,' herhaalde hij. 'Naar New York. Waar ik mijn eigen galerie ga beginnen. Hanan wordt de eerste kunstenaar van wie ik werk ga laten zien.'

Ik zal er wel net zo opgewonden uitgezien hebben als ik me voelde, want hij stak waarschuwend een hand op.

'Het zal niet gemakkelijk worden. Mijn vader is er niet zo blij mee. Hij voegt de daad bij het woord en dat betekent dat hij niet in me wil investeren. De tweeling overigens wel. En ik heb al met een paar vrienden van mijn studentenvereniging van Northwestern gesproken.'

'En ik maar denken dat een studentenvereniging zonde van je tijd is,' zei ik plagerig, en ik nam een slok van mijn flirtini. Hij was net zo lekker als in Palm Beach. Misschien nog wel lekkerder. 'Dit...' Ik gebaarde om me heen. 'Dit allemaal. Ongelooflijk.'

'Grappig, dat is precies het woord dat ik over jouw stuk gebruikt heb.' Hij keek omlaag naar het zandkleurige dak. 'Alles wat je gedaan hebt paste op een bizarre manier in elkaar.'

'Ik ben heel blij dat de tweeling je dat artikel heeft gegeven.'

Hij keek naar me op. 'O, maar ik had het al eerder gelezen. Mijn moeder heeft het per koerier naar me toe gestuurd.'

'Je... wát?'

'Niet wat, maar wie. Debra Wurtzel is mijn moeder.' Hij glimlachte breed om mijn ongetwijfeld uitermate geschrokken blik. 'Ik had geen flauw idee dat zij je naar Palm Beach had gestuurd; dat wist ik pas toen ik je stuk had gelezen. Echt waar. Het was allemaal opzet van haar.'

Ik was verbijsterd. 'Maar waaróm in godsnaam?'

'Ze dacht blijkbaar dat jij een fantastische privélerares voor de legendarische Baker-tweeling van Palm Beach zou zijn... en ze wilde het lot een handje helpen. Ik geloof dat ze vindt dat jij geknipt voor mij bent.'

'Ouders hebben het wat dat soort dingen betreft altijd bij het verkeerde eind,' merkte ik op.

'Misschien moeten we dat "altijd" maar veranderen in "soms".'

Hij stond op en liep naar een kleine provisorische bar bij de rand van het dak. Hij drukte op een knop van een cd-speler. 'One Love' van Bob Marley klonk door de nacht. Ik lachte en hij hielp me overeind.

En toen dansten we, midden in East Village, in een koude winternacht in New York, op een wit zandstrand dat ooit het dak van mijn appartementencomplex was geweest.